# WILLIAMS
# Pantycelyn

SAUNDERS LEWIS

RHAGYMADRODD

D. DENSIL MORGAN

Argraffwyd 1991 (clawr caled)

Cyhoeddwyd *Williams Pantycelyn* yn wreiddiol gan gwmni Foyles, Llundain, ym 1927

Cysodwyd y Rhagymadrodd (2016) gan Eira Fenn Gaunt
Golygwyd y Rhagymadrodd (2016) gan Dafydd Jones



*www.gwasgprifysgolcymru.org*

Mae cofnod catalog i'r llyfr hwn ar gael gan y Llyfrgell Brydeinig

ISBN 9781783169627



Ariennir y cyhoeddiad hwn yn rhannol gan Gyngor Llyfrau Cymru

FSC
www.fsc.org
CYMYSGEDD
O ffynonellau cyfrifol
FSC® C013604

Argraffwyd gan CPI Antony Rowe, Melksham

# RHAGYMADRODD

Prin bod yr un gyfrol o feirniadaeth lenyddol wedi peri'r fath gyffro ymhlith y cyhoedd darllengar Cymraeg ag astudiaeth Saunders Lewis *Williams Pantycelyn.* Yn ogystal â chreu categorïau newydd i ddehongli athrylith yr emynydd ynghyd â ffrwyth ei awen, nododd gyfnod newydd ym maes astudio llên y ddeunawfed ganrif, ei barddoniaeth yn neilltuol. Yn ôl Kate Roberts, mewn gohebiaeth â'r awdur o fewn ychydig wythnosau i'w chyhoeddi,

> . . . gallaf deimlo bod y llyfr yn aruthrol o fawr. Drwy eich gwybodaeth eang o lenyddiaeth gwledydd eraill a'ch llygaid goleu, treiddgar, rhoesoch inni y Williams Pantycelyn iawn. Ac o gael y Williams iawn gallwn weled o'r diwedd yr athrylith fawr yma yn ei wir ogoniant.[1]

Cofiai Stephen J. Williams, a benodwyd yn gydweithiwr â Lewis yng Ngholeg Prifysgol Abertawe ym mlwyddyn cyhoeddi'r gwaith, yr un wefr: 'Yn fuan wedi i mi ddod i'r Coleg ymddangosodd *Williams Pantycelyn*, sef y gyfrol a greodd y cyffro mwyaf . . . ar adeg ei chyhoeddi o holl lyfrau'r awdur'.[2] Gŵr ifanc oedd Aneirin Davies, yn ymbaratoi am yrfa fel fferyllydd ac yn byw gartref gyda'i rieni a'i frodyr yng Ngorseinon yng ngorllewin Morgannwg, pan ddarllenodd y gyfrol yn 1927. Bu'n achlysur tröedigaeth lenyddol iddo, a'r hyn a fyddai'n ei ysgogi (fel Aneirin ap Talfan, ac yna Aneirin Talfan Davies) i neilltuo oes o wasanaeth clodwiw a chaboledig i'r diwylliant Cymraeg: 'Nid â nemor flwyddyn heibio heb i mi ei darllen, a phob tro llwydda i greu ynof rywbeth o'r hen wefr a deimlais yn llanc unig, deunaw oed, mewn pentref diwydiannol, di-ddiwylliant'.[3] Crwtyn ysgol oedd J. Gwyn Griffiths, a brynodd y llyfr yn sgil brwdfrydedd y trafod a fu arno yng nghylchoedd Ymneilltuol Cwm Rhondda ar y pryd. O'i ddarllen a'i ailddarllen ar hyd y blynyddoedd, meddai: 'Ni allaf feddwl am lyfr o feirniadaeth lenyddol sydd yn fwy cynhyrfus yn ei ddiddordeb',[4] tra y mynnai Pennar Davies mai *Williams Pantycelyn* oedd 'un o'r llyfrau beirniadol mwyaf cynhyrfus a lliwgar a ddarllenais erioed'.[5]

Academydd ifanc 33 oed oedd Saunders Lewis pan orffennodd lunio *Williams Pantycelyn* ym mis Ebrill 1927, ac wedi gwasanaethu ar staff Adran y Gymraeg yng Ngholeg Abertawe er 1922.[6] Graddiodd mewn Saesneg ym Mhrifysgol Lerpwl yn 1914 ac, yn dilyn gwasanaeth milwrol yn ystod y Rhyfel Byd Cyntaf, cwblhaodd radd MA ar ddylanwad beirdd Lloegr ar lên Cymru'r ddeunawfed ganrif, gwaith a gyhoeddwyd fel *A School of Welsh Augustans* (1924). Ar ôl ysbaid fel llyfrgellydd ym Morgannwg, fe'i penodwyd i gynorthwyo'r Athro Henry Lewis yng ngwaith Adran y Gymraeg mewn coleg ifanc a sefydlwyd yn Abertawe cwta ddwy flynedd ynghynt. Fel un o sylfaenwyr cylchgrawn blaengar *Y Llenor* yn 1922, aeth Lewis ati yn ddiymdroi i ddatblygu gweledigaeth gynhyrfus ac unigryw ynghylch natur y traddodiad llenyddol Cymraeg, dehongliad y byddai'n glynu wrtho yn fras ar hyd ei fywyd. Testunol ac ieithegol oedd ansawdd ysgolheictod Cymraeg ar ddechrau'r ugeinfed ganrif, ac fel Syr John Rhŷs o'u blaen, roedd athrawon cyntaf y colegau cenedlaethol – Syr Edward Anwyl yn Aberystwyth, Syr John Morris-Jones ym Mangor, a Thomas Powel yng Nghaerdydd – yn ymddiddori yn y testunau clasurol am eu cynnwys ieithyddol a gramadegol yn hytrach nag am eu gwerth lenyddol fel y cyfryw. Ond gyda'r to nesaf o ysgolheigion, yn cael eu harwain gan W. J. Gruffydd yn benodol, sylweddolwyd yr angen i ddehongli natur y corff o waith y paratowyd testunau dibynadwy ohonynt gan yr arloeswyr, ac i ymestyn y maes i gynnwys llên fodern yn ogystal. Roedd cynnyrch cyhoeddedig Saunders Lewis eisoes wedi dangos gwreiddioldeb syniadol a chrebwyll beirniadol anarferol, ac roedd ei hyfforddiant mewn Saesneg a Ffrangeg ym Mhrifysgol Lerpwl, a dylanwad ei athrawon Oliver Elton a Lascelles Abercrombie arno, yn ei osod ar wahân i'w gydweithwyr a foldiwyd gan ragdybiaethau eu mentoriaid academaidd Cymreig. 'Oherwydd hynny', meddai Griffith John Williams,

> credaf y gellir dywedyd mai ef oedd y beirniad cyntaf a gawsom a allai ddeall y meddwl Cymreig yn yr Oesoedd Canol, ac a allai weled hanes llenyddiaeth Gymraeg fel rhan o hanes Ewrop . . . [D]yma sy'n egluro ei gyfraniad arbennig ef fel ysgolhaig Cymraeg.[7]

## DAFYDD NANMOR A'R 'ESTHETEG GYMREIG'

Rhan o raglen ar ddatblygiad llên y canrifoedd oedd *Williams Pantycelyn, A School of Welsh Augustans* a'i rhagflaenodd, ac ysgrifau beirniadol cynnar Lewis fel 'John

Morgan',[8] 'Y Bardd Cwsc',[9] 'Goronwy Owen'[10] ac eraill. Er iddo roi sylw gwreiddiol a threiddgar i weithiau yr ail ganrif ar bymtheg a'r ddeunawfed ganrif, rhagymadrodd oedd hyn i wir amcan yr awdur, sef esbonio natur yr hyn y byddai'n ei alw yn 'estheteg Gymreig'. 'Fy uchelgais', meddai Lewis yn ei Ragair i *Williams Pantycelyn*, 'yw gweld ail-sefydlu beirniadaeth Gymraeg ar sylfaen y traddodiad Ewropeaidd a ffynnai ac a dyfai yng Nghymru hyd at ddiwedd yr unfed ganrif ar bymtheg'.[11] Golygai felly gamu yn ôl o'r cyfnod modern cynnar at yr oesoedd canol lle ceid gwreiddiau yr 'estheteg Gymreig':

> [F]y nghrêd [*sic*] i yw mai beirniadaeth ac egwyddorion athronyddol y traddodiad llenyddol Cymraeg yn yr Oesoedd Canol yw cyfraniad arbenicaf Cymru i feddwl Ewrop, a bod egluro'r feirniadaeth honno, a dangos ei *chyfeiriad* yn wyneb datblygiad athroniaeth ddiweddar a llenyddiaeth ein hoes ninnau, yn dasg y gelwir arnom ei chyflawni. Felly yn unig y ceir yn y diwedd feirniadaeth lenyddol Gymraeg. (tt. ix–x)

Yr ysgrif allweddol yn y raglen hon oedd ei ymdriniaeth arloesol â gwaith Dafydd Nanmor, y bardd o'r bymthegfed ganrif, a welodd olau dydd ym mhedwaredd gyfrol *Y Llenor* yn 1925. Nid trafod geirfa, cystrawen na ffurfiau cerdd dafod a wnaeth Lewis, ond esbonio am y tro cyntaf erioed fydolwg y bardd a'i arwyddocâd i hanes y meddwl Cymreig. 'Ychydig,' meddai, 'a dybiodd fod gan yr hen brydyddion amgyffred am fywyd na ffilosoffi y byddai'n wiw i ninnau ei hystyried.'[12] Yr athroniaeth honno a roes ystyr i'w canu fel i fywyd eu cymdeithas gyfan, a heb ei dirnad, na chydymdeimlo â hi, ni ellid gwerthfawrogi twf y genedl yng nghanrifoedd ei gogoniant: 'Ni cheisiodd neb eto esbonio'r Esthetig Cymreig [*sic*], y peth sylfaenol yn hanes ein llenyddiaeth.'[13]

Prif nodweddion yr estheteg honno oedd ei hymdeimlad dwfn â hynafiaeth a phwysigrwydd tras; lle canolog Cristnogaeth Ladinaidd, nid ei hathrawiaethau a'i dogmâu yn unig, ond y wybodaeth o berthyn i'r un eglwys fyd-eang neu 'gred'; a rhinwedd y drefn uchelwrol – tri pheth a oedd yn ddieithr eithriadol i'r Gymru gyfoes:

> Heb ddwfn werthfawrogi'r pethau hyn, sef traddodiad mewn meddwl a chelfyddyd, Cristnogaeth Gatholig a chymdeithas aristocrataidd, ni ellir caru llenyddiaeth Gymraeg y cyfnodau Cymreig yn ddigon llwyr i fyw arni a'i derbyn yn dref-tad ac yn faeth i'r ysbryd.[14]

O ran Dafydd Nanmor ei hun, nid efelychu Dafydd ap Gwilym a wnaeth megis y tybiodd llawer o'r beirniaid ar y pryd, ac nid ei gywyddau serch oedd y peth pwysicaf amdano o bell ffordd. Mewn gwirionedd, prin oedd y canu hwnnw, ac nid oedd dim oll o ddylanwad 'crefydd y gwŷdd a'r gog' arno. Yn hytrach bardd sefydlogrwydd ydoedd, a'i athrylith oedd mynegi cadernid tras ac ansawdd trefn a bonedd ynghyd â delfryd perchentyaeth, mewn ffaith 'bardd y bywyd hwnnw, bardd y gwareiddiad Cymreig, yw Dafydd Nanmor'.[15] Gweithgareddau tai crefydd fel Ystrad Fflur, bywyd eglwysi plwyf fel eglwys y Faenor yn ne Ceredigion, a diwylliant llysoedd ei noddwyr, yn arbennig teulu Tywyn yn ymyl Aberteifi, oedd deunydd ei ganu, a moli'r gwareiddiad a gynhaliwyd yn y mannau hynny oedd ei nod.

A dyfo o bendefig
A dyf o'i wraidd hyd ei frig

meddai yn ei gywydd i Rys ap Rhydderch ap Rhys ar dderbyn ohono ei etifeddiaeth fel meistr plas Tywyn, ac yn ymhlyg yn hynny gyfrifoldeb am ei bobl, gofal am y tlodion a'r dyletswydd i borthi'r anghenus. Nid pyncio er diddanu ei noddwyr mewn oriau segur a wnaeth y bardd hwn, yn hytrach cynnal trefn oesol a oedd yn sail i'r gwareiddiad Cristnogol Cymraeg: 'Y mae yng ngwaith Dafydd Nanmor, megis y mae yng ngweithiau holl brif feirdd y byd, gysondeb meddwl a mawredd moesol.'[16] A rhag bod neb yn meddwl mai mater o ddiddordeb ysgolheigaidd yn unig oedd yr ymdriniaeth hon, mynnodd yr awdur fod gan ei weledigaeth berthynas â ffyniant y Gymru gyfoes:

> Daw ei weithiau inni heddiw yn neges gyfamserol, canys ni cheir eto geinder gwareiddiad yng Nghymru oni rodder i weledigaeth Gymreig y bardd hwn ei lle yn ein bywyd.[17]

*Tour de force* deongliadol oedd yr ysgrif hon, ac yn arwydd fod Saunders Lewis bellach yn rym ym mywyd deallusol y genedl. 'Nid hawdd i feirniaid ieuainc amgyffred newydd-deb y syniadau hyn yn 1925 na'r cyffro a grëwyd ganddynt', meddai Griffith John Williams:

> . . . Anaml y gellir dywedyd am unrhyw erthygl ei bod wedi cychwyn cyfnod newydd yn y gwaith o astudio unrhyw bwnc, ond credaf ei bod yn iawn inni ddywedyd hynny am yr ymdriniaeth hon â gwaith Dafydd Nanmor.[18]

Ym mis Awst 1925 y dechreuodd Lewis ysgrifennu *Williams Pantycelyn*, a'i gwblhau erbyn mis Ebrill 1927. Blynyddoedd o fwrlwm oeddent oherwydd, yn yr un mis â dechrau ysgrifennu, ffurfiwyd Plaid Genedlaethol Cymru gyda Lewis yn un o'i sylfaenwyr, ac wedi Ionawr 1926 gweithiodd fel golygydd *Y Ddraig Goch*, newyddiadur misol y mudiad.[19] Cyhoeddodd hefyd ddau bamffled a oedd er eu byrred yn dra phwysig, sef *Egwyddorion Cenedlaetholdeb* ac *An Introduction to Contemporary Welsh Literature*, ynghyd â thoreth o ysgrifau achlysurol ar wleidyddiaeth, diwylliant a llên.[20] Deg pennod oedd i'r gyfrol ar Pantycelyn. Fe'i seiliwyd ar gyfres o ddarlithiau a roes i'w ddosbarth allanol ym Mhontardawe, fe'i gyflwynwyd i'w dad y Parchg Lodwig Lewis, ac a'i gyhoeddi gan gwmni Foyle, Llundain. Yn ôl y Rhagair, tarddodd y gwaith o'r berw creadigol ymhlith awduron ifainc Cymru yn y 1920au ac fe'i hanelwyd at ei gyd-lenorion: 'I'm cyfeillion yn arbennig y sgrifennais', meddai, er mwyn eu harbed rhag cael eu maglu 'mewn rhamantiaeth ddiffrwyth'(t. v). Oherwydd hyn, a naws y cyfnod, '[c]redaf ein bod bellach yn addfed i ddeall neges Pantycelyn', meddai.[21]

Yn y bennod agoriadol, 'Yr Estheteg Gymreig', amlinellir gan Lewis amcan yr astudiaeth trwy gymharu awen Pantycelyn ac eiddo'r cywyddwyr y caed enghraifft o'u gweledigaeth yng ngwaith Dafydd Nanmor. Mae'n ail-adrodd thema'r ysgrif gynharach trwy fynnu mai'r corff o ddamcaniaethau ynghylch ystyr a diben bywyd a fynegwyd gan lenorion y cyfnod 1330–1640 'yw prif gyfraniad Cymru i feddwl esthetig yn Ewrop' (t. 16). Cafwyd bwlch rhwth rhwng hynny a chyfodiad Pantycelyn fel llenor sylweddol oddeutu 1740, ac yr oedd ei estheteg ef a'i athroniaeth bywyd yn gwbl groes i'r hyn a gymerwyd yn ganiataol gynt. Bellach nid moli trefn oesol, wrthrychol ei gwead a chadarn ei sylfeini a wnaed, ond yn hytrach ganu yn unigolyddol i brofiad personol. Dyma nod amgen rhamantiaeth o'i chyferbynnu â chlasuriaeth, a Williams oedd arloeswr rhamantiaeth yng Nghymru:

Od yw'n iawn defnyddio'r gair 'rhamantus' i ddynodi dull o feddwl a ddaeth yn amlwg yn Ewrop tua diwedd y ddeunawfed ganrif, yna Williams yw'r bardd rhamantus cyntaf yng Nghymru. (t. 17)

Ac yn fwy na hynny, amcanwyd cyn diwedd y gyfrol brofi 'mai ef oedd y bardd rhamantus, a'r bardd modern, cyntaf yn Ewrop' (t. 17). Yn ôl canonau'r estheteg glasurol, peth hanfodol gymdeithasol oedd barddoniaeth, yn fynegiant o fawl i gymdeithas sefydlog lle ceid unfrydedd barn ar bethau pwysig bywyd megis awdurdod terfynol Duw a dyletswydd pobl at ei gilydd. Swyddogaeth yr ysgolion barddol oedd cynnal y gwareiddiad hwn, 'a chan mai traddodiad yw hanfod pob addysg' (t. 16), trosglwyddwyd y ddamcaniaeth esthetig o'r naill genhedlaeth i'r llall. Gyda'r Diwygiad Protestannaidd, fodd bynnag, torrwyd ar unoliaeth cred, ysbeiliwyd y mynachlogydd, amddifadwyd y bobl o'u crefydd gysefin a chefnodd yr uchelwyr ar eu cyfrifoldebau. Erbyn yr ail ganrif ar bymtheg roedd yr hen ddelfryd bron wedi ei chwalu'n derfynol a'r canlyniad oedd unigrwydd: 'Gwnaethpwyd Cymru'n wlad o bobl unig . . . Canlyniad anhrefn a drysni meddwl yw unigedd' (t. 22). Daeth y nodyn prudd, lleddf hwn i nodweddu barddoniaeth, ac erbyn y ganrif nesaf enillodd fuddugoliaeth lwyr. A dyna gyd-destun bywyd Williams:

> [E]r mwyn deall bywyd a gwaith Pantycelyn, a'i farn am farddoniaeth, rhaid dal yn gyntaf oll ar y ffaith hon: ei eni a'i fagu a'i addysgu mewn gwlad a gollasai ei threfn gymdeithasol a'i thraddodiadau, gwlad wedi ei maglu mewn unigedd a thlodi ysbrydol. (t. 23)

I'r emynydd doedd dim o'r fath beth â chenedl, ac roedd yr eglwys iddo'n ffenomen gwbl arallfydol: 'Prin y ceir ganddo syniad am gymdeithas Gristnogol neu Eglwys yn y byd yma' (t. 25). Roedd hanes wedi'i lyncu gan y tragwyddol ac roedd y materol, neu'r hyn a berthynai i'r greadigaeth wedi'i ddiraddio yn llwyr. Hiraethai nid am barhad y gymdeithas Gristnogol a'i bendithio gan Dduw mewn hyn o fyd, ond yn unig am y sylwedd nefol: 'Mor dlawd yw'r meddwl hwn o'i gymharu â'r syniad gwareiddiol a chyfriniol am yr Eglwys yn gorff Crist yn y byd ac yn barhad o'r ymgnawdoliad' (tt. 25–6). Roedd y cwbl yn wedd ar ei unigolyddiaeth a'i ddiffyg ymdeimlad cymdeithasol: 'Ar ôl dydd y Farn y gwelai Williams Gymundeb y Saint' (t. 27). Y pererin unig oedd prif ddelwedd ei ganu, yn tramwyo byd a oedd yn anialwch llwm: 'Dyn oedd yntau yn cerdded ar ei ben ei hun ac yn y tywyllwch' (t. 28). Ni ellid dychmygu dim a oedd mor wahanol i nodweddion yr hen wareiddiad Cymreig, cymdeithasol gynt, ond y nodyn hwn bellach a ddaeth i ddynodi bywyd a phrofiad y Gymru fodern. Y cwestiwn sylfaenol i lenor oedd pam, felly, bwrw ati i farddoni? Oherwydd llenor, yn ddiau, oedd Williams a bardd mwyaf toreithiog ei ganrif. A'r ateb? Er mwyn mynegi'r bywyd mewnol, bywyd yr enaid unigol ac yn fwyaf neilltuol y wedd brofiadol ar y bywyd hwnnw: 'Yn ei unigedd nid oedd ganddo i ganu amdano onid ef ei hun . . . [E]f oedd y bardd cyntaf i droi profiadau mewnol a chyflyrau enaid yn brif ddeunydd barddoniaeth' (t. 31). Nid ef oedd y bardd crefyddol cyntaf, oherwydd roedd moli Duw ymhlith dyletswyddau a gogoniannau y cywyddwyr gynt, ond ef oedd y bardd cyntaf i droi bywyd yr enaid yn ddeunydd cân. 'Yn y gwraidd nid bardd crefyddol oedd Williams', meddai Saunders Lewis, 'ond bardd eneidegol, bardd ei brofiadau'i hun' (t. 31). Barddoni er mwyn meddiannu'r profiad mewnol yn llwyrach a wnaeth, ac yn hynny o beth roedd yn drwyadl fodern, y cyntaf o lenorion mawr y Gymru fodern: 'Y mae holl wreiddiau barddoniaeth Pantycelyn yn ei brofiad ei hun' (t. 41). Y dasg a osododd Lewis iddo'i hun oedd deall a dehongli gweledigaeth lenyddol ei wrthrych, gan gynnwys crefft ei ganu, ei fesurau, ei odlau a'i eirfa, yn ogystal â'i athroniaeth bywyd, a gweld a oedd modd eu cyfuno ag hanfodion yr estheteg Gymreig.

## ENEIDEG

Er mwyn cynnal ei ddadl mai Williams oedd y llenor Cymraeg modern cyntaf, mae Lewis yn dechrau ei astudiaeth trwy ddadansoddi un o weithiau rhyddiaith y Pantycelyn aeddfed, sef *Drws y Society Profiad* (1777) a luniodd yr awdur pan yn 60 oed. Erbyn hynny, bu'n cynnal seiadau ers degawdau a'i gydnabod ymhlith ei gydarweinwyr Methodistaidd fel eu pennaf feistr ar grefft bugeilio eneidiau.[22] Cynhwysa'r gyfrol y disgrifiad manylaf o ddulliau trin profiadau'r dychweledigion ac o ddosbarthu cyflyrau eu heneidiau ac felly mae'n allweddol er mwyn dehongli cynnwys yr emynau: '[T]rwy *Ddrws y Society Profiad* y mae mynd i mewn i deml barddoniaeth Pantycelyn' (t. 42). Dwy thema sy'n rhedeg trwy gyfrol Lewis yw mai bardd seicolegol oedd Williams – 'eneidegol' yw'r gair a ddefnyddir ganddo – ac mai yn ôl categorïau cyfriniol yr Eglwys Gatholig y gellid dadansoddi orau hanfod profiad ysbrydol y bardd ac eiddo'r dychweledigion hwythau. Daw'r ddwy thema yn amlwg ym mhenodau nesaf y gyfrol. Cyfaddefodd Williams mai am resymau ymarferol neu fugeiliol y sefydlwyd y seiadau, ac nid yn ôl unrhyw gynsail na gorchymyn Beiblaidd, peth a barodd i Lewis ddweud:

> [P]an gynhyrfwyd y Cymry unwaith eto gan brofiadau crefyddol, bu'n rhaid er mwyn iechyd meddwl dynion a'u harbed rhag gwallgofrwydd, atgyfodi mewn rhyw fodd gyffes yr eglwys Gatholig, a dyna oedd y Seiat. (t. 43)

Trin seicoleg a wnaed mewn seiat, cymhwyso at y gydwybod friw falm y maddeuant dwyfol a sicrhau gonestrwydd ysbrydol trwy gyffes ddilys a hunanymholiad dwys. Gŵr ifanc oedd Pantycelyn pan gychwynnodd ar ei weinidogaeth gyhoeddus, ac at ei gilydd pobl ieuainc oedd y dychweledigion ac aelodau'r seiadau. Un ar hugain oed ydoedd pan glywodd Howell Harris yn pregethu ym mynwent eglwys Talgarth yn 1738 a phrofi tröedigaeth ei hun, ac o hynny ymlaen dyna ddeunydd ei ganu: 'Y profiad hwnnw a'r profiadau a'i dilynodd yw deunydd y cwbl o'i farddoniaeth' (t. 45). Rhan o thesis Lewis yw mai profiad ieuenctid yw tröedigaeth efengylaidd, ac i ansawdd barddoniaeth Pantycelyn wella yn sgil dyfnhau ei brofiad, ei dyfiant ei hun mewn gras a'i hir fyfyrdod wrth gynghori eraill yng ngwaith bugeiliol y seiadau. O fod yn Gristion ifanc cyrhaeddodd aeddfedrwydd y sant, neu, yn ôl y categorïau cyfriniol, aeth o ffordd y puro trwy ffordd y goleuo at ffordd yr uno.

Roedd y dosbarthu manwl a thaclus hwn yn sylfaenol i ddadansoddiad y gyfrol: 'Er mwyn deall meddwl a barddoniaeth Williams o Bantycelyn', meddai Lewis, 'rhaid dal hyn yn gyson mewn cof: ei fod yn edrych ar y Diwygiad fel profiad llanc' (t. 45). Mynnodd hefyd mai ystyr technegol sydd i'r gair 'llanc', sef *adolescent*. Roedd hyn yn ei dro yn adleisio'r damcaniaethau diweddaraf ym maes seicoleg. Gwyddor ifanc oedd seicoleg – 'eneideg' – ar droad yr ugeinfed ganrif, a'r ysgolhaig a gaiff y clod o ddyfeisio cysyniad yr adolesent oedd yr Americanwr G. Stanley Hall (1846–1928), awdur yr astudiaeth arloesol ddwy gyfrol *Adolescence* (1904). Yr un a boblogeiddiodd y gwaith hwnnw oedd ei ddisgybl, John Willis Slaughter (1878–1964), a fu ar staff Prifysgol Llundain rhwng 1906 a 1912 cyn dychwelyd i ddysgu seicoleg ym Mhrifysgol Rice, Houston, Texas, am weddill ei yrfa. Gwaith hylaw, bywiog a darllenadwy yw cyfrol Slaughter, *The Adolescent* (1911), a welodd amryw adargraffiad yn hanner cyntaf y ganrif o'r blaen. Yn debyg i waith Hall, seiliai lawer ar ddeffroad y greddfau rhywiol gan fynnu fod argraffiadau crefyddol yn aml yn cyd-fynd â'r nwydau cnawdol.[23] Hyn, meddir, oedd yn nodweddu bywyd llanc. Caiff Slaughter ei ddyfynnu gan Lewis er mwyn cadarnhau rhybudd Williams ynghylch yr angen i beidio â drysu rhwng melancoli ieuenctid a gwir argyhoeddiad o bechod – sylwadau sy'n adleisio, meddai, doethineb y Santes Teresa o Avila (1515–82): 'Nid oes dim yn hynotach yng ngwaith Pantycelyn na'i amgyffred o beryglon troedigaeth a phrofiadau duwiol' (t. 46). Wrth fanylu ar gynnwys *Drws y Society Profiad* a chanmol medrusrwydd ei awdur wrth ddosbarthu temtasiynau a chynnig cynghorion, pwysleisia Lewis wreiddioldeb y gwaith:

> Nac anghofiwn newyddwch y disgrifiadau hyn. Yn y llenyddiaethau Protestannaidd dyma'r ymgais gyntaf i roi dosbarth ar brofedigaethau'r meddwl a'u darlunio'n fanwl. Mewn eneideg y bu diwinyddiaeth Brotestannaidd bob amser yn wan, a dyna lle y mae cryfder eithriadol Williams. (t. 52)

Ar ben hynny, myn fod yr emynydd, yn ddiarwybod iddo'i hun, wedi dod o hyd i'r categorïau eneidiol a arferwyd gan gyfrinwyr a meddygon enaid y traddodiad Catholig, yn enwedig yn Sbaen adeg y Gwrth-Ddiwygiad, unigolion tebyg i'r Santes Teresa ac Ieuan y Groes (1542–91):

> Yn ei ddiwinyddiaeth, ei syniadau athronyddol, derbyniai Williams Galfiniaeth yn llawn. Y mae ei eneideg, ffrwyth ei brofiad a'i feddwl ei hun, yn gwbl anghalfinaidd. Ni welodd ef erioed yr anghysondeb. (t. 56)

Mae'n anodd meddwl pa un o'r ddau ddyfyniad yma sydd fwyaf gwrthnysig. O ran hanesyddiaeth, mae'r un cyntaf yn syfrdanol o gyfeiliornus ac yn arwydd naill ai o anwybodaeth Saunders Lewis am swmp a chyfoeth llên fugeiliol y traddodiad Protestannaidd (y Piwritaniaid

Saesneg a Phietistiaid yr Almaen yn fwyaf arbennig), neu o'i awydd i droi Pantycelyn yn greawdwr unigryw ac yn arloeswr di-gystadleuydd yr awen fodern. O ran yr ail ddyfyniad, gwna synnwyr yn unig petai'r model a ddefnyddiodd Lewis i ddehongli ysbrydolrwydd Pantycelyn yn un dilys. Yr hyn sy'n syndod yw bod neb, braidd, ymhlith sylwebyddion *Williams Pantycelyn* ar y pryd wedi nodi'r pwynt.

Yn y drydedd bennod, trafodir dylanwad y beirdd a'r llenorion Saesneg ar Williams, Milton a Bunyan yn arbennig, gan fynnu mai nhw ac nid llenorion ei wlad ei hun oedd ei feistri: 'Y mae'n anodd gwybod pa nifer o lyfrau Cymraeg a ddarllenodd erioed' (t. 62), ac olrheinir twf a dylanwad ei awen rhwng *Aleluia* (1744–7), *Hosanna i Fab Dafydd* (1751–4) a'r *Caniadau y Rhai sydd ar y Môr o Wydr* (1762). Does dim amheuaeth i ansawdd ei waith wella wrth fynd yn ei flaen, ac i gynnwys ei emynau a'u mynegiant ddyfnhau law yn llaw â'i gynnydd ei hun mewn crebwyll ysbrydol ac ymholiad. Er mai'r pererin unig yn tramwyo anialdir cras yw'r ddelwedd ganolog o hyd, sonnir yn gynyddol nid am brofiadau'r hunan ond am ffynhonnell a gwrthrych y profiadau hynny, sef Duw. Erbyn y 1750au, roedd Pantycelyn yn ei drwytho'i hun yng ngweithiau awduron hen a modern: 'Dysgodd hanes crefyddau a diwinyddiaeth, a darllenodd yn eang mewn gwyddoniaeth ac amryw wybodau' (t. 74), a newidiwyd pwyslais ei ganu o'r goddrychol neu'r mewnol at y gwrthrychol, allanol. Ymgais at gyfanrwydd oedd ei epig, aflwyddiannus ysywaeth, *Golwg ar Deyrnas Crist* (1756), ei '*Summa Theologica* ar gân' (t. 75), ond methiant godidog ydoedd serch hynny, a oedd, o ran ei fodernrwydd, yn trafod gwyddoniaeth a'r meddwl cyfoes ac yn arwydd fod ei athrylith yn ymgryfhau. Erbyn cyrraedd *Caniadau y Môr o Wydr* roedd y llanc megis wedi troi yn ddyn, roedd y canoli amrwd, myfïol yn ei ganu wedi pallu, roedd Williams yn fwy ymwybodol o ddisgyblaeth a chaledi y bywyd ysbrydol nag o lesmair y profiadau cynnar, ac roedd yn fwy aeddfed ym mhob ffordd: 'Teithiasai erbyn hyn gryn bellter ar lwybr duwioldeb Cristnogol, ac fel pawb a fuasai'r ffordd honno ac a adawodd inni ei hanes, cyfarfu â loesau annisgwyl a chelyd' (t. 85). Cofnod o'r aeddfedu hwnnw ynghyd â medr eithriadol y bardd oedd casgliad 1762: 'Onid yw'n bryd cydnabod yn y *Môr o Wydr* un o lyfrau mawr barddoniaeth Gymraeg, a'r ystwythaf o gyfrolau Pantycelyn?' (t. 91).

Pen draw ffordd y puro, sef y cam cyntaf tuag at sancteiddhad neu aeddfedrwydd cyfriniol, oedd ymwadu â'r hunan, chwalu balchder a dysgu gostyngeiddrwydd, ac erbyn y *Môr o Wydr* roedd Williams wedi cerdded y ffordd hon. Y cam nesaf (a thrafodir hyn yn y penodau nesaf, pedwar hyd wyth) oedd cychwyn ar hyd ffordd y goleuo, a gwelir iddo wneud hyn yn ei waith mawr nesaf sef y gerdd hir *Theomemphus* (1764): 'Yn *Theomemphus* fe gerddodd Williams ffordd y goleuni. Diwedd y gân a fydd ffordd yr Uno' (t. 94). Yn groes i W. J. Gruffydd a fynnodd yn rhifyn cyntaf *Y Llenor* mai efelychu beirdd y traddodiad clasurol a wnaeth Pantycelyn yma,[24] cytuna Lewis â'r bardd ei hun a haerodd na fu cynsail iddo 'yn Saesonaeg, Cymraeg, nac yn Lladin, a'r wn i'.[25] Gwreidd-ioldeb y gwaith a'i newydd-deb syfrdanol oedd iddo lunio cân a oedd yn llawn nid o deipiau statig yn null y llên arwrol ond o gymeriadau byw a oedd yn tyfu ac yn dat-blygu ger ein bron: '[Y]n *Theomemphus* fe grynhoes Williams brofiadau'i fywyd yn oriel o bersonau byw . . . pob un ohonynt yn gymeriad ar ei ben ei hun' (tt. 96–7). Yn wir, '[n]id teip yw Theomemphus, ond gwir ddyn a chanddo holl gymhlethdod person byw . . . Dyma hanfod newydd-deb *Theomemphus* yn hanes meddwl Ewrop' (t. 102). Ar ben hynny, gan fod y deunydd yn ymwneud â holl droeon y profiad mewnol ac yn galeidoscop llachar o gyflyrau'r enaid, ei demtasiynau, ei brofedigaethau, ei fethiannau a'i fuddugoliaethau, roedd yn agor y ffordd i gyfnod newydd yn hanes llên: 'Llygrwyd ffynnon clasuriaeth y cyfnod. Daeth i mewn i fywyd Ewrop ddyn newydd, creadigaeth newydd, un a deimlai ac a brofai, Theomemphus, y cymeriad rhamantus' (t. 104). Roedd yr emynydd o Bantycelyn yn dad y symudiad mawr nesaf yn hanes diwylliant y Gorllewin, sef rhamantiaeth: 'Dyma'r gyntaf o ganeuon mawr y mudiad rhamantus yn llenyddiaeth Ewrop' (t. 106).

## TRÖEDIGAETH LLANC

Yn y bumed bennod, 'Troedigaeth Llanc', y ceir craidd y dadansoddiad o seice'r Williams ifanc fel llenor ac fel Cristion, ac nid oes modd amau camp eithriadol y dehongli na natur afaelgar yr ysgrifennu. Nid llanc claear, merfaidd, di-ddim mo'r Williams ifanc ond un hoenus, synhwyrus. 'Y cryf ei nwydau, y dyn y mae rhyw a chnawd yn danbaid ynddo,' meddir, 'hwnnw'n unig a all wybod am brofiadau angerdd' (t. 107). Fe'i magwyd ymhlith Annibynwyr syber eglwys Cefnarthen, pobl sylweddol, ddeallus, a chredoau'r Piwritaniaid ac athrawiaethau mawr y Diwygiad Protestannaidd yn gynhysgaeth iddynt, ond erbyn ei blentyndod roedd arwriaeth cyfnod yr erlid (a ddaeth i ben yn 1688) yn atgof pell, ac roedd crefydd mewn perygl o droi'n arferiad trymaidd.[26] Yr hwn sy'n cynrychioli'r crefydda yma yn ei wedd ddeallusol yw'r pregethwr Orthocephalus ('Uniongred-y-pen'), y cymeriad cyntaf yn *nramatis personae* deffroad ysbrydol y llanc Theomemphus. I lanc nwyfus, dychmygus, roedd angen mwy na gwybodaeth pen i gyffwrdd cydwybod a chalon: 'Aeth crefydd yn gonfensiwn cecrus, a'r Beibl, maes y dadleuon oll, yn grasdir sathr. Nid oedd ynddo ddim a denai serch bachgen ag egni gwanwyn yn ei waed' (t. 110). Er mwyn dianc rhag diflastod sychlyd y pregethau meithion a'r athrawiaethau crin, ffoes y llanc i fyd ei ddychymyg a'r bywyd mewnol ar yr union adeg roedd y nwydau rhywiol yn deffro:

> Prif hudol y byd mewnol hwn yw greddf rhyw. Yn ei lencyndod y dargenfydd bachgen ei fod yn greadur rhywiol, a daw'r ymwybod iddo'n aml yn ddychryn a phoen . . . Hyn sy'n ffurfio llencyndod, yn brif gymhellydd holl egni'r cyfnod. (t. 114)

Mae llencyndod yn gyfnod mewndroëdig ar y gorau, a heb sianelu'r egnïon pwerus i gyfeiriadau allanol, iachus, y perygl yw troi'n or-fewnblyg a bod hyn yn arwain at ffantasi a niwrosis. I'r sawl a fagwyd yn foesol, gallai'r ffantasïau hyn droi'n arswyd ac yn loes cydwybod, ac o'u cywasgu i'r isymwybod gallent droi'n beryglus. Yn achos cymeriad canolog y gân, dyna a wnaed: 'Dyna gyflwr Theomemphus. Yr oedd yn addfed felly i gyfnewid' (t. 117). Nid fflach o'r nefoedd mo tröedigaeth ond peth y ceir hir baratoad ar ei gyfer, ond er gwaethaf pangfeydd mewnol y gwrandawr ifanc, ni ddaeth yr ymwared eto. Mewn gwirionedd, roedd gwaeth i ddod, a thrwy genadwri Boanerges ('Mab y Daran'), sef pregethwr y ddeddf, troes poendod Theomemphus a'i ddiflastod mewnol yn euogrwydd enbyd. Caiff ei farnu nawr nid yn ôl safon ei gydwybod ond yn ôl safon aruthrol y gyfraith ddwyfol a'r Deg Gorchymyn, ac aeth pob gobaith iddo'n chwilfriw. Ac yntau heb wybod ble i droi, aeth ei gyflwr bellach yn enbydus:

> Gwae fi, gwae fi i'm geni, mi wela'n awr i gyd
> Bob ffiaidd beth a wnaethum er pan y de's i'r byd;
> Mae 'mhechod yn fy wyneb, ac yn fy ngwasgu lawr
> Saith drymach na'r mynyddau i waelod Uffern fawr.

Diflastod ar ben poen enaid oedd cynghorion ei gyfeillion gynt, Hilarius, Ridiculus a Risus, i ddychwelyd at ddifyrrwch yr hen fywyd, a gwyddai, er iddo drïo'i orau i wneud hynny, na allai anghofio popeth a ddigwyddodd iddo a chladdu'r cwbl. Er ceisio boddi'i ofidiau mewn anghofrwydd, ni wnaeth ail bregeth Boanerges namyn dwysáu ei gur. Ond roedd y cwbl, er na wyddai'r llanc hynny ar y pryd, yn rhan o broses ei ymwared: 'Cenfydd weithian nad oes un achubiaeth iddo'r tu mewn iddo'i hunan' (t. 124). Os daw gwaredigaeth o gwbl, o'r tu allan, o du Duw, y daw.

Cyfle oedd hyn i Williams gyflwyno'r cymeriad nesaf ymhlith actorion ei ddrama, sef Arbitrius Liber ('Ewyllys Rydd'), disgybl yr athronydd René Descartes a lladmerydd ysbryd optimistaidd Goleuedigaeth y ddeunawfed ganrif. Gwendid mawr hwn, a'r symudiad a gynrychiolodd, oedd ei gred ddiysgog yn ei alluoedd moesol ei hun:

Nid yw Arbitrius Liber hyd heddyw ddim o'r dyn
Sy'n nabod ei euogrwydd a'i wendid mawr ei hun.

Ni welodd erioed ddifrifoldeb ei gyflwr pechadurus gerbron Duw, a chredodd o hyd yn naioni cynhenid y natur ddynol; anogodd Theomemphus i gydymdrechu â gras Duw a thrwy hynny ymgyrraedd at heddwch cydwybod. Ei brif fai yn ôl Saunders Lewis, fodd bynnag, oedd i'w ddysgeidiaeth ysgaru rhwng yr enaid a'r corff a chwalu'r unoliaeth ddynol fel y'i daliwyd gan Thomas o Acwino, dysgawdwr pennaf Catholigiaeth yr oesoedd canol. Ei garn dros y farn hon oedd y gyfrol gyfansawdd *Études de Philosophie Médiévale* (1921) gan yr hanesydd Etienne Gilson (1884–1978), a'r astudiaeth bwysig *Trois Réformateurs* (1925) o waith yr athronydd Jacques Maritain (1882–1973), yr hanesydd a'r athronydd fel ei gilydd yn brif arweinwyr yr adfywiad Catholig ymhlith deallusion Ffrainc ar y pryd ac yn ladmeryddion pennaf Thomistiaeth fel cyfundrefn athronyddol gyfoes.[27] Roedd cenadwri hanerog, ysbrydllyd y pregethwr yn analluog i dreiddio i ddyfnderoedd ing y Theomemphus clwyfedig heb sôn am gynnig ymwared iddo, ond arwyddocâd syniadaethol oedd iddo yn ôl y dehongliad hwn: 'Dyna sylfaen athronyddol y gân Theomemphus' (t. 127).

Nid angel, ysbryd na rhith oedd Theomemphus, serch hynny, ond dyn ifanc o gig a gwaed, a'i gydwybod yn friw. Yr un a wyddai hyn oedd y pregethwr nesaf, Efangelius, ac ystyr yr enw wrth gwrs yn 'Newyddion Da'. Craffter Efangelius oedd mynnu fod a wnelo'r synhwyrau â'r iachawdwriaeth, a bod maddeuant ar gael i'r dyn cyfan er gwaethaf ei lesgedd moesol a chaethiwed ei ewyllys oherwydd pechod. Dechreuodd y pregethwr gyhoeddi'r newyddion da a '[ph]rif ergyd y rhan hon o'r bregeth yw cydnabod rhan y nwydau a'r synnwyr yn nhrefn iechydwriaeth, a rhoi iddynt swyddogaeth a chyfle' (t. 128). Nid anwybyddu'r synhwyrau, eu newynu, eu cywasgu i ddyfnderoedd yr isymwybod na hyd yn oed eu trechu a wneir, ond yn hytrach eu cydnabod. Problem ddirfodol y llanc oedd ei ddiymadferthedd, ei anallu i wneud dim er mwyn ei waredu ei hun: 'Ei Uffern yw ei anghrediniaeth, sef mewnblygiad ei feddwl, ei anallu i fynd ohono'i hun' (t. 132), ond nid trwy ewyllysio y daw ymwared. Fe'i gelwir yn hytrach i ymorffwys ar yr ewyllys ddwyfol sy'n drech na phob gwrthwynebiad ac yn fwy grasol na'r un gweithrediad meidrol:

> [Y] mae'r meddwl yn ei agor ei hun i awgrymiadau gweddi, pob ysgogiad a phob ymdrech wedi eu llonyddu, a'r bryd mewn cyflwr o dderbyn, o oddefoldeb llwyr . . . ac yna, o'r diwedd, daw'r terfyn anorfod:
>
> > 'Ac erbyn a llefaru daeth nerthoedd Nefoedd fawr
> > Fel afon lawn lifeiriol i'w galon ef i lawr.'
>
> Yr oedd ei droedigaeth, troedigaeth ei nwyd a'i fryd tuag at Grist, wedi ei chwblhau. (tt. 134–5)

Effaith hynny oedd nid mygu hen nwydau Theomemphus ond, o'u dargyfeirio i'r gwrthrych cywir, eu rhyddhau. Adferir ei gymesuredd seicolegol a'i bwyll, a bellach gall fwynhau bywyd yn ei gyflawnder: 'Wele, gwnaethpwyd pob peth yn newydd iddo. Fe'i iachawyd' (t. 136). O fynd trwy fwlch yr argyhoeddiad roedd y llanc bellach yn aeddfed ar gyfer rhodio ffordd y goleuni.

Ym mhennod chwech, dilynir drama'r droedigaeth gan fyfyrdod tawelach ond nid llai ei arwyddocâd ar swyddogaeth y cymeriad Alethius ('Gwirionedd' neu 'Ddatguddiad') ym mhererindod Theomemphus ar hyd ffordd y goleuo. Fe'n cyflwynir gyntaf nid i Alethius ond i gyfaill a chyfoeswr i'r llanc, sef Abasis – ystyr ei enw yw 'Di-sylfaen' – ac mae ganddo bwysigrwydd arbennig yn nehongliad Saunders Lewis o dwf Pantycelyn fel bardd. Â Abasis trwy'y un profiadau'n union a'i gyfaill, gan brofi ymwared a gollyngdod yn yr un modd. Ac yntau hefyd yn llanc nwydus, daeth o hyd i fodlonrwydd wedi ei dröedigaeth trwy garu a phriodi merch ond, ysywaeth, dyna ddechrau ei gwymp. Disodlwyd y cariad nefol gan gariad meidrol, ac er mor barchus oedd ei sefyllfa newydd, damnedigaeth fyddai ei dynged yn y pen draw: 'Fe yrrodd Williams y truan . . . Abasis i uffern, canys fel llawer bardd un anodd ganddo ddioddef ffyliaid oedd Williams' (t. 141). Nawr yn ŵr cyfrifol a phriod, yn hytrach na thyfu ymhellach mewn gras trwy ymholiad, mae Abasis yn bodloni ar ei gyflwr a chyn hir mae'n ymwadu â'r bywyd ysbrydol yn llwyr. Yn ôl damcaniaeth Lewis, cyn y gall y bardd rhamantus fynegi ei brofiad yn gyflawn, mae gofyn iddo'n gyntaf feddiannu'r profiad, a thrwy gyfrwng y mynegiant mae'r gwir feddiannu yn digwydd. Ar y llaw arall, y 'sêl nas chwiliwyd, nas dadansoddwyd, ac felly nas meddiannwyd' (t. 141), arwain y mae at ddiddymdra. Mewn geiriau eraill, mae'n rhaid wrth fyfyrdod ac ymholiad cyn i'r profiad droi'n sylwedd byw. A'r hyn sy'n wir am y Cristion, dyna sydd wir am y bardd. Ond am Abasis, druan, '[n]i fynnai nac ymholiad na mynegiant' (t. 141). Ac yntau'n ddyn parchus, bodlon ei fyd, rhoes heibio ddisgyblaeth y seiat: '[N]id aeth i'r Seiat, gwir orsedd beirdd Ynys Prydain. Canys cyfle oedd y Seiat i ddadansoddi profiad, ei oleuo'n llawn a'i droi'n ffaith mor bendant â cherdd' (t. 141). Ar y llaw arall, yr hyn a sicrhawyd y byddai Theomemphus yn troi'n sant oedd ei ddyfalbarhad yn nisgyblaeth, cyffes a hunan-ymholiad y seiat, a'i feistr yno oedd Alethius:

> Nid yw ymholiad unig yn ddigon bellach. Rhaid cael cyfarwyddyd stiward y Seiat i chwilio'r profiad i'r gwraidd ac i addysgu Theomemphus yng nghelfyddyd y bywyd ysbrydol, sef ei adnabod ei hun. (t. 141)

Hunan-adnabyddiaeth yw nod amgen rhamantiaeth farddonol a chyfrinion y bywyd ysbrydol fel ei gilydd, ac er mwyn ymgyrraedd at hynny mae angen cymorth arweinydd i oleuo'r ffordd. Yr hyn a wna Alethius yw esbonio manylion yr hyn a ddigwyddodd i Theomemphus ac o hyn allan ei gynorthwyo i archwilio troeon y bywyd mewnol a thyfu mewn difrifoldeb moesol a gras.

## SERCH A'R SERCHIADAU

Yr hyn sy'n drawiadol yn ail ran y gerdd Theomemphus yw'r darlun manwl o drai a llanw bywyd yr enaid, calongaledwch ac amheuaeth yn ogystal â rhwyddineb gweddi, gwrthgiliad y cymeriad canolog a'i adferiad maes o law, hynny yw, popeth sydd ymhlyg yn y broses o ymburo: 'Y bardd eneidegol sy'n ddigymar yn y penodau hyn, bardd greddf a nwyd a synnwyr a'u drysni hwy' (t. 147). Gŵr canol oed oedd Williams pan luniodd y gân hon, a phrofiad blynyddoedd ganddo bellach o archwilio cyflyrau duwiolion, hen ac ifainc, mewn seiadau dirifedi ar hyd y wlad. Diau bod ffrwyth hyn i'w gweld trwy'r gân ar ei hyd. Rhyfeddod *Theomemphus* oedd ei chyfuniad o graffter eneidegol ar ran ei hawdur sy'n rhagflaeni darganfyddiadau'r seicolegwyr modern, a'i ddealltwriaeth greddfol ef (os anymwybodol) o ddulliau'r cyfrinwyr Catholig o ddehongli bywyd yr enaid. Fel Sigmund Freud a Carl Gustav Jung, gwyddai'r cyfrinwyr sut i gyfundrefnu'r nwydau a'u cyfeirio at y gwir wrthrych – sef, yn eu hachos nhw, Duw – a thrwy hynny adfer cyfanrwydd a threfn i'r seice dynol. Dyna'r union beth a wna Williams yn y gân ryfeddol hon, a'i wneud trwy gyfrwng barddoniaeth o athrylith ddigymar: 'Oherwydd hynny y mae *Theomemphus* yn gymaint campwaith, gan fod ffurf y gân yn gystal â'i thestun yn codi allan o ddyfnaf amgyffred y bardd ei hun' (t. 152). Ni chafwyd ddim tebyg iddi ym marddoniaeth Cymru o'r blaen.

Erbyn hyn, nid llanc oedd Theomemphus ond gŵr yn ei oed a'i amser. Wedi i angerdd ieuenctid ymlonyddu daeth yn bryd iddo ymgymryd â chyfrifoldebau bywyd gan gynnwys priodi a magu plant. Y ferch y rhoes ei bryd arni oedd Philomela ('Carwres-y-gân'; yn y chwedlau Groegaidd, trowyd Philomela yn eos). Er mai gwraig aeddfed, weddus ydoedd, wrth syrthio mewn cariad â Philomela, temtir Theomemphus i ymagweddu mewn ffordd gnawdol nid yn unig ati hi ond tuag at ymrwymiadau eu priodas, a thrwy hynny beryglu ei iachawdwriaeth ei hun. O ymgynghori ag Alethius, mae'n ymbwyllo ac yn y diwedd yn ymwrthod â Philomela. Parodd hyn i W. J. Gruffydd gyhuddo Pantycelyn o wrthuni dideimlad, ffrwyth diwinyddiaeth annynol y traddodiad

Piwritanaidd.[28] Arall oedd ymateb Saunders Lewis: 'Egwyddor gyntaf Williams yw'r athrawiaeth eglur Gristnogol fod gwyryfdod yn uwch cyflwr na phriodas' (t. 159). Yr hyn sydd dan ystyriaeth yma yw serch rhamantus, peth y byddai Gruffydd a Lewis yn anghytuno yn sylfaenol yn ei gylch. Ychydig, ysywaeth, a alwyd i'r bywyd gwyryfol. I'r gweddill ohonom, darparwyd sefydliad priodas er mwyn sianelu'r nwydau rhywiol i bwrpas dyrchafol, sef cenhedlu plant. Ond y perygl o hyd yw i gariad – hyd yn oed cariad dilys – ddisodli Duw a throi yn eilun: 'Hanfod serch rhamantus yw'r syniad bod gwerth serch ynddo'i hun' (t. 161). Er mwyn egluro hyn, cyfeirir at un arall o weithiau rhyddiaith Pantycelyn, *Ductor Nuptiarum, neu Gyfarwyddwr Priodas* (1777), lle mae Martha (a briododd er mwyn serch cnawdol) yn rhannu ei gofid â'i chyfeilles Mary.[29] Os gofal am les ysbrydol Methodistiaid y ddeunawfed ganrif oedd byrdwn Williams yn y gyfrol hon ac yn y gerdd *Theomemphus*, ffenomen y serch rhamantus oedd diddordeb ei ddehonglwyr modern. Bai mwyaf y ffenomen, yn ôl Lewis, oedd ei myfïaeth: 'Cnawdol yw'r serch rhamantus . . . Nid yw'n gymdeithasol na moesol. Nid yw'n amodol' (t. 162), a'i berygl yw ymroi i '[f]eddwdod y synhwyrau' (t. 165). Ni rydd y serch rhamantus le i ymholiad; yn y bôn, teimladrwydd yw, tra mai'r 'unig serch y galler ymroddi iddo er ei fwyn ei hun yw serch at Dduw' (t. 162):

> Ti fynni'r cnawd a'r esgyrn, a'r galon yn gytun,
> Rhaid i ti gael y cyfan, neu ynteu ddim o'r dyn.

'Yn ôl Williams, nid ar serch y dylid sylfaenu priodas, ond ar gariad sy'n gymdeithasol, yn fagwrfa cyfrifoldeb ac yn ffrwyth ymwybod' (t. 164) tra mai 'gogoniant dyn ac egwyddor bywyd bardd yw ymwybod ac ymholi' (p. 165), sef yr union beth na rydd serch rhamantus le iddo.[30] O ran Theomemphus ei hun, pwrpas Williams wrth drin ei gymeriad mor ddidostur a'i rwystro rhag priodi'r un y mae'n ei garu yw i ddangos nad peth meddal, goddefol mo'r bywyd ysbrydol aeddfed, ond peth caled, llym. Dyfynna Lewis eiriau sobreiddiol y beirniad llenyddol Jacques Rivière (a ddaeth ymhen blynyddoedd yn sail i ymson fwyaf cofiadwy Kitchener Davies yn ei bryddest iasol 'Sŵn y Gwynt sy'n Chwythu'):[31]

> Fy Nuw, cadw fi rhag temtasiwn santeiddrwydd. Ni pherthyn hynny i mi. Bydd fodlon ar y bywyd amyneddgar, dihalog y ceisiaf ei fyw. Na ddwg oddi-wrthyf y pleserau tyner a adwaen, a gerais gymaint. Yr wyf i'n briod, yn dad ac yn llenor. Na themtia fi â phethau amhosibl. Nac arwain fi i ormod gwasgfa. (tt. 174–5)

Ond dyma, mewn gwirionedd, nod amgen y sant: 'Un a ddiddyfnwyd yn gwbl oddiwrth holl flysiau a phleserau byd yw'r cyfrinydd . . . I Dduw yn unig y bydd byw mwyach' (t. 175). Gyda hyn, yn ôl Saunders Lewis, byddai profiad Theomemphus a Williams yn ymdoddi'n un. Bellach, mae'n barod ar gyfer rhodio ar hyd ffordd yr uno.

'Ffordd yr Uno' yw pennawd yr wythfed bennod, ac yma fe ddatguddir yn fwyaf eglur egwyddorion athrawiaethol awdur *Williams Pantycelyn*. Yn ogystal â chwblhau'r ymdriniaeth â *Theomemphus*, mae Lewis yn dadansoddi dwy gyfrol olaf o emynau Williams, sef *Ffarwel Weledig* (1763–9) a *Gloria in Excelsis* (1771–2). Roedd yr emynydd erbyn cyhoeddi'r gweithiau hyn dros ei hanner cant, yn gyfarwyddwr profiadol yn y seiadau ac wedi cerdded ers blynyddoedd meithion ar hyd llwybrau mwyaf dyrys y duwioldeb Cristnogol:

> [I]'r ychydig a ŵyr ddilyn yn barchus o hirbell anturiaethau dewraf dynion, a ŵyr yn anad dim i ba ddibenion anhygoel y lluniwyd ein cnawd, fe berthyn emynau olaf Williams . . . i'r un dosbarth â hymnau Jacopone da Todi[32] a'r Sant Ieuan y Groes, sef dosbarth clasuron barddoniaeth gyfriniol. (t. 184)

Yn ôl canonau diwinyddiaeth asgetig yr Eglwys Gatholig, mae'r gwir gyfrinydd yn brofiadol o ddwy dröedigaeth, sef y dröedigaeth gychwynnol sy'n cynnwys, edifeirwch, ffydd ac adnabyddiaeth elfennol o Dduw, a'r ail dröedigaeth sy'n ei uno â'r sylwedd dwyfol. Er na sonnir amdani mewn unman yn ei ryddiaith, dengys emynau Williams iddo fod yn brofiadol o'r ail fath o dröedigaeth fel y math cyntaf. Dyma 'ei droedigaeth gyfriniol' (t. 182; cf. t. 188) neu 'droedigaeth y cyfrinydd' (tt. 191–2), un 'nad oes sôn amdani ond yn ei ganeuon ei hun . . . yr ectasi [*sic*] a fu'n wobr ei ymwacad terfynol' (t. 184). Gall ffarwelio bellach â chnawd a byd ac ymorffwys yn derfynol yn Nuw. Ond yn ogystal â bod yn gyfrinydd, erys Williams yn fardd rhamantus, ac er mwyn profi'r cariad dwyfol i'r eithaf mae gofyn ei fynegi yn drwyadl:

> Rhaid ei feddiannu'n llwyrach ym mhob gwedd arno, a thry Williams nid yn unig i'w fwynhau, eithr ei ddeall hefyd, ei ddal yn ei agweddau deallol ac eneidegol, a thrwy hynny ei brofi'n ddwysach. (t. 186)

Y nod bellach yw nid ymbleseru mewn profiadau o Dduw ond yn syml ymbleseru yn Nuw ei hun:

Canys cyrraedd ei gariad at Dduw ei nod uchaf, mi dybiaf, pan droer ef yn llawenydd esthetig nid mwyach oblegid ei berthynas ef â Duw na'i wynfyd ynddo, ond yn syml oherwydd bod Duw, a'i fodolaeth yn annibynnol ac ymddigonol, yn rhydd a chyfiawn ynddo'i hun. (t. 189)

Yr hyn a fyddai wedi taro darllenwyr cyntaf y gyfrol yn fwyaf dieithr oedd apologia Saunders Lewis o blaid athrawiaeth Gatholig y purdan a'r dyb fod Pantycelyn (a'r Piwritan Morgan Llwyd) yn ei harddel. Mae Lewis yn lleoli (heb ddim tystiolaeth uniongyrchol o'r emynau a'r penillion y mae'n eu dyfynnu) yr hyn y byddai Williams ei hun yn ei ddehongli yng nghyd-destun yr athrawiaeth Galfinaidd am sancteiddhad, sef disgyblaeth y Cristion i ymdrechu i fyw yn foesol yn y byd hwn,[33] yn rhan o broses yr iachawdwriaeth a gaiff ei chwblhau yn y byd nesaf: '[P]arhad yw'r Purdan y tu draw i'r bedd o'r ysgol buredigaeth a gychwynnwyd yn y bywyd hwn' (t. 193). Gan gyfeirio at waith y cyfrinydd Eidalaidd Caterina Fieschi Adorno (1447–1510), sef y Santes Catrin o Genoa, mae Lewis yn gweld yr un syniadaeth yn cael ei mynegi gan Bantycelyn ei hun. Nid bod y Pêr Ganiedydd yn ymwybodol o'r peth o ran ei fanylion: 'Yn anffodus magwyd Pantycelyn mewn diwinyddiaeth a grebachwyd ac a gollasai lawer o briodoleddau Cristnogaeth gyflawn, a'r gred ym Mhurdan yn eu plith' (t. 194), ond y gwir yw fod rhediad ei feddwl, mewn cytundeb â datblygiad parhaus ei brofiad crefyddol, yn ei yrru yn anorfod at sylwedd yr athrawiaeth:

Daeth athrylith grefyddol Williams i gyflenwi'r diffyg yn ei etifeddiaeth, a datguddio iddo nid holl gyfoeth syniadau Catrin, ond o leiaf sylwedd y ddysgeidiaeth am Burdan ac amgenach meddwl am angau nag a ffynnai'n gyffredin ymysg ei gyfoedion ac yn ei gyfnod. (t. 194)

Mater o iacháu yr enaid oedd nod y gyfundrefn Gristnogol yn y pen draw, a'r iachawdwriaeth yn cynnig i wŷr a gwragedd meidrol ac amherffaith y cyfanrwydd seicolegol yr oeddent yn dyheu amdano: 'Sancteiddrwydd perffaith yw bod yn rhydd o bob nefrosis ac atalnwyd; bod yn ddibechod yn syml yw bod yn iach, camp uchaf meddwl dyn' (t. 198). Felly, yn nhystiolaeth ac emynau Williams Pantycelyn, daeth cyfriniaeth Gatholig yr oesoedd canol a darganfyddiadau mwyaf diweddar y seicolegwyr cyfoes yn un.

Ond eto, trin barddoniaeth oedd nod Saunders Lewis yn y bennod dra athrawiaethol hon: 'Na farned y darllenydd imi anghofio swydd efrydydd llên a thresbasu ar faes gwahanol y diwinyddion' (t. 200), a gweld a oedd modd mewn unrhyw ffordd i glymu'r bardd rhamantaidd gwreiddiol ac athrylithgar hwn wrth 'yr estheteg Gymreig'? Ac ar sail tystiolaeth y gweithiau diweddar hyn, tybiodd fod modd gwneud. 'Yn *Ffarwel Weledig* a *Gloria in Excelsis*', meddai Lewis, ' . . . goresgynnodd Williams ei ramantiaeth a daeth yn bur agos i'r egwyddor glasurol Cymreig [*sic*]' (t. 201). Gwrthrychedd oedd nodwedd amlycaf y glasuriaeth honno, realaeth cyfundrefn hanesyddol a chymdeithasol a oedd yn bod yn annibynnol ar dybiaethau anwadal yr ymwybyddiaeth unigol ac yn rhan o drefn oesol a luniwyd i barhau. Ac yntau bellach yn brofiadol o'r undod cyfriniol â'r Duw tragwyddol, cafodd Williams olwg newydd ar greadigaeth Duw a'i ddaioni gwrthrychol, a cheir yn yr emynau olaf werthfawrogiad newydd o realaeth solet y byd hwnnw. Ceir lle bellach i gymdeithas ddynol ac i ffeithiau ac amgylchiadau bywyd y byddai wedi'u hanwybyddu neu eu hosgoi yn ei weithiau cynnar. Nid anialdir cras mo'r byd mwyach ond gardd ddyfradwy sy'n adlewyrchu daioni'r Creawdwr. Ar lwyfan y byd y meithrinir cymeriad, yng ngoleuni gras bid siŵr, ond mae'r byd ei hun bellach yno i ryfeddu ato a'i fwynhau:

> Peidiodd y bardd a'i brofiadau goruwchnaturiol â bod yn unig sylweddau, ac aethant yn rhan o system o sylweddau yn perthyn bob un i'w gilydd ac yn ennill eu gwerth a chyflawnder eu bod oddi wrth ei gilydd ac oddi wrth eu perthynas i [*sic*] Dduw. (t. 202)

Mewn geiriau eraill, yr hyn a wnaeth Pantycelyn – pwynt y byddai'n ymhelaethu arno ym mhennod olaf yr astudiaeth – oedd creu 'synthesis newydd' (t. 201) lle roedd darganfyddiadau mwyaf anwadadwy y byd-olwg modern, sef yn fwyaf arbennig ei dreiddgarwch seicolegol, yn cael eu cyfuno â'r gwerthoedd oesol. 'Yr hyn sy'n "achub" Pantycelyn', meddai'r beirniad llenyddol John Rowlands, 'yw ei fod wedi trosgynnu rhamantiaeth, ac wedi troi profiadau mewnol yn ddeunydd barddoniaeth gymdeithasol, sef emynau'r Diwygiad Methodistaidd'.[34] A chyda hynny, mae Lewis yn terfynu ei ddadansoddiad syniadol o gynnwys gwaith y bardd.

## CYFOESEDD

Yr hyn a barodd newydd-deb y dehongliad hwn oedd defnydd dychmyglon ac annisgwyl Saunders Lewis o ffynonellau meysydd seicoleg gyfoes ar y naill law a hanes ysbrydoledd Catholig ar y llall, rhai ni fyddai neb arall wedi eu hystyried yn addas i'w cymhwyso at fywyd Methodist Cymraeg o'r ddeunawfed ganrif. Wrth hau ar draws ei dudalennau enwau mor egsotig â Bonaventura, Catrin o Genoa, Teresa o Avila, Ieuan y Groes a Jacoponte da Todi o blith y meirw, a Sante de Sanctis, Pierre Pourrat a Bernadetto Croce o blith y byw, crëodd yr argraff o soffistigeiddrwydd deallusol a oedd yn anarferol yng nghyd-destun beirniadaeth lenyddol Gymraeg y cyfnod. O'u cymharu, roedd pob astudiaeth flaenorol yn ymddangos yn daleithiol os nad yn blwyfol ac yn ddi-liw.[35] Roedd Lewis wedi hen ymddiddori yng ngwyddor ddiweddar seicoleg, a dengys y traethawd ar Samuel Taylor Coleridge a gyflwynodd ar gyfer gradd anrhydedd ym Mhrifysgol Lerpwl yn 1920 iddo fod yn gyfarwydd â *The Interpretation of Dreams* gan Freud (cyf. Saesneg 1913), a llawlyfr arweiniol Barbara Low, *Psycho-Analysis: A Brief Account of the Freudian System* (1920).[36] Er iddo grybwyll enwau Freud a Jung yn *Williams Pantycelyn*, elwodd fwyaf o gyfrol John W. Slaughter ar yr 'adolesent' (t. 47) y sonnir amdani uchod, ac o waith dau seicolegydd cyfoes arall, sef Sante de Sanctis ac R. H. Thouless. Eidalwr oedd de Sanctis (1862–1935), athro ym Mhrifysgol Rhufain ac un o bennaf ddisgyblion Freud y tu allan i Awstria ar y pryd. Ymddiddorodd de Sanctis yn fawr mewn dehongli breuddwydion er mwyn treiddio i blethiadau'r isymwybod,[37] ac o'r gyfrol *La Conversione*

*Religiosa* (1925), yr unig waith gan de Sanctis ar fater uniongyrchol grefyddol, y cafodd Lewis arweiniad wrth ddehongli ffenomen tröedigaeth llanc (tt. 108, 145). Roedd ôl gwaith y Sais Thouless, fodd bynnag, yn llawer trymach ar ei gyfrol. Cymrawd yng Ngholeg Corpus Christi, Caer-grawnt, oedd Robert Henry Thouless (1894–1984), ac erbyn 1927 roedd yn ddarlithydd yn Glasgow lle cafodd ei wahodd y flwyddyn gynt i sefydlu'r pwnc ar gwricwlwm y brifysgol yno. O blith holl arloeswyr gwyddor seicoleg ym Mhrydain, Thouless a ymddiddorodd fwyaf yn y berthynas rhwng crefydd a'r seice dynol: 'Devoutly Christian, he strove to allay fears of psychology among fellow believers and to identify links between the new psychotherapies and Christian approaches to the cure of souls.'[38] Deilliodd ei lawlyfr *An Introduction to the Psychology of Religion* (1923) o'i waith doethur ar y pwnc, y traethawd cyntaf o'i fath i'w arholi ym Mhrifysgol Caer-grawnt, a cheir atsain digamsyniol o'i benodau 'Conversion', 'Mystical and Adolescent Conversions', a 'Mysticism' ar lyfr Lewis (tt. 54, 108, 111, 118, 139, 175, 177). Felly, er gwaethaf yr argraff o feddu meistrolaeth helaeth ar wybodaeth dra arbenigol, codi cyfeiriadau o ffynonellau cymharol hysbys a wnaeth Saunders Lewis mewn gwirionedd.

Nid ef oedd y cyntaf ychwaith i gysylltu seicoleg â diddordeb mewn cyfriniaeth Gatholig. Bu'r gwaith dwygyfrol *The Mystical Element of Religion as Studied in St Catherine of Genoa and her Friends* (1908), gan y Barwn Friedrich von Hügel, ar gael ers tro, ac mae Lewis yn cydnabod ei ddyled iddo wrth drafod athrawiaeth y purdan (t. 193). Roedd gwaith safonol Evelyn Underhill, *Mysticism: A Study of the Nature and Development of Man's*

*Spiritual Consciousness* (1911), astudiaeth na ddyfynnir ohoni yn *Williams Pantycelyn*, yn dra adnabyddus hefyd. Er gwaethaf ei enw, Sais o dras uchelwrol Awstrïaidd oedd von Hügel (1852–1925) a'i fam yn Albanes. Fel lleygwr Catholig, roedd yn gysylltiedig â'r mudiad modernaidd oddi mewn i'w Eglwys, symudiad a gollfarnwyd yn llym gan y Pab Pius X am iddo gyfaddawdu'n ormodol (yn ei dyb) â syniadau seciwlaraidd cyfoes. Ond oherwydd mai lleygwr ydoedd, ni chafodd ei ddisgyblu gan yr awdurdodau Rhufeinig na'i orfodi, fel y câi'r offeiriaid, i dyngu llw gwrth-fodernaidd yn ôl gofynion y gorchymyn *Lamentabili* yn 1907. Ymgais gynnar oedd *The Mystical Element* i wneud yr hyn y mae Saunders Lewis am ei gyflawni yn y gyfrol Gymraeg, sef cymhwyso categorïau seicolegol at fanylion y profiad crefyddol – ond yn achos von Hügel, y profiad Catholig a gaiff ei sylw.[39]

Nid Pabydd ond Uchel Eglwyswraig Anglicanaidd oedd Evelyn Underhill (1875–1941) a wnaeth fwy na neb o'i chenhedlaeth i oleuo hanfodion cyfriniaeth ac i esbonio'i harwyddocâd i'r cyhoedd darllengar. Yn ogystal â bod yn fentor, gweithredodd von Hügel fel cyffeswr a chyfarwyddwr ysbrydol iddi, ond oherwydd anghytundebau athrawiaethol ni chefnodd hi erioed ar Anglicaniaeth ei magwraeth. Er mai cyfriniaeth yw thema ei llu gweithiau, sy'n gyforiog o gyfeiriadau at y cyfrinwyr canoloesol, mae'n dehongli ymwneud y dwyfol â'r enaid dynol mewn termau sy'n deillio o wyddor seicoleg, er nad yw hynny yn tanseilio dilysrwydd ysbrydol ei deongliadau crefyddol.[40] Felly nid newydd-beth llwyr oedd y themâu a gaed yng nghyfrol Lewis, er mor annisgwyl oeddent mewn gwedd Gymraeg. Prif awdurdod y llyfr mewn materion hanesyddol fodd bynnag, oedd

*La Spiritualité Chrétienne* (1918–28), astudiaeth bedair cyfrol y Ffrancwr Pierre-Claude Pourrat (1871–1957), aelod o Gymdeithas Sant Sulpice ym Mharis a phennaeth athrofa ddiwinyddol Lyon. Astudiaeth wyddoniadurol ydoedd braidd, yn cynnwys holl hanes y duwioldeb Catholig o gyfnod y Testament Newydd at ddechrau'r ugeinfed ganrif na chafwyd cyfieithiad cyflawn Saesneg ohoni tan y 1950au.[41] Pourrat a fynnodd mai Bonaventura oedd tad cyfriniaeth yr oesoedd canol ac mai'r ffordd briodol i ddadansoddi'r profiad cyfriniol oedd ar hyd ffordd y puro, ffordd y goleuo a ffordd yr uno. Cydnabu Lewis ei ddyled iddo ar dudalennau 47, 58, 87 a 89, ac ef yn bendifaddau oedd meistr y Cymro ar fanylion hanesyddol.

Ond nid y defnydd o ffynonellau pa mor ddieithr bynnag – boed mewn Eidaleg, Ffrangeg neu Saesneg – oedd wrth fôn gwreiddioldeb *Williams Pantycelyn* a'r argraff ysgytwol a gafodd ar y darllenwyr cynnar, ond yn syml athrylith deongliadol Saunders Lewis ei hun. Pa mor wrthnysig bynnag oedd y dewis i alltudio pob cyfeiriad Protestannaidd o'r astudiaeth yn gyfan gwbl (a thrwy hynny dreisio unrhyw ddehongliad y byddai Williams ei hun wedi ei adnabod), ni ellid amau disgleirdeb y llyfr o gwbl. Roedd meistrolaeth yr awdur ar ei ddefnyddiau yn ddi-feth a'i adnabyddiaeth o holl ganon gweithiau y Pêr Ganiedydd yn drylwyr. Yn y ddwy bennod clo, dychwelir at y trawsnewid rhwng clasuriaeth 'yr estheteg Gymreig' a rhamantiaeth newydd y ddeunawfed ganrif, nid er mwyn collfarnu Williams ond i'w ganmol. Rhag rhoi'r argraff fod gwareiddiad wedi darfod gyda machlud yr oesoedd canol, cymwynas yr emynydd oedd creu ieithwedd newydd fel y gallai'r genedl ymdopi â realiti'r byd newydd (ysblennydd yn ei ffordd ei hun) a oedd eisoes wedi gwawrio. Dylid cofio'n barhaus mai beirniad trwyadl gyfoes oedd Saunders Lewis heb unrhyw ddymuniad i ail-greu'r oesoedd canol fel esgus i beidio ag anwesu cymhlethdod cyfoethog ei ganrif ei hun. Radicalaidd oedd ansawdd ei geidwadaeth, a defnyddio gwerthoedd 'yr estheteg Gymreig' i gyfoethogi anturiaeth y byd cyfoes oed nod ei raglen waith. Beth bynnag oedd gogoniant y cywyddwyr gynt, roeddent wedi esgeuluso rhai gweddau o hanfod y bywyd deallusol, gwyddoniaeth yn eu plith, a phan ddaeth gwyddoniaeth i fri cynyddol, prin y byddent wedi gallu ymateb iddi. Gwyddoniaeth, fodd bynnag, 'yw gwybod arbennig yr Oesoedd Modern' (t. 212). Yr hyn a roes Williams i Gymru oedd iaith i fedru trafod y wyddor newydd hon a'r byd a ymffurfiodd yn ei sgil: 'Bardd Cymraeg cyntaf y meddwl modern hwn yw Pantycelyn' (t. 213). Ar wahân i *Golwg ar Deyrnas Crist*, roedd cyfeiriadau dirifedi at seryddiaeth a'r wyddoniaeth ddiweddaraf yn ei holl weithiau – y cerddi hir, yr emynau a'r cyfrolau rhyddiaith, 'ac yn fwy na'r cwbl [ef oedd] . . . arloesydd disglair yr wyddoniaeth ieuangaf, sef eneideg':

> Ni bu fardd erioed mewn unrhyw wlad yn berchen athrylith wyddonol lwyrach nag ef. Hynny a gyfrif am am ryfeddod eneidegol *Theomemphus*, y testun pwysicaf a gyflwynodd llenyddiaeth hyd yn hyn i wyddoniaeth. (t. 213)

Nid dadansoddi profiadau a wnâi'r cywyddwyr, ac ni luniwyd eu cystrawen na'u geirfa na'u harddull i fedru gwneud hynny, ond dyna'r union beth y llwyddodd Williams i'w wneud, a chreu iaith gyfaddas at y dasg.

Nid iaith glasurol ydoedd na thafodiaith chwaith, er bod elfennau o'r ddwy yn arddull ei gerddi a'i emynau, ond iaith ystwyth, bwrpasol a chanddi ei hadnoddau priod ei hun i gyfleu profiadau'r galon a chymhlethdod y bywyd mewnol:

Dyna briodoledd arddull Pantycelyn. Rhoes i'r Gymraeg ddisgyblaeth a phrofiad newydd. Creodd iaith lenyddol gymysg y gellir ynddi drin bywyd unigolion a dilyn troeon chwimaf y meddwl. Gwnaeth iaith fodern, offeryn i wyddoniaeth a nofelwyr fynegi drysni cymhleth y profiadau cyfrwysaf, ingoedd chwant a dyhead, trai a llanw teimladau nerfus . . . Drylliodd anystwythder barddoniaeth. Cyn ei ddyfod yr oedd hi'n urddasol, ond yn stiff fel haearn bwrw. Toddwyd hi yng ngwres ei brofiad. Llifodd fel metel tawdd drwy ffwrneisiau ei emynau. (tt. 220–1)

Ni welodd neb o'r blaen Bantycelyn yn y goleuni hwn, ac ni fyddai neb yn gallu canu ei emynau eto heb ystyried y pethau uchod. Chwalodd athrylith ei awen lwydni parchusrwydd y diwylliant Cymraeg poblogaidd, a rhyddhawyd y bardd o hualau crefydd confensiwn. Daeth Williams yn ffigur cyfoes, lladmerydd llên y Gymru fodern. Tra bo clasuriaeth Goronwy Owen, cyfoeswr mawr Williams, wedi ei yrru yn ôl i fyd hiraeth a'r gorffennol, roedd rhamantiaeth yr emynydd yn gyfrwng iddo ymgodymu â her realaeth y dyfodol. Er bod llenorion y bedwaredd ganrif ar bymtheg yn eu hawydd i efelychu Goronwy yn ddall i hynny, Williams ac nid y bardd o Fôn oedd biau yfory. Gwendid barddoniaeth Oes Victoria oedd ei natur eilradd, efelychiadol; ni cheisiai ddygymod â sialens ei chyfnod ei hun. '[C]ymwynas

Williams . . . i Gymru fodern', fodd bynnag, 'oedd rhoi *raison d'être* i farddoniaeth, rhoi iddi swyddogaeth mewn byd di-drefn, byd o unigolion, byd heb unoliaeth . . . a byd y cymerth gwyddoniaeth ynddi y flaenoriaeth a fuasai gynt yn rhan rheswm' (tt. 231–2). Bardd y Gymru newydd ydoedd. Ond onid trychineb oedd anwesu rhamantiaeth yn lle arddel cadernid clasurol 'yr estheteg Gymreig'? Dadl gynnil oedd gan Saunders Lewis; beth bynnag a gollwyd wrth gefnu ar yr hen fyd, nid colled i gyd oedd symud at y byd modern, ac er mwyn meddu cyfanrwydd y profiad dynol roedd gofyn cyfuno'r newydd â'r hen. Mewn geiriau eraill, roedd lle i elfen o ramantiaeth wrth greu clasuriaeth newydd, addas i ofynion y Gymru gyfoes. Arbedwyd Williams rhag gwaethaf rhamantiaeth gan wytnwch ei ffydd Gristnogol: 'Credaf fod rhamantiaeth yn llai ei pherygl i fardd Cristnogol oblegid ei chymysgu hi o reidrwydd ag elfennau moesol' (t. 232). Trwy ddisgyblaeth, ymholiad a meistroli nwydau, tyfodd trwy ei ramantiaeth amrwd at weledigaeth fwy cyflawn: 'Troes Williams ddeffinio yn ddull meddiannu profiad a ffurfio personoliaeth gyfan' (t. 234).

Ym mharagraff terfynol *Williams Pantycelyn* tanlinella Saunders Lewis arwyddocâd y rhaglen a ymrwymasai iddi ers tro bellach ac y byddai'n cadw ati yn ei weithiau beirniadol nesaf: *Ceiriog* (1929), *Ieuan Glan Geirionydd* (1931), *Braslun o Hanes Llenyddiaeth Gymraeg hyd 1535* (1932) a *Daniel Owen* (1936), ynghyd ag amryw o ysgrifau pwysig eraill. Deuai'r themâu hyn yn faterion trafodaeth frwd yn sgil ei 'Lythyr ynghylch Catholigiaeth' a fyddai'n ymddangos yn rhifyn nesaf *Y Llenor*, yn haf 1927,[42] a'i nofel ddadleuol *Monica* (1930) a gyflwynwyd 'i goffadwriaeth Williams Pantycelyn, unig gychwynnydd y dull hwn o ysgrifennu'. Amhosibl mwyach fyddai dychwelyd at ddamcaniaeth lenyddol yr oesoedd canol ac arall oedd naws a chymeriad y byd cyfoes meddai, '[o]nd erys drychfeddwl y beirdd clasurol yn ddrychfeddwl i ninnau' (t. 236). Y delfryd, felly, fyddai synthesis newydd yn null gwaith aeddfetaf Pantycelyn ei hun. Gwelodd y Williams aeddfed mai annigonol oedd profiad yn unig, a bod angen disgyblu angerdd a theimlad i'w dadelfennu a'u dadansoddi yn y seiat, sef mewn cyd-destun cymdeithasol. Nid profiad heb ddisgyblaeth cymdeithas na chymdeithas heb wefr profiad, '[o]nd yn hytrach: . . . *y ddau ynghyd*' (t. 237). Ni raid dileu rhamantiaeth, felly, er bod angen ei chymedroli ac yna ei meddiannu er mwyn creu gwell cyfanwaith:

> Am hynny, nid peth gwrthwyneb i ramantiaeth yw clasuraeth, ond peth sy'n ei gynnwys mewn cyfuniad llawnach a dyfnach . . . Coron i'w hennill yw clasuraeth yn y byd modern, a rhaid ei hennill o newydd yn gyson. (t. 237)

Ymgais oedd y gyfrol *Williams Pantycelyn* i wneud yr union beth hwn, a'r emynydd William Williams ei hun oedd yr ysbrydiaeth i'r cyfan.

## YR ADOLYGWYR CYNHARAF

Ni fu'n hir cyn i'r sylwebyddion nodi eu hymateb i'r gyfrol, ac ymhlith ei hadolygwyr cyntaf roedd T. Gwynn Jones, Athro Llenyddiaeth Gymraeg Coleg Aberystwyth, a'r un roedd Lewis yn ei edmygu fwyaf o holl ysgolheigion y Gymraeg.[43] Yn rhifyn Tachwedd o'r cylchgrawn materion cyfoes *The Welsh Outlook* y cyhoeddwyd llith Jones, a meddai: 'This . . . is the first study of the subject which is both serious and competent.'[44] Wrth fentro ar grynodeb o gynnwys y gwaith, dyfynnodd heb gollfarnu feirniadaeth Lewis ar biwritaniaeth y bedwaredd ganrif ar bymtheg:

> Yn y ganrif ddiwethaf aeth Cymru i ofni ymholiad, i ofni'r gwir am natur dyn. Trowyd testunau llên yn haniaethol. Nid oes mwy sôn am gnawd a nwyd a rhyw. Dyna'r Biwritaniaeth yr ymosodwyd arni gan feirniaid ifainc ein hoes ni. Eithr nid Piwritan mo Williams. Nid ofnodd ddweud y gwir cyfan am gnawdolrwydd dyn . . . O mynn neb wybod pa fath un yw dyn, darllened lyfrau Pantycelyn. (t. 61)

Nid yw'n syndod y byddai sylwebyddion eraill yn ymateb i'r llinellau hyn naill ai mewn cytundeb ymollyngus neu mewn adwaith chwyrn. Myn Jones fod eraill wedi lled awgrymu rhai o bwyntiau'r awdur o'r blaen, ond ni wnaeth neb eu gosod allan mewn dull mor gyflawn, argyhoeddiadol a deheuig. Er na fynnai anghytuno'n sylfaenol â'i ddeongliadau cyffrous, ei brif bryder oedd bod y gwaith yn rhy daclus; roedd y diffinio yn rhy bendant, roedd yr awdur yn gwneud gormod o haeriadau dogmataidd a allent fod yn wir ond nad oedd modd eu profi na'u gwrthbrofi, ac roedd yn rhy chwannog i ystumio ffeithiau i gydweddu â'i ddamcaniaethau, boed seicolegol neu lenyddol. Mynnodd Lewis, er enghraifft, nad oedd tystiolaeth i serch rhamantaidd yn llên yr oesoedd canol, tra credai'r adolygydd fod digonedd yno mewn gwirionedd. Ond fel enghraifft o feirniadaeth lenyddol ffres, beiddgar a chynhyrfus, roedd y gwaith yn ddihafal: 'The study is undoubtedly a brilliant performance, the full significance of which, I am sure, I shall begin to grasp when I have read it many times.'[45]

Yn Ionawr 1928, yn *Yr Efrydydd*, cylchgrawn Urdd y Deyrnas, daeth ymateb craff gan un a oedd yn neilltuol gymwys i ddatgan barn. Gweinidog gyda'r Annibynwyr a chyn athro Athroniaeth yng Ngholeg Prifysgol Gogledd Cymru Bangor oedd E. Keri Evans (1860–1941), ac fel T. Gwynn Jones perthynai i'r genhedlaeth hŷn. Yn awdur y clasur hunangofiannol *Fy Mhererindod Ysbrydol* a fyddai'n ymddangos yn 1938, roedd holl lenyddiaeth y cyfrinwyr yn hysbys i Evans tra bo'r math o brofiadau y cyfeiriodd Lewis atynt megis o bell yn rhan o gynhysgaeth ymarferol ei dduwioldeb personol. Rhwng 1910 a 1913, cyhoeddodd gyfres o ysgrifau yn *Yr Efengylydd* (cylchgrawn 'Plant y Diwygiad', sef troëdigion deffroad 1904–5) yn trafod llawer o'r themâu a grybwyllwyd yng nghyfrol Lewis. Teitl y gyfres oedd 'Y Bywyd Ysbrydol yn ôl Pantycelyn'.[46] Roedd Evans yn gyfuniad hynod o'r ysgolhaig a'r efengylydd, a fu fel gŵr ifanc yn fardd rhamantaidd yn ogystal.[47] Prin bod gan neb arall yng Nghymru y cyfuniad o wybodaethau i fedru iawn dafoli'r gwaith. Tra oedd yn ei werthfawrogi fel astudiaeth lenyddol, roedd Evans yn feirniadol ohono fel myfyrdod seicolegol:

> Efallai mai'r peth hynotaf yn y llyfr i un a roddodd lawer o'i amser i 'eneideg', ac nad yw yn hollol esgeulus ohoni o hyd, yw'r lle canolog a roddir iddi mewn perthynas â barddoniaeth a chrefydd Pantycelyn. I mi, dyma ochr wannaf a mwyaf anaeddfed y llyfr.[48]

Byrdwn ei gŵyn oedd bod Saunders Lewis, trwy ganoli mor drylwyr ar y cysyniad o ymholiad, gan symud y pwyslais bron yn llwyr o'r ewyllys i'r deall a throi'r iachawdwriaeth yn fater o dechneg. Nid trwy ehangu'r crebwyll ysbrydol nac ymroi i hunan-adnabyddiaeth y caed gwir iachâd, ac nid trwy fanwl ddiffinio nwydau a greddfau y gellid cael buddugoliaeth arnynt. Mater o ufudd-dod syml oedd hanfod y duwioldeb Cristnogol, yn hytrach na meistroli rhyw dechneg hirfaith a chymhleth: '[Y] mae'r awdur, drwy bwysleisio "ymwybod" fel y gwna, yn pwysleisio "ffurf" yn hytrach na "chynnwys" realiti crefydd.'[49] I Lewis, pen draw iechyd ysbrydol oedd medru diffinio profiadau, ond mater o'r anniffiniadwy, yr 'anhraethadwy', oedd y wir ymwybyddiaeth o Dduw: 'Gair olaf y Beibl ar y berthynas uchaf â Duw yw "adnabod" ac nid "gwybod" eneidegol na diwinyddol'.[50] Yng nghyd-destun y drafodaeth ar *Theomemphus*, meddai Keri Evans:

> [Y] diffyg mwyaf yn y fan hon yw na buasai'r awdur yn sylwi bod amgylchiadau, temtasiynau, profedigaethau, yn chwarae rhan llawer mwy pwysig yn y gwaith o buro a pherffeithio Theomemphus nag ymholiad neu unrhyw 'ymchwil eneidegol' . . . Nid goleuni ar 'ystyr' pethau neu brofiadau yn eu perthynas â'i gilydd ac â'r sant yw goleuni'r *Via Illuminativa*, ond goleuni Presenoldeb Duw.[51]

Ac yna, yn fwy cyffredinol: 'Y mae'n anffodus nad oes gan yr awdur syniad am wybodaeth ond "wybodaeth pen", nac am oleuni (fel ffigur) ond goleuni deall'.[52]

Hanfod y gwahaniaeth rhwng y duwioldeb Beiblaidd a Phrotestannaidd ar y naill law, a chyfriniaeth Gatholig ar y llall, oedd bod yr uno â Duw yn digwydd nid yn ddigyfrwng trwy broses o ymuniaethu eneidiol, ond trwy ymddiried syml yng Nghrist. Y porth i'r sancteiddhad yw'r cyfiawnhad, ac ar sail aberth Calfaria y caiff y credadun ei uno â'i Waredwr. Mewn geiriau eraill, mae'r uno â Christ yn digwydd ar unwaith. Ond fel arall oedd y patrwm yn y gyfrol hon: 'Wedi i'r credadun gael ei buro oddi wrth ei bechod, y mae, meddir, mewn cymundeb â Duw, eithr heb fod eto mewn undeb ag Ef.'[53] Cysyniad rhyfedd – ac anysgrythurol – oedd cael cymundeb â Duw heb fod mewn undeb ag ef. Fel Jones, gwelodd Evans ormod o duedd yn Saunders Lewis i wneud haeriadau ysgubol nad oedd modd eu profi, ac fe'i collfarnodd am ladd ar 'biwritaniaeth':

> Y mae'r awdur dysgedig yn sicr yn ddigon cyfarwydd â hanes datblygiad y teimladau moesol i wybod nad dygiad i fyny 'piwritanaidd' sy'n peri bod merch ieuanc yn gwrido pan sonnir am gysylltiadau rhyw. Y mae'r awdur – a rhai o'i gyfeillion – mor barod i waeddi 'piwritaniaeth! piwritaniaeth!' pryd nad oes biwritaniaeth, fel na synnem glywed ei fod yn mwmian 'piwritaniaeth' yn ei gwsg![54]

Arwyddocaol hefyd oedd sylw Evans ynghylch tlodi tybiedig y ddiwinyddiaeth Brotestannaidd ym maes ysbrydoledd. Yn lle gwneud honiadau di-sail, dylai Lewis wneud yr ymchwil angenrheidiol 'gan ddechrau . . . gyda'r Dr John Owen, a oedd yn ffefryn gan Williams, a Jonathan Edwards, yr hwn, gyda llaw, a archwiliai ei freuddwydion er mwyn gweld fath olwg oedd arno yn y diymwybod'.[55] Er gwaethaf y sylwadau hyn, naws gyfeillgar oedd i'r adolygiad, ac roedd Keri yn llawn sylweddoli gwreiddioldeb y gwaith: 'Nid oes eisiau galw sylw at ragoriaethau'r llyfr – y maent yn aml ac yn amlwg i bawb.'[56] Roedd hi'n ddigon bod cyhoeddi *Williams Pantycelyn* wedi ysgogi trafodaeth mor frwd ymhlith ei darllenwyr.

Daeth yr ymateb hwyaf, ond nid ysywaeth yr un mwyaf golau, mewn cyfres o erthyglau yn *Y Brython*, papur a gyhoeddwyd yn Lerpwl, rhwng Ionawr a Mawrth 1928, ac a grynhowyd mewn cyfrol 90 tudalen a ymddangosodd ym mis Mai ac mewn ail-argraffiad buan erbyn mis Medi. Awdur *Mr. Saunders Lewis a Williams Pantycelyn* oedd 'Moelwyn', sef y Parchg J. G. Moelwyn Hughes (1866–1944), gŵr a enillodd y graddau MA a PhD ym Mhrifysgol Leipzig, ac a fu er 1917 yn weinidog Methodist ym Mhenbedw. Roedd yn gymydog, felly, i dad Saunders Lewis, y Parchg Lodwig Lewis, ac yn perthyn i'r rhwydwaith cyfundebol y magwyd Lewis ynddi. Er gwaethaf ei wybodaeth eang o weithiau Williams, ffrwyth yr ymchwil at ei lyfr cynharach *Pedair Cywmynas Pantycelyn* (1922), a'i gyfarwydd-der â theithi cyfriniaeth ac athroniaeth gyfoes, cyfrol anwastad yw hon gan Moelwyn, heb fod ynddi ffocws na chymesuredd. Os oedd ei weithiau dadansoddol eraill, *Anfarwoldeb yr Enaid* (1908) ac *Addoli* (1937), yn 'gymysgedd o'r gwych a'r gwachul',[57] felly hefyd y gwaith hwn. Roedd yr hyn a ddywedwyd am ei gasgliad o ysgrifau, *Llewyrch y Cwmwl* (1912) ('Ar ei waethaf bydd yn anodd canfod olyniaeth resymegol yn y meddyliau gwasgarog, a gall yr arddull orgywreinio'r mynegiant nes bod y darllenydd ar goll'[58]), yr un mor wir am y llyfr hwn.

Ar y cychwyn, mae Moelwyn yn hael ei ganmoliaeth i'r awdur ifanc: 'Bellach dyma ŵr galluog, o amryw ddoniau, yn ysgolhaig, yn ddiwylliedig – ac yn ddarlithydd yn un o Golegau'n Prifysgol – yn rhoi blynyddoedd i astudio Pantycelyn',[59] a chydnabu fod ei astudiaeth 'yn un o'r cyfrolau mwyaf byw, awgrymiadol a phryfoclyd sy wedi ymddangos ers blynyddoedd' (t. 2). Fel Jones, cyfeiria at y ffaith fod eraill wedi awgrymu rhai o bwyntiau mwyaf dadleuol y llyfr o'r blaen, ond Lewis oedd y cyntaf i gyflwyno'r thesis yn gyflawn: '[N]id agoryd drysau newyddion a wnaeth, eithr yn hytrach ledu peth ar ddrysau oedd gil-agored' (t. 3). Doedd dim amheuaeth am natur drawiadol yr ymdriniaeth na'i mynegiant cynhyrfus, ond ychydig oedd ynddi i'w chymeradwyo o ran ei hathroniaeth ganolog. Roedd yn anorfod y byddai'n cael ei beirniadu ar sail ei diwinyddiaeth:

> Wel, o'n rhan ni, y mae i Mr. Lewis groeso i gredu mewn purdan, dim ond iddo gofio mai Pabydd ydyw wrth wneuthur felly . . . Aflwyddiannus yw ymdrech yr awdur galluog i brofi bod Williams yn credu mewn purdan, – yn wir, dyma un o'r pethau gwannaf yn ei lyfr diddorol. (t. 8)

Teg hefyd oedd ei sylw ynghylch yr amrywiaeth o fodelau a oedd ar gael i ddadansoddi'r profiad cyfriniol yn hytrach na'r un dull teirffordd a boblogeiddiwyd gan yr ysgolor Ffransisgaidd enwog: 'Ym meddwl toreithiog yr awdur yn unig y mae'r tebygrwydd rhwng Williams a Bonaventura' (t. 14). Fel eraill o'i adolygwyr, cyfeiriodd at or-daclusrwydd y gwaith: 'Nid yw profiadau a chyflyrau saint Duw mor hawdd i'w helfennu, eu deffinio a'u dosbarthu ag y barno Mr. Lewis' (t. 15), a sylwodd ar anaddasrwydd cymhwyso model Catholig o ddehongli ysbrydolrwydd at ddeunyddiau yn yr emynau a'r cerddi hir oedd yn anwadadwy Brotestannaidd:

'Glanhau, dilyn Crist, derbyn y Priodfab' – dyna drefn y Pabydd. Ond gŵyr Mr Lewis, a fagwyd ar ddiwinyddiaeth iachus ei dad, nad dyna fel y dysg Protestaniaeth. Nid y sancteiddio sydd yn blaenori yn nhrefn cadw pechadur, ac nid un act derfynol mo sancteiddhâd, eithr cwrs-weithrediad parhaus, cyson . . . Nid tair ffordd sydd yma i'w 'hesgyn' gennym ond un, neu yn fwy cywir, y mae'r tair yn un a'r unrhyw – y glanhau, y dilyn a'r derbyn. (t. 15)

Mae'r cwbl uchod yn rhesymol ac yn deg, ac roedd mewn cytgord â phrofiad digonedd o'r ffyddloniaid a fyddai wedi dilyn y cyd-drafod gydag awch ar y pryd: 'Nid rhywbeth i gyrchu ato a'i sylweddoli ar ddiwedd yr yrfa'n unig ydyw undeb â Christ, ond rhywbeth sy'n ffaith heddiw yn hanes a phrofiad y sawl a gred' (t. 15). Fel Keri Evans, roedd Moelwyn yn iawn hefyd i nodi fod gan Brotestaniaeth hithau ei meddygon enaid a oedd yn arbenigwyr ar ddadansoddi cyflyrau'r galon gyda manylder cyfewin: 'Rhoes Zingendorf [*sic* = Zinzendorf], John Owen, a Jonathan Edwards fwy nag un cynnyg ar hyn. Ac yn wir gwnaeth Calfin ei hun gais, fel y gwelir yn y *Catechismau*' (t. 76). Ond wedi dweud hynny yn gytbwys ac yn gall, tueddu i fynd ar ddisberod a wnaeth y drafodaeth wedyn.

Er gwaethaf ei fyfyrio helaeth yn y llenyddiaeth gyfandirol, mynnodd Moelwyn fod Lewis wedi anwybyddu awdurdodau eraill, mwy rhyddfrydig eu pwyslais, a fyddai wedi rhoi gwedd arall ar ei ddehongliad. Yn eu plith roedd yr Americanwyr William James, Rufus Jones a C. Morris Addison, awduron *The Varieties of Religious Experience* (1902), *Studies in Mystical Religion* (1909) a *The Theory and Practice of Mysticism* (1918), heb sôn am y Deon W. R. Inge o Eglwys Gadeiriol Sant Paul, 'y cryfaf, y praffaf, y gloywaf a llawnaf o obaith o holl ddiwinyddion Prydain heddyw' (tt. 28–9). Yn ôl y rhain, profiad oedd nod amgen cyfriniaeth ac eilbeth oedd unrhyw gyfundrefn athrawiaethol y mynegwyd y profiad trwyddi. Er mai Calfinydd oedd Pantycelyn, y peth pwysicaf amdano oedd dwyster ei *brofiad* crefyddol ynghyd â meistrolaeth ar deithi'r Gymraeg, ond ei *brofiad* a'i gwnaeth yn gyfrinydd. Penagored iawn yw diffiniad Moelwyn o gyfriniaeth, a'r argraff a geir yw mai term arall ydyw am grefydd bersonol o unrhyw fath:

> Dynion [*sic*] yw'r cyfrinwyr sy'n gyfarwydd â *hanes* Iesu Grist, fel y'i ceir yn yr Ysgrythurau, yn cymuno âg Ef yn bersonol drwy gyfrwng y ffeithiau a groniclir, pob gair a lefarodd Ef a phob peth a'r a wnaethpwyd ganddo yn cael eu cysegru i fod yn llwybrau'r dyfodiad ato. (t. 27)

'Ni rydd Moelwyn ddiffiniad o "gyfriniaeth", ac yn wir trwy ei waith i gyd ceir yr un amharodrwydd i ddiffinio unrhyw beth'.[60] Canlyniad hyn yw fod 'tuedd ym Moelwyn i weld cyfrinwyr ym mhobman'.[61] A Saunders Lewis wedi rhoi'r fath bwyslais ar fanylder a diffinio, mae'r gwahaniaeth mewn eglurder syniadol rhwng y gyfrol wreiddiol a'r ymateb iddi yn drawiadol.

Y ddeubeth y myn Moelwyn eu pwysleisio, hyd y gellid barnu, yw mai bardd cymdeithasol oedd Pantycelyn yn hytrach na bardd unigolyddol bur, ac mai anghywir fyddai cymysgu rhwng y profedigaethau, y temtasiynau a'r pechodau a ddarlunnir yn y cerddi, ac ymarweddiad a buchedd Williams ei hun. Po fwyaf y cynhesodd at ei bwnc, mwyaf anghytbwys y tueddodd i fynd. 'Ni wyddom am neb', meddai, 'yn holl hanes yr Eglwys, âg eithrio'r Apostol Paul, a wybu'n well na Phantycelyn am briod le yr elfen "unig" a'r elfen "gymdeithasol" mewn bywyd' (t. 33). Nid yn anfynych y mae rhesymu yn ildio i rethreg ac mae'r bardd ynddo yn cael y trechaf ar y beirniad:

Llyn mawr yn y mynydd ydoedd, mewn cymundeb â'r dwfn, a'i fynwes eang yn agored i dderbyn pob cawod o oleuni a phob cawod o law. Dôi'r dymestl yn ei thro i'w ysgytio'n greulon. A dôi'r nos yn ei phryd nes tywyllu o'i ddyfroedd. Ond ar hindda neu ddrycin, dydd neu nos, ni pheidia â gweini . . . canys nid llyn caead mono . . . eithr llyn yn aberthu [*sic* = aberu] mewn gwasanaeth nes bod y dyffryn drwyddo draw yn 'fangre afonydd a ffrydiau llydain'. (t. 33)

Mae ambell gyffyrddiad o bathos yn ychwanegu at liw os nad at graffter ei druth: 'Y mae rhai o'i emynau fel llaw dyner y nyrs pan osodir hi ar dalcen poeth y dyn a fo mewn twymyn – eu dylanwad mor *cooling*' (t. 62). Ond yr hyn yn anad dim a barodd i Moelwyn ffyrnigo oedd yr haeriad mai Pantycelyn ei hun a gaiff ei ddarlunio yn y cerddi a'r emynau:

Creadigaeth Pantycelyn yw Theomemphus; nid hanes ei fywyd nac atsain o'i brofiad . . . [Y]m mywyd dynolryw fel y'i darlunir yn y Beibl a hanes y cafodd ef . . . ddeunydd ei gerdd orchestol. (t. 39)

Awn ni ymhellach, a dywedwn mai yn y seiadau, wrth ymwneuthur ohono â dynion o amrywiol gyflyrau ysbrydol, y cafodd ef brif ddeunydd yr emynau . . . Nid eco o Williams ei hun ydynt. (t. 46)

Llunio hymnau i'r eglwys a wna Williams, nid ysgrifennu ei fywgraffiad. (t. 49)

Dywedasom drachefn a thrachefn a dywedwn eto nad bywgraffiad Pantycelyn mo'i weithiau. (t. 62)

Mae'n amlwg fod rhywbeth pwysig yn y fantol yn y fan hon, ac nid oedd rhaid chwilio ymhell i ddarganfod beth ydoedd. Y broblem oedd yr haeriad mai llanc nwyfus oedd Williams ac atyniad y cnawd yn bwerus ynddo; yr hyn na allai Moelwyn ddygymod ag ef oedd fod ei eilun yn greadur rhywiol. Perthyn i bobl eraill oedd nwyf, cnawd a themtasiynau rhywiol. Rhywsut, roedd Williams uwchlaw'r pethau hyn: 'Sancteiddrwydd Williams yn anad dim a'i gwnaeth y fath weledydd. Nid rhaid wrth brofiad personol o bechodau cyn gallu eu darlunio' (t. 37). Ymddengys mai syniad arwynebol iawn oedd gan Moelwyn o bechod. Fel llawer o'i genhedlaeth y dylanwadwyd arnynt gan yr athroniaeth Idealaidd a'r ddiwinyddiaeth ryddfrydol, rhyw nam ar y wyneb oedd pechod y gellid goresgyn ei effeithiau trwy foesoldeb neu ymgysegriad ysbrydol. O gydymdrechu â'r Duw mewnfodol, roedd modd ymgyrraedd at y nod uchaf:

Ni choleddir mwyach mo'r hen syniad gwyrgam mai tu allan i'w Gread y gweithia Duw. Nid oddi allan . . . eithr *yn* Ei waith y gwna Ef bopeth a'r a wneir ganddo. Anadla ymhob peth, ac mewn dyn yn anad dim. Cymaint a allai'r Arglwydd wneuthur ynom pe byddem lân! (t. 66)

Camp Pantycelyn oedd ein hysbrydoli trwy ei emynau i fod yn lân. Amdano ef ei hun, roedd y purdeb hwn yn perthyn iddo'n gynhenid: 'Ychydig a phrin oedd olion y cŵymp ar Williams. Ni bu crac yn ei gymeriad moesol. Yr oedd ei fuchedd, er yn fachgen, yn ddifrycheulyd, fel nad oedd fawr o angen argyhoeddi o bechod arno' (t. 81). Gymaint oedd y purdeb cynhenid hwn fel nad oedd 'dim un sail o gwbl i'r enllib wallgof amgen na bod Pantycelyn wedi darlunio pechodau'r cnawd yn *Theomemphus*. Ni bu erioed fachgen ieuanc a droediodd lwybrau glanach na Williams' (t. 83). Sarhau Williams a wnaed trwy'r ensyniadau hyn o gnawdolrwydd a phechadurusrwydd, ac roedd y gwir sant, yn nhyb Moelwyn, goruwch y pethau gwrthun hyn i gyd.

Fel yr helynt cyfamserol ynghylch awdl Gwenallt, 'Y Sant', y gwrthodwyd ei chadeirio yn Eisteddfod Genedlaethol Treorci 1928 am ei bod yn ôl Syr John Morris-Jones, 'yn bentwr o aflendid',[62] dengys sylwadau Moelwyn fod wal ddeallusol ddiadlam rhyngddo a Saunders Lewis. Roedd rhagdybiau y naill genhedlaeth yn ymdaro yn erbyn y llall, a chyd-ddealltwriaeth wedi troi'n amhosibl. Cythruddwyd yr hynafgwr gan haeriad y beirniad iau fod y bedwaredd ganrif ar bymtheg a'i holynwyr wedi methu deall Pantycelyn ('Yn anad dim, collwyd ystyr holl fywyd Pantycelyn. Ni ddeallodd neb y pethau y ceisiodd y llyfr hwn eu hegluro', t. 229). Troes traethu Moelwyn yn wawd: '[Y]m mro a chysgod angau yr eistedd Cymru gyfan. Ond yn y tywyllwch dudew wele'r wawr yn torri arnom o'r diwedd – o Abertawe!' (t. 54), ac roedd ei air pellach yn brawf fod rhagfarn wedi trechu pob crebwyll yn derfynol:

> Y mae'r beirniaid hyn[63] wrthi'n brysur yn mesuro a phwyso emynydd mwya'r Eglwys Gristnogol, a sŵn anffaeledigrwydd Pab yn nhôn eu llais wrth gyhoeddi'r ddedfryd. Ceisiant ei dafoli, ond aiff eu cloriannau tila yn yfflon yn yr ymdrech. Ceisiant ei fesuro, eithr nid â chorsen aur cydymdeimlad ysbrydol, namyn â phric mesur deall anianol. Goroesodd Pantycelyn lu o griticyddion, a bydd fyw eto yng nghalon cenedl wedi i'r tô presennol o'i gollfarnwyr gael eu hanghofio. A ryfeddem ni ddim nad o'u pric mesur y llunir eu heirch. Pob parch i feirniaid llên; gwnant waith buddiol ac y mae rhai ohonynt, fel Mr. Lewis, yn wŷr galluog a dysgedig. Ond oni byddo'r beirniaid yn ddynion duwiol, ni feddant mo'r dawn rheitiaf i fedru . . . dirnad ystyr a gwerth etifeddiaeth y saint. Y mae'r cyfryw beth allan o'u cyrraedd. (t. 68)

Fel y dywedodd Kathryn Jenkins: 'Rhaid cydnabod o'r dechrau nad oedd Moelwyn yn yr un byd â Saunders Lewis yn ddeallusol.'[64] Nid oedd ychwaith yn yr un byd ag ef yn ddeongliadol. Er gwaethaf tôn gymodlon ei sylwadau clo – 'Ceisiasom . . . fod yn deg a di-ragfarn yn ein beirniadaeth. Hyderwn yn fawr na wnaed cam â Mr. Saunders Lewis, na neb arall . . . Rhad arno' (t. 85) – enw Moelwyn a ddioddefodd yn yr ysgarmes hon ac nid enw ei wrthwynebydd.

Blwyddyn a mwy wedi iddo gyhoeddi ei adolygiad yn y *Welsh Outlook*, gofynnwyd i T. Gwynn Jones draethu eto ar y testun 'Williams Pantycelyn yng ngolau gwaith Yr Athro [*sic*] Saunders Lewis MA', gerbron cyfarfod o Undeb Athrofa y Bala. Digwyddodd y traethu yng

Ngholeg Harlech yng Ngorffennaf 1929, ac mae'n amlwg fod y diddordeb yn y pwnc, nid yn lleiaf ymhlith gweinidogion yr Hen Gorff, yn para yn ei rym. Pantycelyn yn hytrach na Saunders Lewis oedd prif fyrdwn ei sylwadau, ond i Jones ailadrodd yn ei ddarlith iddo gytuno yn fras â dehongliad seicolegol cyfrol Lewis serch bod y dadansoddi yn tueddu i fod yn or-daclus, bod digon o dystiolaeth fod 'rhamantiaeth' mewn barddoniaeth yn ffenomen hŷn o lawer na'r cyfnod modern cynnar, a bod angen dirfawr i sefydlogi'r canon am na wyddai neb yn iawn ai Williams oedd piau pob peth a ymddangosodd yn ei enw. Artist esgeulus oedd Pantycelyn os artist o gwbl: 'Ni eill ieithydd a barcho iaith, na chrefftwr a barcho grefft, darllen yr holl bethau a briodolir iddo, yn enwedig yr emynau, gyda dim hyfrydwch', meddai. 'Y mae ei iaith yn wir yn erchyll a'i ramadeg yn fynych yn anfad.'[65] (Hanner canrif yn ddiweddarach, ffromodd y beirniad llenyddol John Gwilym Jones at y 'feirniadaeth bitw' hon a chyfeirio ati fel peth 'trist o gibddall'.)[66] Ond am awdur *Williams Pantycelyn*, meddai Jones: 'Yr wyf . . . yn ystyried mai Mr Lewis yw'r meddyliwr cyntaf i wneuthur dim tebyg i chwarae teg â Williams a'i waith, drwy ei astudio gyda pharch, dealltwriaeth a chywirdeb.'[67] Nododd eto fod angen mwy o waith ymchwil yn ffynonellau'r emynau er mwyn barnu'n deg ar union fesur ei wreiddioldeb, a chyfeiriodd hefyd at sylw E. Keri Evans ynghylch arwyddocâd y cefndir Piwritanaidd: 'Dyma'r math o ymchwil sydd eto heb ei gwneuthur yn drwyadl, a hyd oni wneler bydd llawer o ansicrwydd ymhob damcaniaeth am union le Williams ymhlith beirdd ac eneidyddion'.[68] Ni nodwyd natur yr ymateb i'r sylwadau hyn yn y cyfarfod yng Ngholeg Harlech, ond mae'n eglur fod y drafodaeth yn dal yn ei grym a bod consensws newydd ynghylch deall Pantycelyn, ymhlith y gwrandawyr iau o leiaf, bellach yn ymffurfio.

## Y CONSENSWS NEWYDD

Byddai'r degawd nesaf yn un prysur a phoenus i Saunders Lewis. Parhaodd y rhaglen gyhoeddi, nid yn unig y cyfrolau ond erthyglau beirniadol swmpus fel 'Y Cofiant Cymraeg' (1935),[69] toreth o ysgrifau gwleidyddol y caed detholiad ohonynt yn *Canlyn Arthur* (1938), a dramâu megis *Buchedd Garmon* (1937) ac *Amlyn ac Amig* (1940), ynghyd â gweithiau creadigol eraill. Bellach roedd Lewis yn ffigur canolog yn y byd diwylliannol Cymraeg, a'i safle fel llywydd y Blaid Genedlaethol wedi'i amlygu'n berson pur ddadleuol yn y cylch gwleidyddol yn ogystal. Wedi hir ymatal, ymunasai â'r Eglwys Gatholig yn 1933, peth roedd ei wraig, Margaret (née Gilcriest) wedi ei wneud flynyddoedd ynghynt.[70] Er bod rhywbeth anorfod ynghylch y weithred hon – dywedodd mor gynnar â 1921, 'As far as intellectual assent goes I am now a Catholic'[71] – roedd ar yr un pryd yn un bur herfeiddiol. Methodist Calfinaidd o dras ac o fagwraeth ydoedd; roedd wedi cyhoeddi ar un o lenorion amlycaf traddodiad ei fagwraeth, a gallai pobl yn rhwydd ddehongli'r symudiad hwn fel annheyrngarwch a brad. Ond iddo ef, ymuniaethu â thraddodiad Cristnogol dilys a hŷn a wnaeth, a hwnnw'n un a oedd yn ddigon llydan, o'i iawn ddehongli, i gynnwys hyd yn oed yr emynydd. Wrth annerch cyfarfod o'i gyd-Gatholigion yng Nghaerdydd yn 1934, meddai:

Ni ellir amau nad Williams Pantycelyn, un o sefydlwyr Methodistiaeth Galfinaidd Cymru yn y ddeunawfed ganrif, yw'r ffigur mwyaf yn llenyddiaeth Cymru ar ôl y Diwygiad Protestannaidd. Ond hanes un a ddechreuodd ei fywyd crefyddol mewn arall-fydolrwydd Piwritanaidd o'r llymaf, ac a dyfodd yn fwy trwyadl Gristionogol o hyd, a therfynu gyda syniad am fywyd oedd yn hanfodol sagrafenaidd ac arwrol, yw hanes datblygiad Pantycelyn. Credaf fod Pantycelyn, er cymaint o wrth-Babyddol ydoedd, ac er iddo ddal yn wrth-Babyddol hyd y diwedd, yn fardd Ewropeaidd gwir fawr oedd yn perthyn yn wirioneddol (a defnyddio gair technegol mewn diwinyddiaeth) i enaid yr Eglwys Gatholig.[72]

Os bu Lewis yntau yn perthyn i 'enaid' yr Eglwys ers tro, perthynai bellach i'w chorff hi hefyd.

1936, fel y gwyddys, oedd blwyddyn llosgi'r Ysgol Fomio a helynt y carcharu a'i dilynodd,[73] ac er nad oedd Williams ar flaen meddwl Lewis yn ystod y blynyddoedd hyn, derbyniwyd ei ddadansoddiad o'r bardd bellach fel math o uniongrededd newydd gan sylwebyddion yn gyffredinol. Mewn astudiaeth a gyhoeddwyd ym mlwyddyn Penyberth, ysgrifennodd H. Idris Bell:

Pantycelyn has been made the subject of a masterly monograph by Mr Saunders Lewis, which, though marred by a wilfulness and tendentious exaggeration too characteristic of some neo-Catholic writers, is an indispensable introduction to the study of Pantycelyn's work and one of the best pieces of sustained literary criticism in the Welsh language.[74]

Roedd dadansoddiad y beirniad hwn yn adleisio'n ffyddlon holl deithi'r dehongliad newydd.

Os prysur a phoenus oedd y 1930au i Saunders Lewis, nid llai egnïol na thrafferthus fyddai'r degawd nesaf yn ei hanes. Gyda chyhoeddi'r rhyfel yn 1939, parhaodd y gweithgareddau gwleidyddol, ond o hynny ymlaen trodd y golofn 'Cwrs y Byd' yn *Y Faner* yn lwyfan iddo ddatgan ei sylwadau ar les y genedl yng nghyd-destun y byd hwnnw. Roedd y pegynnu cynyddol a ddigwyddodd ymhlith y deallusion Cymraeg a darddodd o'r Ysgol Fomio, symudiad Coleg Abertawe i ddiswyddo Lewis yn ei sgil, ac yn fwy byth yr anghytundeb chwyrn ynghylch sut orau i ymateb i apêl sosialaeth ar y naill law a her ffasgaeth Ewrop ar y llall yn wyneb rhyfel byd arall, wedi creu diflastod gwirioneddol. Mynegwyd hyn yn llachar yn y sylw eang a roddwyd i gyhuddiad Gwilym Davies yn 1942, lladmerydd dylanwadol Cynghrair y Cenhedloedd yng Nghymru, mai ffasgydd totalitaraidd oedd Saunders Lewis mewn gwirionedd, un â'i fryd ar fygu pob rhyddid yn y Gymru newydd, babyddol.[75] Amlygwyd diflastod hefyd pan ddewiswyd W. J. Gruffydd, yntau'n gyn-aelod o'r Blaid Genedlaethol, i ymladd yn erbyn Lewis yn enw'r Blaid Ryddfrydol ar gyfer sedd Prifysgol Cymru yn Etholiad 1943. 'Yr oedd y rhwyg yn y Gymru Gymraeg yn llwyr', meddai A. O. H. Jarman, un o olynwyr Gruffydd i gadair y Gymraeg yng Nghaerdydd:

> Etholwyd ef [Gruffydd] gyda mwyafrif o 3098 yn erbyn 1330 . . . Bu'n etholiad chwerw iawn. Gadawodd ei hôl ar deimladau yng Nghymru am flynyddoedd lawer. Mi ddywedwn fy hun mai dyma'r weithred wleidyddol salaf mewn perthynas â Chymru a wnaed yn y ganrif hon.[76]

Er gwaethaf hyn, parhaodd Lewis i gyhoeddi'n doreithiog: *Straeon Glasynys* (1943) a'r detholiad *Ysgrifau Dydd Mercher* (1945), yr ysgrif feirniadol bwysig 'Damcaniaeth Eglwysig Brotestannaidd' yn 1947,[77] a'r ddrama *Blodeuwedd* (1948) ymhlith llawer o bethau eraill, yn ysgrifau, erthyglau, adolygiadau a cherddi. Erbyn y 1940au, roedd wedi bod yn bresenoldeb cyson a digamsyniol yn y Gymru lenyddol ers chwarter canrif a mwy, ac er yn rhy hen i fod yn *enfant terrible* mwyach, parhaodd yn *bête noir* i lawer. Gallai'r sylwebyddion bellach dafoli sylwedd ei gyfraniad fel llenor a beirniad, a chaed ymdriniaeth olau â'i gynnyrch gan J. Gwyn Griffiths yng nghasgliad Aneirin Talfan Davies, *Gwŷr Llên*, yn 1948.[78] Bu'n destun cyfrol gyfan yn 1950, sef *Saunders Lewis, Ei Feddwl a'i Waith*, a olygwyd gan Pennar Davies. Cydnabyddwyd fod y dieithryn ifanc a ddatganodd mewn dull mor annisgwyl a phendant ar Dafydd Nanmor a'r 'Estheteg Gymreig' genhedlaeth a mwy ynghynt, bellach wedi dod i'w deyrnas. 'Y mae Saunders Lewis,' meddai Pennar Davies, 'ymhlith gwŷr pwysicaf yr oes.'[79]

O ran ei ddiddordebau ymarferol roedd Lewis wedi symud ymhell oddi wrth Williams Pantycelyn a rhamantiaeth y ddeunawfed ganrif, ond yr hyn a geir o'r 1950au hyd at ddiwedd ei oes oedd gwerthfawrogiad newydd o gynhysgaeth ysbrydol y Fethodistiaeth Galfinaidd y cafodd ei fagu ynddi, a pharodrwydd cyson i'w harddel a'i hamddiffyn. Roedd Lewis eisoes, mewn adolygiad o gyfrol Gomer M. Roberts *Bywyd a Gwaith Peter Williams* (1943), wedi tynnu sylw at arwyddocâd her Pantycelyn i Thomas Charles o'r Bala yn 1791 warchod purdeb athrawiaethol Corff y Methodistiaid Cymraeg yn wyneb perygl apostasi. Roedd yr her hon, a gyhoeddwyd yn *Y*

*Drysorfa Ysbrydol* yn 1799, yn 'un o ddogfennau clasurol Cristnogaeth Gymreig', meddai Lewis, 'ac ynddo gosodir sylfeini diwinyddol y Methodistiaid cyntaf gyda grym dealltwriaethol ac angerddol ymwybod â mawredd eu hetifeddiaeth'.[80] Daeth yr un gwerthfawrogiad i'r golwg mewn adolygiad ar lyfr arall gan Gomer Roberts, sef cyfrol gyntaf ei gofiant i Williams Pantycelyn, *Y Pêr Ganiedydd* (1949). Er yn llawdrwm ar ddull y gwaith, 'cronigl a roddir inni, nid hanes',[81] roedd ymchwil yr awdur wedi peri iddo ystyried am y tro cyntaf ai Howell Harris oedd 'Boanerges' y gerdd *Theomemphus* ac nid Daniel Rowland, ac ai Madam Sydney Griffith oedd y cynsail ar gyfer y cymeriad Philomela yn yr un gwaith. Cydnabu hefyd mai cibddall ac amaturaidd oedd rhai o'i sylwadau yn *Williams Pantycelyn* er iddynt gael eu derbyn yn eang ar y pryd:

> Erbyn heddiw barnaf mai amrwd a ffôl oedd dweud 'Nid oedd ganddo ddiwylliant Cymraeg'. Bu dylanwad llenyddiaeth Gymraeg a dylanwad diwylliant a thraddodiadau ei fro yn lletach a dyfnach ar ei waith nag a ddeellais i'r pryd hynny,[82]

ac i waith ysgolheigaidd Gomer Roberts yr oedd y diolch am iddo ddod i weld hyn. Pwysicach, fodd bynnag, oedd ei sylwadau ar 'batripasiaeth' honedig Williams, sef y gred anuniongred fod Duw'r Tad wedi dioddef yn aberth y groes, yn y cyfeiriadau at 'y dwyfol waed' ac yn y blaen:

> Nid oes yn unrhyw un o'r ymadroddion a ddyfynnir yma ddim arlliw o na Phatripasiaeth na'r mymryn lleiaf o heresi. Nid ydynt ond y gredo Gatholig bur a'r gwirionedd Cristnogol. Ni ddylid yn ysgafn nac yn wamal gyhuddo'r Tadau

Methodistaidd o heresi ynghylch Person eu Harglwydd. Eu ffydd draddodiadol yn Nwyfoldeb y Person dwy-natur yw trysor pennaf Cyfundeb Methodistiaid Calfinaidd Cymru.[83]

Nid Gomer Roberts yn unig oedd o dan y lach yn y fan hyn, ond yr hanesydd R. T. Jenkins hefyd am iddo yntau gyfeirio at 'anuniongrededd' Pantycelyn mewn ymdriniaeth ddiweddar ar ei emynau yn *Y Traethodydd*.

Mi hoffwn grefu ar haneswyr Methodistaidd am beidio â thaflu cyhuddiadau o heresi yn ysgafn yn erbyn sylfaenwyr eu Cymundeb [*sic*], canys yr argraff a ddyry hynny ar eu darllenwyr yw nad ydynt hwy'n cyfrif fod heresi bellach nac yn bechod nac yn fater o bwys.[85]

Gŵr aeddfed a chyfrifol 57 oed oedd Lewis pan ysgrifennodd hyn, a Chymru wedi newid yn ddirfawr er cyhoeddi *Williams Pantycelyn* 23 mlynedd ynghynt. Roedd gwarchod hygrededd y ffydd yn 'fater o bwys' iddo, a pharhad y dystiolaeth Gristnogol yn ei gwedd Fethodistaidd ac Ymneilltuol yn alwad ar bawb, boed Babydd neu Brotestant, yn wyneb argyfwng Cymru canol yr ugeinfed ganrif. 'Er pan ddeuthum i i'r Eglwys Gatholig, ni ddywedais i air, hyd y cofiaf – ac felly y gobeithiaf – i ddifrïo Ymneilltuaeth Gymraeg', meddai mewn man arall. 'Dymunaf â'm holl galon adnewyddiad bywyd a grym ac arswyd argyhoeddiad credo i'r holl enwadau hyn.'[86]

Erbyn hynny roedd wedi camu nôl o weithgareddau gwleidyddol, gan ymroi fwy neu lai yn llwyr i waith llenyddol. Wedi blynyddoedd o ansicrwydd o ran swydd, fe'i penodwyd yn 1952, gan yr Athro Griffith John

Williams, yn uwch-ddarlithydd yn Adran Gymraeg Coleg Caerdydd, ac yno y bu tan ei ymddeoliad bum mlynedd yn ddiweddarach. Er mai llwm a digalon oedd pethau o ran y rhagolygon cenedlaethol – roedd diymadferthedd Cymru yn wyneb bwriad Cyngor Dinas Lerpwl i greu cronfa ddŵr yng Nghwm Tryweryn yn symbol o'r peth – troes yn gyfnod euraidd o ran creadigrwydd i Saunders Lewis yr artist. Dyma gyfnod ei ddramâu mawr: *Siwan* (1956), *Gymerwch Chi Sigaret?* (1956), *Brad* (1958) ac *Esther* (1960), a'u themâu yn adlewyrchu gofid eu hawdur ynghylch dyfodol y genedl mewn byd dan fygythiad difodiant niwclear. Yn 1960, wrth dafoli ei yrfa hyd hynny, mynegodd ei ysictod yn gofiadwy iawn. Meddai, mewn cyfweliad teledu ag Aneirin Talfan Davies:

> Yr oedd gen i awydd, nid awydd bychan, awydd mawr iawn i newid hanes Cymru. I newid holl gwrs Cymru, a gwneud Cymru Gymraeg yn rhywbeth byw, cryf, nerthol, yn perthyn i'r byd modern. Ac mi fethais yn llwyr.[87]

Ond hyd yn oed bryd hynny, roedd pethau'n eplesi o dan yr wyneb. Byddai'r anesmwythyd a fynegodd, ynghyd â'r alwad syfrdanol yn ei ddarlith radio *Tynged yr Iaith* yn Chwefror 1962 i arfer 'dulliau chwyldro' er mwyn achub y Gymraeg, yn esgor ar gyfnod newydd a chynhyrfus yn hanes diweddar Cymru. Gydag ethol Gwynfor Evans i San Steffan yn enw Plaid Cymru yng Ngorffennaf 1966, a Chymdeithas yr Iaith yn mynegi asbri ieuenctid a pharodrwydd i herio'r drefn, gallai hyd yn oed Saunders Lewis gymryd cysur nad yn gwbl ofer y bu ei ymdrechion o blaid lles, gwarineb a pharhad y genedl Gymreig. Cafodd ei ddenu yn ôl yn y cyfnod hwn i ystyried arwyddocâd parhaol y Diwygiad Efengylaidd a gwaddol ysbrydol a diwylliannol Williams Pantycelyn a'i gyd-Fethodistiaid, ac nid dibwys ychwaith oedd ei sylwadau ar Fethodistiaeth gyfoes. Roedd ei ysgrif 'Tröedigaeth Ann Griffiths' (1962) yn un o dair astudiaeth nodedig, yn cynnwys darlith gyhoeddus enwog adeg Eisteddfod y Drenewydd yn 1965, ar fywyd a gwaith yr emynyddes o Faldwyn.[88] Ac wrth gymeradwyo un o ddramâu John Gwilym Jones yn 1963, meddai: '[Y]n wir i chi, fe fu hir adeg y bu ymennydd mewn Methodistiaeth Gymreig, ac . . . ni fedraf fi gredu, iddo lwyr ddarfod o'r tir.' Yn yr un cywair, mae ei 'Nodyn Ynghylch Diwinyddiaeth' (1964) yn tanlinellu pwysigrwydd gwyddor roedd Cymru cynyddol seciwlar y 1960au ond yn rhy chwannog i'w difrïo a'i hanwybyddu:

> Nid rhyw odrwydd yn tarddu o dlodi a chyfyngder amgylchiadau sy'n cyfri am bwysigrwydd diwinyddiaeth yn ein llenyddiaeth ni . . . [Y] mae diwinyddiaeth yn rhan fawr o holl lenyddiaeth glasurol Ewrop. Trown at ganrif glasurol Ffrainc, oes fawr y dadleuon diwinyddol a'r diwinyddion a'r pregethwyr a'r beirdd crefyddol. O Montaigne hyd at derfyn oes Fénélon pynciau crefydd a diwinyddiaeth yw mater y campweithiau pwysicaf oll. Nid ein hysgar ni Gymry oddi wrth Ewrop y mae'n llenyddiaeth grefyddol ni a'n dadleuon diwinyddol. Yn gwbl groes i hynny, hwy sy'n ein profi ni yn rhan o'r un gwareiddiad â Racine a Milton a Dante.[90]

Tua'r un pryd daeth ei adolygiad manwl o olygiad Gomer M. Roberts o *Golwg ar Deyrnas Crist* a *Theomemphus* lle mae'n traethu gyda'r pendantrwydd a'r egni a nodweddodd ei gyfrol ar yr emynydd a gyhoeddwyd 35 mlynedd ynghynt.[91] Yn gyfochrog â hyn cyhoeddodd yr ysgrif delynegol fer, 'Efa Pantycelyn',[92] sy'n dychwelyd at garwriaeth Theomemphus a Philomela a oedd yn rhan ganolog o'r bennod 'Amor Sponsi' yn *Williams Pantycelyn.*

Nid sbarduno beirniadaeth lenyddol yn unig a wnaed gyda'r canoli newydd ar hanes Methodistiaeth, ond esgor ar waith creadigol hefyd. Y ffrwyth pennaf oedd ei 'ramant hanesiol', sef y nofel *Merch Gwern Hywel* (1964). Hanes blynyddoedd cynnar Cyfundeb y Methodistiaid Calfinaidd wedi iddo ymneilltuo oddi wrth Eglwys Loegr yn 1811 oedd y cefndir, ac ymgais Thomas Jones o Ddinbych i gadw'r Corff rhag gwyro oddi wrth yr uniongrededd glasurol y siarsiodd Pantycelyn i Thomas Charles gadw ati yn 1791. Yr union gyd-destun erbyn 1811–16 oedd y rhwyg rhwng uchel-Galfiniaeth John Elias a Chalfiniaeth gymedrol Thomas Jones. Ond pryderai y diwinydd o Ddinbych, yn ôl Lewis, am rwyg arall a mwy difrifol:

> Mae rhwyg arall a gwaeth . . . [sef un] rhyngon ni a'r Tadau. Rhwyg mewn olyniaeth a hanes. Rhwyg rhyngon ni a Mr Williams, Pantycelyn . . . Nid rhoi llafar a chân i deimladau gwresog y diwygiad a wnaeth Williams, welwch chi, nid hynny'n unig, ond rhoi inni ddiwinyddiaeth y diwygiad. Mae'r emynau'n addysg i Gymru gyfan yn athrawiaeth yr Eglwys [sef Eglwys Loegr]; maen nhw'n dysgu i'r soseiadau gynnwys yr Homilïau a'r Erthyglau a'r Tadau Protestannaidd a'r Testament Newydd. Mae holl oesoedd Cred y tu cefn i'w miwsig nhw.[93]

Nid ceisio profi dylanwad cudd cyfriniaeth Gatholig ar brofiadau duwiolion Cymru'r bedwaredd ganrif ar bymtheg a wneir yma, na dadansoddi tröedigaethau'r seiadau yn ôl dull y seicolegwyr modern, ond pwysleisio parhad rhwng argyhoeddiad craidd y mudiad Methodistaidd wedi 1811 â chyffes gatholig Eglwys Crist ar hyd y canrifoedd. Wrth gyfarch perthynas iddo o Fôn cyn cyhoeddi'r nofel, meddai: '[M]i fydd y Methodistiaid yn meddwl fy mod i wedi dyfod yn ôl yn gyfan gwbl atynt. Nid dyna'r gwir. Nes i'r gwir ydy nad ydwyf i erioed wedi eu gadael'.[94]

## AILASESU

Nearly forty years have passed since the publication of Mr. Saunders Lewis's book on Williams Pantycelyn, and historians of Welsh literature will not fail to describe the sensation it caused . . . No one alive today who read and argued about the book can forget the feelings of joy, pride and relief it stirred.[95]

Geiriau Wynne Roberts, athro Saesneg yn Ysgol Ramadeg Glynebwy, yn *The Anglo-Welsh Review* yn 1965 oedd y rhain, yn mynnu bod cyfrol Lewis, ynghyd ag emynau Williams, yn aeddfed bellach ar gyfer eu hailasesu. Oherwydd disgleirdeb y gyfrol, dallwyd darllenwyr rhag gweld ei gwendidau er eu bod, hyd yn oed ar y pryd, yn amlwg ac yn fynych. Ond am ddeugain mlynedd y dehongliad seicolegol, Catholigaidd o Williams Pantycelyn a fu yn norm, a hynny er dirfawr ddrwg i'n dealltwriaeth o awen y bardd. Herio ysgolheigion Cymraeg i dafoli gwaith Williams o'r newydd a wnaeth Wynne Roberts, ac er bod yr ysgrif yn bradychu diffyg crebwyll ac anwybodaeth ddygn ym mhob paragraff bron, erbyn canol y 1960au nid oedd y math yma o ymateb yn annisgwyl. Fel mae'n digwydd, roedd cyfres o sgyrsiau radio eisoes wedi ei darlledu yn trafod emynau, cerddi hir a llyfrau rhyddiaith Pantycelyn pan ymddangosodd yr ysgrif hon, ac yn sgwrs D. Gwenallt Jones y cafwyd yr argoel mwyaf pendant bod consenswsnewydd ynghylch dehongli gwaith Pantycelyn yn ymffurfio. I Gwenallt, Protestant uniongred o Anglicanwr oedd Williams, yn ffyddlon i sylwedd y Deugain Erthygl Namyn Un, 'yn enwedig yr Erthyglau ar Etholedigaeth, Cyfiawnhad trwy Ffydd ac Ailenedigaeth',[96] ei ffydd yn gytûn â Chredo'r Apostolion a Chredo Nicea, a'i Biwritaniaeth yn unol â thraddodiadau gorau eglwysi Diwygiedig y cyfandir. Nid crwydryn unigolyddol mewn Cymru anial mohono, yn gyfrinydd y ddwy dröedigaeth a ymdoddai yn Nuw trwy lesmair a myfyrdod, ond un a oedd, fel pob Cristion crediniol, yn brofiadol o undeb ffydd â Christ y Testament Newydd. Roedd y pwyslais yn un gwastad rhwng y gwrthrychol a'r goddrychol, yr athrawiaethol a'r profiadol, yr unigol a'r eglwysig:

> Y mae'n bwysig cofio fod y Methodistiaid yn rhoi pwys ar yr Eglwys, oherwydd y syniad cyffredin amdanynt yw mai rhoi pwyslais ar yr unigolyn yn unig a wnaethant; ond yr oedd eu crefydd hwy yn grefydd Eglwysig, ac yn grefydd gymdeithasol . . . Camgymeriad yw credu fod y Methodistiaid yn rhoi'r holl bwyslais ar brofiad. Fe gredent hwy y dylid cael profiad goddrychol o Efengyl wrthrychol: a'r Efengyl wrthrychol oedd bwysicaf.[97]

Nid oedd purdan yn rhan o'u cred, ac roedd mwy lawer o glasuriaeth yng ngwead cerddi hir Williams, *Golwg ar*

*Deyrnas Crist* a *Theomemphus*, na'r rhamantaidd: 'Y mae *Theomemphus* yn gerdd glasurol am fod Pantycelyn, fel beirdd clasurol y ddeunawfed ganrif, yn disgrifio'r hyn sydd yn gyffredinol a nodweddiadol, ac nid, fel y rhamantwyr, yn disgrifio'r hyn sydd yn arbennig a lleol'.[98] Er na sonnir am Saunders Lewis yn uniongyrchol yn y sgwrs hon, mae'n amlwg fod Gwenallt wedi symud allan o dan gysgod *Williams Pantycelyn* er mwyn darlunio bardd mwy Beiblaidd, Protestannaidd, a oedd yn fwy diwinyddol na seicolegol ei osgo.

Mewn gwirionedd, erbyn hynny roedd y tafoli newydd y galwodd Wynne Roberts amdano eisoes wedi dechrau,[99] ac yn 1969 y cafwyd ymdriniaeth fer ond caboledig gan y dramodydd a'r beirniad llenyddol John Gwilym Jones (1904–88).[100] Yng nghyfres ddwyieithog Gŵyl Ddewi Gwasg Prifysgol Cymru, cyfyngodd ei hun i emynau Pantycelyn yn bennaf, a dehongli ei weledigaeth fel awdur yn nhermau Platoniaeth o'i chymharu â'r gyfundrefn athronyddol Aristotelaidd. Ymwrthododd â'r dyb mai rhamantydd ydoedd, a mynnodd iddo gael yn y Beibl ffynhonnell ei ysbrydiaeth artistig:

> Dawn arbennig Williams yw iddo lwyddo i ddefnyddio lluniau'r Beibl fel delweddau personol iddo ef ei hunan. Yn niffyg synwyrusrwydd naturiol cryf, neu'n decach, hwyrach, oherwydd ei anfodlonrwydd Platonaidd ar natur o'i gwmpas i gynnwys gwrthrychau teilwng i fynegi ei brofiadau drosto, mae'n llawcio delweddau'r Beibl.[101]

Gan y cymdeithasegydd Alwyn Roberts, fodd bynnag, mewn ysgrif graff a gwybodus a gyhoeddwyd yn 1972, y cafwyd dehongliad a wnaeth fwy o gyfiawnder â realiti y Williams hanesyddol nag ers tro. Gan dynnu ei gasgliadau ar sail gwybodaeth fanwl o'i gynnyrch ysgrifenedig, mynnod mai bardd cymdeithasol ydoedd, a'i holl waith wedi ei anelu at adeiladu aelodau'r seiadau yn y ffydd: 'Nid bardd rhamantaidd unigol sydd yma, ond y bardd yn chwilio am iaith sy'n gyffredin iddo ef a'i gynulleidfa ac yn ei chael hi ar dir cyffredin gwybodaeth o'r Beibl'.[102] Deubeth a wnaed gan ddiwygwyr efengylaidd y deunawfed ganrif: pregethu er mwyn achub eneidiau eu gwrandawyr, a gofalu bod y tröedigion yn cael eu gwreiddio yn y ffydd. Os Howell Harris a Daniel Rowland oedd pregethwyr y mudiad, Williams oedd ei fugail, a thrwy gyfrwng yr emyn, yn hytrach na'r bregeth, y gwnaeth ef ei briod waith. 'Ar un ystyr, rwy'n cael yr argraff nad emynydd efengylaidd ydoedd', meddai Roberts. 'Y bregeth yn hytrach na'r emyn oedd arf efengyleiddiol y Diwygiad Methodistaidd. Y Seiat ac adeiladaeth y saint oedd priod faes yr emyn.'[103] Er mor ddeniadol oedd darlun Saunders Lewis o'r pererin unig yn meithrin ei brofiadau ei hun, yn grefyddol ac yn llenyddol, mewn gwirionedd gŵr ymarferol oedd Williams, wedi'i siarsio â'r dasg gyffredin, rigolus ac undonog yn aml, o ddysgu pobl sut y dylent fyw:

> Does neb a ddarllenodd ymdriniaeth Saunders Lewis yn dod yn gwbl rydd oddi wrth y patrwm cyfareddol yma [y symud unigolyddol rhamantus trwy ffordd y puro, ffordd y goleuo a ffordd yr uno]: mae iddo berffeithrwydd adeiladwaith sy'n bleser meddyliol ac anodd yw ymddihatru oddi wrtho.[104]

Ond y ffaith oedd bod y patrwm hwn wedi'i weu'n gywrain er mwyn profi damcaniaeth bur annhebygol.

Dibynnai ar y rhagdybiaeth mai gwaith canolog canon Williams oedd *Theomemphus,* a bod ei emynau o ddiddordeb eilaidd (onid eilradd), ac mai ef, Williams, *oedd* Theomemphus. Fodd bynnag, gellid darllen y dystiolaeth mewn goleuni arall:

> Fel Cristion *Taith y Pererin*, teip yw Theomemphus, ac mae'r holl bwyslais a roddwyd ar *Theomemphus* fel cerdd epig grefyddol yn cadarnhau hyn. Oblegid nid dynion meidrol mo'r arwyr epig: nid yw pechodau meidrolion yn ddigon ysgarlad na'u daioni yn ddigon disglair. Y mae cerdd epig wedi ei seilio ar sylfeini ehangach, ar ddealltwriaeth gyfan ar fywyd. Ymgais i gyfleu cred am fywyd mewn termau dramatig ydyw.[105]

Y sail ehangach, yn ôl Alwyn Roberts, oedd y bydolwg Calfinaidd, sef hanes yr achub yn tarddu o'r Ysgrythur. Roedd yr ehangder yn cynnwys holl rychwant y creu a'r cadw, a phrofiadau'r saint Methodistaidd yn eu gwneud nhw yn rhan o'r hanes: 'Adeiladu'r saint yn y gred hon oedd amcan *Theomemphus* a'r emynau fel ei gilydd.'[106] Os na fynnodd Moelwyn gredu mai Williams oedd Theomemphus rhag llychwino purdeb moesol ei eilun, amcan mwy realistig a geir yn y dehongliad hwn. Er nad oedd Williams yn uniongyrchol brofiadol o bob camwedd a chyfeiliorni a ddarluniodd yn ei epig, roedd ei ddiwinyddiaeth Galfinaidd yn gyfrwng i esbonio ei brofiad ac i ymestyn ei ddealltwriaeth ohoni:

> Gall bod amgyffred deallusol Pantycelyn o'r drefn yn ehangach na'i brofiad ohoni, ond yr oedd ei brofiad personol ef ei hun yn gwarantu ei gwirionedd ac yn cyfiawnhau derbyn rhai

pethau nad oeddynt, o angenrheidrwydd, o fewn ei brofiad ei hun.[107]

Yn fyr, nid creu barddoniaeth er mwyn meddiannu profiad unigolyddol a wnaeth, ond creu defnyddiau a oedd o fudd ymarferol i aelodau'r seiadau. Yn anad dim, bugail ydoedd, a bardd y seiadau:

Yr oeddynt yno yn gynulleidfa ac yn gyfrifoldeb. Iddynt hwy y canodd, ac yr oedd eu cyfyngiadau hwy yn ffrwyn ar ei ddychymyg ac yn llyffethair weithiau ar ei grefft . . . O ran crefft a chynnwys ei ganu yr oedd Williams, fel y beirdd llys gynt, yn fardd cymdeithasol.[108]

Gyda'r ysgrif fer a disglair hon, camodd ein dealltwriaeth o wir natur gwaith Pantycelyn ymlaen yn ddirfawr.

Erbyn hyn, roedd Saunders Lewis yn 79 oed a'i enw yn ddiogel fel un o lenorion mwyaf arwyddocaol Cymru'r ugeinfed ganrif, onid y pwysicaf ohonynt oll. Roedd sylwedd ei gyfraniad eisoes wedi'i wneud, er y byddai ambell destun o'i eiddo a gyhoeddwyd yng nghanol a diwedd y 1970au yn dal i dynnu sylw. Mynegwyd ei ddiddordeb parhaol yn ffenomen tröedigaeth ac ail-eni cenedl mewn adolygiad sobreiddiol o'r *Deffroad Mawr*, cyfrol gyntaf hanes y Methodistiaid Calfinaidd yn 1974,[109] a'i ymwneud lletach â'r traddodiad Methodistaidd yn ei ddrama am John Elias a'i wraig, 'Dwy Briodas Ann', yn 1973.[110] Er mwyn dathlu ei gyfraniad, cyhoeddwyd y casgliad Saesneg, *Presenting Saunders Lewis* yn 1973, y gyfrol, *Saunders Lewis*, o dan olygyddiaeth D. Tecwyn Lloyd a Gwilym Rees Hughes yn 1975, ac astudiaeth Bruce Griffiths yn y gyfres 'Writers of Wales' yn 1979.

Pa beth bynnag am yr adfyfyrio ar arwyddocâd *Williams Pantycelyn* a ddechreuodd ddegawd ynghynt, arwydd o hirhoedledd (onid cyndynrwydd) yr hen ddehongliad oedd bod Pennar Davies yn dal i haeru: 'the new Pantycelyn who was then so complete a stranger has become a familiar and even an accepted figure'.[111] Adleisiodd Bruce Griffiths yr un farn chwe mlynedd yn ddiweddarach: '... though we now take this view of Williams for granted'.[112] Iddyn nhw, Pantycelyn 1927, sef y cyfrinydd unigolyddol rhamantus, oedd 'y Williams iawn' yn dal i fod, chwedl Kate Roberts.[113] Bu rhaid aros tan y 1980au i weld y dehongliad amgenach yn ennill ei blwyf. Ymddangosodd yn 1983 ddwy astudiaeth a oedd yn gyfraniad arbennig iawn at ein dealltwriaeth o'r emynydd, sef ymdriniaeth Glyn Tegai Hughes yn y gyfres 'Writers of Wales', a chrynodeb Derec Llwyd Morgan o'i farn amdano yn y gyfres 'Llên y Llenor'.

## Y PUM MLYNEDD OLAF

'Saunders Lewis's WILLIAMS PANTYCELYN is, whatever one's disagreements, still the most stimulating general study,' meddai Hughes, 'and a monument of Welsh literary criticism.'[114] Er iddo orfod ymwrthod â braidd pob un o ragdybiaethau'r gyfrol, does dim amheuaeth am ei edmygedd ohoni na'i werthfawrogiad o'i hathrylith a'i newydd-deb – ond, yn ei dyb ef, roedd thesis Lewis yn sylfaenol wyrgam. Roedd hyn yn neilltuol wir ym mater ei 'Chathologiaeth' ac yna ei 'Rhamantiaeth'. Dyma a ddywed Hughes ynghylch seiliau athrawiaethol meddwl y bardd:

He has been seductively presented as a forerunner of Romanticism, but his reading more plausibly reveals him as the heir of Puritanism, in its literary as well as theological tradition. (t. 5)

Williams, mewn gwirionedd, 'was a painstaking upholder of traditional Reformation doctrine in its Calvinist form (tt. 6–7). Roedd yr haeriad ei fod rywsut yn ddall i oblygiadau anghalfinaidd ei eneideg, ac anghysondeb hynny â theithi mwyaf sylfaenol ei gyfundrefn athrawiaethol, yn annhebygol a dweud y lleiaf. Yr hyn a gafodd y bardd yn y ddiwinyddiaeth Galfinaidd (a oedd yn rhan o'i gynhysgaeth deuluol beth bynnag) oedd cyfundrefn a roes ystyr a chyd-destun i'w brofiad a gwrthbwynt deallusol i'r hyn a allai fod wedi troi'n oddrychedd llwyr. Nid ei *bod* hi'n oddrychedd llwyr: 'Methodism, in England and Wales, was not just an outpouring of emotion, it was the revolt of high seriousness combined with rapture' (t. 5) – ac mae hyn yn ddisgrifiad cwbl ardderchog o natur y Diwygiad Efengylaidd yn ei gyfanrwydd – ond y gallai fod wedi troi felly heb ddisgyblaeth ymenyddol. Yr hyn a roes yr athrawiaeth Galfinaidd i Williams ac i'w gyd-Fethodistiaid oedd sylfaen ddeallusol gadarn: 'the intellectual stiffening [following conversion] was crucial, and the English Puritan divines shaped the direction of his thought, and of his writing, for the rest of his life' (t. 8). Nid o Gatholigiaeth, hyd yn oed Gatholigiaeth anymwybodol, y daeth y llymder deallusol hwn ond o ddiwinyddiaeth fugeiliol Piwritaniaid megis Thomas Goodwin, Richard Sibbes, Thomas Manton a John Howe o'r ail ganrif ar bymtheg:

[I]n some respects, the revivalists returned to the Puritan fervour of the second quarter of the seventeenth century, though a hundred years later it had been modulated by Dissent into a lifelong ethic rather than a fiery crusade. (tt. 7–8)

Diddorol iawn yw'r cyfeiriad (t. 33) na chafwyd gan neb o'r blaen, at y tebygrwydd rhwng dadansoddi eneidiol Williams yn ei gyfrolau rhyddiaith â llawlyfr poblogaidd y Piwritan Arthur Dent *The Plain Man's Pathway to Heaven* (1601), llyfr a adawodd ei ôl yn drwm iawn ar brofiad a dychymyg John Bunyan, ac y caed cyfieithiad ohono gan Robert Llwyd, ficer y Waun, *Llwybr Hyfford yn Cyfarwyddo yr Anghyfarwydd i'r Nefoedd* (1630). Piwritan cydymffurfiol oedd Llwyd, ac yn ficer plwyf Wrecsam pan oedd Walter Cradoc yn gurad yno yn ystod teyrnasiad William Laud fel archesgob Caer-gaint.[115] Camarweiniol, felly, oedd awgrymu, fel y gwnaeth Saunders Lewis, fod llenyddiaeth ymholiad enaid, a manwl ddadansoddi cyflwr, yn absennol yn Gymraeg, a bod rhaid troi at y cyfrinwyr Catholig am gyfarwyddyd yn y maes.[116] Roedd cynsail Piwritanaidd, a Chymraeg, eisoes yn bod.

Llenor o'r ddeunawfed ganrif, fodd bynnag, oedd Williams Pantycelyn a Methodist, nid Piwritan, ond roedd cryn barhad rhwng y ddau fudiad. Gwahaniaeth ansawdd ac nid gwahaniaeth sylwedd oedd rhyngddynt: 'The introspective intensity of the seventeenth century Puritans was turned to an ever higher pitch under the stress of revivalism' (t. 39). A'r pwyslais hwn ar ddwyster profiad ac angerdd a barodd i Saunders Lewis weld ym Mhantycelyn ragredegydd y mudiad Rhamantaidd – ond roedd hyn hefyd yn gamarweiniol:

In the wake of Saunders Lewis's interpretation it has become a commonplace to interpret this self-examination and aspiration towards an intense relationship with the divine as being . . . an early manifestation of the Romantic impulse in literature . . . Only a view of Romanticism as some vague philosophic tendency (a view common enough in the 1920s and 30s) could, however, turn THEOMEMPHUS into a Romantic poem. (t. 39).

Hanfod rhamantiaeth oedd yr unigolyn a'r profiad unigolyddol, ond fel y dangosodd Gwenallt ac Alwyn Roberts, bardd cymdeithasol oedd Pantycelyn a'r gymdeithas Gristnogol yn ffocws ar gyfer ei ymwybyddiaeth a'i weithgareddau:

[W]hat sets THEOMEMPHUS apart from Romanticism is that Pantycelyn's poem diminishes the uniqueness of the self in its insistence on representative functions; its theological argumentation even when ostensibly implicating experience and the emotions, is logical, even rationalistic; and it lacks any sense of the regenerative power of language and poetry. (tt. 39–40)

Roedd yr un peth yn wir am *Golwg ar Deyrnas Crist*: 'Individuation there certainly is ... but it owes less to sentimentalism or pre-Romanticism than to Scriptural awareness of the person, mediated through Puritanism' (t. 22). Ar ben hynny, '. . . still less helpful is the comparison that has been drawn between the Societies in general and the Roman confessional' (t. 69). Cerddi Protestannaidd oedd *Golwg ar Deyrnas Crist* a *Theomemphus*, ac felly hefyd holl gorpws canu a rhyddiaith Pantycelyn. Tywyllu cyngor oedd honni dim byd yn wahanol.

Astudiaeth gall, gytbwys a chynhwysfawr oedd un Hughes, a gydnabu athrylith Williams a natur unigryw ei gyfraniad i'r traddodiad llenyddol Cymraeg, ond heb honni'n ormodol amdano ychwaith:

> He was no deep thinker, nor is there any real evidence of scholarship in his work; but he was, in the amateur antiquarian eighteenth century way, interested in knowledge and eager both to pass it on and, more particularly, to use it to encourage right thinking and right conduct. (t. 9)

Gan y Piwritaniaid Saesneg, ac yn fwyaf arbennig gan yr Americanwr Jonathan Edwards, y cafodd y categorïau angenrheidiol (a'r rheini'n Galfinaidd) i ddehongli seicoleg tröedigaeth ac i ddeall a dosbarthu profiadau dyrys y galon. Yno y cafodd 'a pattern of conversion presented in clearly recognizable stages whatever the individual variation in experience and response might be' (t. 38). Ac eto:

> He was no original thinker ... in the field of psychology, as Jonathan Edwards was, but he had for his day an unusually clear sense of individual psychic stress and the therapeutic function of the group. (tt. 69–70)

Yn ogystal â thrafod ieithwedd, arddull a'i ddefnydd o rythm ac odl, mae Glyn Tegai Hughes yn crynhoi cyfraniad Pantycelyn fel hyn:

> Williams introduced into Welsh poetry the introspective intensity of the Protestant Reformation with its analysis of spiritual states, its anatomy of the Christian soul – elect,

backsliding, regenerate and expectant. This was presented in the language and imagery of Scripture, indeed with a conscious approach to its forms and cadences. (t. 123)

Er nad oedd yn agos mor lliwgar a dramatig â llyfr Saunders Lewis, dyma'r ymdriniaeth fwyaf boddhaol (ar wedd cyfrol unigol) o gyfraniad yr emynydd er *Williams Pantycelyn* yn 1927.

Gan Derec Llwyd Morgan, fodd bynnag, y cafwyd yr astudiaeth gyfansawdd fwyaf eang, a hynny mewn cyfres o gyhoeddiadau gyda'r *Diwygiad Mawr* (1981) yn ganolbwynt iddynt. Crynodeb byr o themâu a gaed mewn corff sylweddol o waith[117] oedd y llyfr *Williams Pantycelyn* yng nghyfres 'Llên y Llenor', ac er bod sylwadau ar 'lyfr enwog' Saunders Lewis[118] yn digwydd yn achlysurol trwy gydol y corff hwnnw, ni cheir yr argraff mai ymateb yn benodol iddo yw pwrpas y beirniad o gwbl. Ymddengys ei fod yn derbyn barn Lewis fod Williams wedi cyfansoddi ei emynau er mwyn rhoi mynegiant i brofiad ysbrydol a thrwy hynny ei feddiannu'n fwy cyflawn,[119] ac i Williams ddangos gwreiddioldeb trwy fathu geirfa ac ieithwedd a oedd yn offeryn cymwys i 'fapio . . . mewndir seicolegol' y dychweledigion.[120] Fe dderbyn hefyd, yn fras, y dadansoddiad eneidegol a geir yn y bennod 'Tröedigaeth Llanc', 'pennod a erys yn un o binaclau beirniadaeth Gymraeg',[121] lle mae Williams yn iawn gyfundrefnu'r nwydau er mwyn sicrhau iechyd ysbrydol i'r ieuenctid a gynheswyd ac a oleuwyd gan 'y tân dieithr'. Y mae, er hynny, yn amheus o'r wedd Gatholig ar y dadansoddi:

Mae'r darn hwn o *Williams Pantycelyn* [sy'n trafod manylion ffordd yr uno] yn ddarn gloyw, ond gloyw-lithrig ydyw mewn gwirionedd, canys dygir y diwygiwr ynddo yn o agos at y Babyddiaeth a goleddodd Mr Lewis ei hun ymhen rhai blynyddoedd.[122]

Prin y gellid honni ychwaith fod eneideg y Pêr Ganiedydd yn groes i'w Galfiniaeth: 'mae'n anodd iawn gweld pam na ellir asio profiad Theomemphus gyda schema ddiwinyddol Genefa'.[123] Ceir rhyfeddu at dechneg, mydr a defnydd o iaith, a chaiff y bennod ar arddull ei chanmol yn ddibrin.[124] O droi at ei gyfrol fer ar Bantycelyn yn y gyfres 'Llên y Llenor', mynnir mai cyfuniad eithriadol o fywiogrwydd dychymyg a'r ymdeimlad o newydd-deb eirias y Diwygiad Efengylaidd, diwygiad yr ieuenctid, a'r angen i ddarparu amdano a roes gyfle i athrylith Williams flodeuo: '[Y]r oedd yn llenor arloesol, yn llenor a fapiodd drwy ei amryfal weithiau gyfandir nid bychan o brofiadau newydd sbon.'[125]

Harris a Rowland a gaiff y clod o efengyleiddio'r wlad. Ond Williams yw'r un a'i trawsnewidiodd o fod yn hurt i fod yn llafar, Williams a roes iddi rwyddineb ymadrodd . . . A'r newid mwyaf tyngedfennol yn hanes y Gymru Fodern yw'r un y bu Williams yn enau iddo. Dychmygwch y Diwygiad heb ei lyfrau ef, ac fe welwch mor ddistaw fyddai, mor enbyd o fud.[126]

Yn ôl Derec Llwyd Morgan, yr oedd Williams yn '[g]awr, cawr ymhell uwchlaw'r cyffredin'.[127]

## O 1985 YMLAEN

Bu farw Saunders Lewis ar 1 Medi 1985 wedi cyrraedd 91 oed, ac yn y degawdau oddi ar hynny nid yw'r diddordeb ynddo wedi pallu na'r ymgais i dafoli ei gyfraniad wedi darfod. Ymddangosodd cyfrol gyntaf cofiant hirddisgwyliedig D. Tecwyn Lloyd yn 1988, yn olrhain bywyd yr awdur hyd 1925,[128] ond ysywaeth ni chafodd Lloyd fyw i gwblhau'r ail.[129] Caed astudiaeth loyw gan John Rowlands yn 1990 yn dadelfennu gweledigaeth Lewis ynghylch beirniadaeth lenyddol,[130] a rhwng 1992 a 1995, gyda chyhoeddi tri chasgliad hynod ddadlennol: *Letters to Margaret Gilcriest*,[131] ei ohebiaeth hirfaith â'i gydlenor Kate Roberts,[132] a'i lythyrau at R. O. F. Wynne sy'n rhan o astudiaeth Hazel Walford Davies ar Theatr Garthewin,[133] cawsom wybod mwy amdano nag odid erioed o'r blaen. Y rhain, ynghyd â chasgliadau llawysgrifol y Llyfrgell Genedlaethol, a fu'n sail i ymchwil fywgraffyddol drylwyr T. Robin Chapman yn y cofiant safonol *Un Bywyd O Blith Nifer* yn 2006. Erbyn hyn, braidd fod yr un agwedd o fywyd a gwaith Saunders Lewis na fu'n fater ystyriaeth gan ddarllenwyr a beirniaid fel ei gilydd.[134] Ychydig o lenorion Cymraeg erioed a gafodd y fath sylw eang a thrylwyr.

Parhaodd y gyfrol *Williams Pantycelyn* i ysbarduno myfyrdod hefyd yn y cyfnod hwn, a phriodol fydd terfynu hyn o Ragymadrodd trwy grynhoi peth ohono. Gan R. Tudur Jones yn 1987 y cafwyd y dehongliad awdurdodol o gynseiliau athrawiaethol y Pêr Ganiedydd a phrofwyd yn derfynol mai Calfinaidd, nid Catholig, oedd strwythur ei feddwl: 'Mewn gwirionedd y mae dadansoddiad Saunders Lewis, o'i gymryd yn ei grynswth, yn enghraifft o gario dŵr tros afon'.[135] O Biwritaniaeth yr ail ganrif ar bymtheg, ac yn neilltuol y ffrwd ohoni a arbenigodd mewn trin cyflyrau'r enaid, y cafodd Williams ei gyfundrefn syniadol a bugeiliol. Ef ei hun, mewn llythyr at Thomas Charles yn 1791, sy'n rhestru ei ddyled i 'lyfrau Dr Goodwin, Dr Owen, Dr Gill, Marshall, Hervey, Usher ac eraill',[136] felly

> [p]an ganai Williams Pantycelyn 'Chwilia, f'enaid, gyrrau'th galon', nid oedd ond adleisio anogaeth sy'n frith yn llyfrau gwŷr fel William Perkins, Richard Sibbes, Thomas Goodwin, John Owen a Richard Baxter.[137]

Nid ffordd driphlyg Bonaventura, ffordd y puro, ffordd y goleuo a ffordd yr uno, oedd y schema briodol i ddeall gwaith Pantycelyn, ond yr un a oedd yn oblygedig yn niwinyddiaeth yr Apostol Paul: yr arfaeth, galwad effeithiol, cyfiawnhad, sancteiddhad a gogoneddu: 'A'r rhai a ragordeiniodd, fe'u galwodd hefyd; a'r rhai a alwodd, fe'u cyfiawnhaodd hefyd; a'r rhai a gyfiawnhaodd, fe'u gogoneddodd hefyd' (Rhufeiniaid 8: 30). Er yn fab, yn ŵyr, ac yn or-ŵyr i bregethwyr Calfinaidd, '[n]id yw Saunders Lewis yn crybwyll y drefn hon nac yn rhoi unrhyw awgrym ei fod yn gwybod amdani'.[138] Nid tan ganol y 1940au y daeth Lewis i werthfawrogi o'r newydd gryfderau a rhinweddau yr etifeddiaeth athrawiaethol hon. Nododd Keri Evans a Moelwyn mor bell yn ôl â 1928 mai ar ddechrau'r daith ysbrydol y deuai'r uno, nid ar ei diwedd, pwynt a ailadroddir gan Tudur Jones: 'Mae Crist yn fodlon cymryd deiliaid ffydd i undod ag ef ar gownt eu ffydd yn unig, nid oherwydd eu bod wedi cael eu cymhwyso trwy ddisgyblaeth ddefosiynol i fod yn deilwng i fwynhau'r undod.'[139] O ran agweddau eraill meddwl Williams, natur gymdeithasol ei awen, yr elfennau dirfodol (nid rhamantaidd) oedd ynddi, a'i bwyslais ar gyfanrwydd y bywyd Cristnogol, dyma a ddywed:

> Mewn gair, bardd teulu'r Methodistiaeth oedd Williams a ddefnyddiodd lenyddiaeth fel cyfrwng bugeiliol a chenhadol.[140]

> Mae'n anodd gweld fod 'Rhamantiaeth' yn air digonol i labelu cynnyrch Pantycelyn. Byddem yn nes ati pe mentrem ei gysylltu â llinach y Dirfodwyr Cristionogol.[141]

> Mae ei brofiadau angerddol yn rhai personol iawn ond nid ydynt yn breifat.[142]

> [N]id atgynhyrchu profiad ysgytwol mynwent Talgarth oedd nod Pantycelyn ond cydymffurfio â'r Crist a'i cyfarfu yno.[143]

Er mor gryno oedd astudiaeth Tudur Jones, amlygodd feistrolaeth lwyr ar y ffynonellau Piwritanaidd ac ar ddefnydd Williams ohonynt. Prin y gallai neb amau mwyach mai bardd a llenor trwyadl Brotestannaidd oedd y gŵr o Bantycelyn.

I nodi daucanmlwyddiant marw Williams yn 1991, golygodd Derec Llwyd Morgan y gyfrol gyfansawdd *Meddwl a Dychymyg Williams Pantycelyn.* Y ddwy ysgrif oedd yn ymateb fwyaf i lyfr Saunders Lewis oedd honno gan Glyn Tegai Hughes, 'Pantycelyn a'r Piwritaniaid', ac ysgrif Meredydd Evans, 'Pantycelyn a Thröedigaeth'. Mae'r ddwy yn tanlinellu dehongliad Tudur Jones bum mlynedd ynghynt:

Dylai fod yn glir bellach nad patrwm y Tair Ffordd – Puro, Goleuo ac Uno – yw'r un priodol i wneud cyfiawnder â gwaith Williams Pantycelyn. Fel yr oedd ef yn ei gweld hi, yr oedd stori'r achub yn cynnwys yr Arfaeth, Gwaith Achubol Crist, Galwad Effeithiol y credadun, Cyfiawnhau, Sancteiddio a Gogoneddu. Dyma'r llinyn arian sy'n rhedeg trwy ei waith i gyd.[144]

Yr hyn y mae Hughes yn ei wneud yw trafod y wedd hanesyddol ar y pwynt hwn, tra bod Evans yn trin yr ochr brofiadol, eneidegol. Pennod tra ddysgedig yw 'Pantycelyn a'r Piwritaniaid', sy'n adlewyrchu'r drafodaeth academaidd a fu oddi ar i'r hanesydd Patrick Collinson weddnewid y maes a diffinio'r Piwritaniaid nid fel rhag-redegwyr i'r Ymneilltuwyr neu Eglwyswyr annheyrngar, ond fel 'the hotter sort of Protestants',[145] ac felly yn cynrychioli pwyslais anorfod mewn eglwys sefydledig a oedd eisoes yn Ddiwygiedig o ran ei hathrawiaeth. Gan dynnu oddi ar ddarlun Williams o'r Piwritaniaid yn y *Pantheolgia* (1762–79), 'angerdd eu hymateb oedd yn eu gwahaniaethu oddi wrth eglwyswyr mwy cymedrol',[146] meddai, yn hytrach na gwahaniaethau diwinyddol neu argyhoeddiadau ynghylch ffurflywodraeth eglwysig. Mae'r hyn a geir yng ngweithiau Williams, sef teipoleg Feiblaidd, y defnydd o alegori, manwl-ddadansoddi cyflyrau'r duwiolion, delweddu'r bywyd ysbrydol fel pererindod a chanoli addolgar onid llesmeiriol ar waith achubol Crist ar y groes, oll yn tarddu o'r Biwritaniaeth roedd ef mor gyfarwydd â hi: 'Dyna ddigon, a mwy na digon efallai, i ddangos fel yr oedd y Piwritaniaid yn gyffredinol yn lliwio awyrgylch meddwl Pantycelyn.'[147] O ystyried y bennod 'Pantycelyn a Thröedigaeth', yr hyn a wneir yn ddeheuig dros ben ynghyd â thoreth o enghreifftiau yw olrhain y camau y soniwyd amdanynt eisoes o dan yr is-benawdau: yr Arfaeth, Galwad Effeithiol, Cyfiawnhau, Sancteiddio a Gogoneddu. Yr ydym ym mhell bell yma oddi wrth gyfundrefn Bonaventura ac awelon balmaidd Sbaen y Gwrth-Ddiwygiad, ac yn anadlu awyr oerach, a chliriach efallai, bryniau Sir Gaerfyrddin yn y ddeunawfed ganrif:

> [E]r yr holl amrywiaeth yn nhröedigaethau'r cadwedigion o ran lleoliad, hyd, dwyster a gwefr, yr un yw'r patrwm diwinyddol sydd yn eu gwneud yn ddealladwy inni, yn ôl Williams. Mynnai nad oes amrywiad yn nhrefn y cadw.[148]

Mae'n bur debyg mai *Cyfriniaeth Gymraeg* (1994) gan R. M. Jones yw'r ymdriniaeth fwyaf cynhwysfawr sydd gennym ar ysbrydoledd yn ein llenyddiaeth, ac mae'n cynnwys pennod wirioneddol gyfoethog ar Williams. Er yn trafod gyda manylder ac empathi rai o ddeongliadau mwy Catholig o gyfriniaeth, dywedwn mai Beiblaidd a Chalfinaidd (fel y gellid disgwyl) yw dadansoddiad Bobi Jones ei hun. Nid mater o ymuniaethu digyfrwng â'r duwdod mo hanfod y wir gyfriniaeth, nac ychwaith ymgyrraedd trwy'r puro a'r goleuo at yr uno terfynol, ond yn hytrach ymddiried trwy'r Ysbryd yng ngwaith achubol Crist: 'Gydag adeni'r enaid dynol y mae'r Ysbryd Glân yn anadlu o'r newydd i'r person ac yn ffurfio trwy ras undeb – undeb rhwng enaid dyn [*sic*] adnewyddedig ac Ysbryd rhoddedig Duw ei hun.'[149] Er mor ganolog yw *profiad* yr uno, mae i'r broses gynnwys deallusol ac athrawiaethol bendant: 'Y mae cyfriniaeth a diwinyddiaeth yn gyd-ddibynnol.'[150] Nid yw'n syndod, felly, mai fel 'Y Cyfrinydd Athrawiaethol' y disgrifia Williams. Canoli a wna'r bennod ar y ddwy ddelwedd, 'Y Carwr' a'r 'Teithiwr', yng ngwaith yr emynydd, ac er bod sawl beirniad wedi trafod y delweddau hynny o'r blaen, gogwydd wahanol sy gan Bobi Jones yma. Er mor Feiblaidd y dadansoddi, sydd yn uniongyrchol ddyledus i R. Tudur Jones, erys presenoldeb Saunders Lewis yn fwy na chysgod dros y bennod. 'Nid oes neb yn mynd i gweryla â mi,' meddai, 'os dywedaf fod cyfrol Saunders Lewis ar Williams Pantycelyn yn un o ddigwyddiadau beirniadol mawr y ganrif.'[151] Serch y ffaith bod chwe degawd a mwy wedi mynd heibio ers i *Williams Pantycelyn* beri ei chynnwrf cychwynnol, roedd yn dal i ennyn ymateb. Hyd yn oed i'r rhai na allent dderbyn ei chynseiliau, cydnabuwyd ei hathrylith gan bawb. Parhaodd cyfrol Lewis yn glasur digamsyniol.

* * *

Yn ôl Kathryn Jenkins (1961–2009), yr ysgolhaig ifanc a amlygodd gymaint o addewid trwy ddehongli gwaith y Pêr Ganiedydd ar gyfer y ganrif newydd,[152] '[b]yddai'n rhaid dweud nad oes gennym ddim byd sy'n gwbl debyg i ymdriniaeth Saunders Lewis yn holl gyfrolau beirniadaeth lenyddol yn y Gymraeg'.[153] Mae'n briodol felly, wrth nodi trichanmlwyddiant geni Williams Pantycelyn, bod cenhedlaeth arall yn cael y cyfle i brofi'r un wefr drachefn.[154]

D. Densil Morgan
Prifysgol Cymru Y Drindod Dewi Sant

## Nodiadau

1 2 Tachwedd 1927, Dafydd Ifans (gol.), *Annwyl Kate, Annwyl Saunders: Gohebiaeth 1923–1983* (Aberystwyth: Llyfrgell Genedlaethol Cymru, 1992), tt. 27–8.

2 Stephen J. Williams, 'Darlithydd yng Ngholeg y Brifysgol, Abertawe', yn D. Tecwyn Lloyd a Gwilym Rees Hughes, *Saunders Lewis* (Abertawe: Christopher Davies, 1975), tt. 206–12 [206].

3 Aneirin Talfan Davies yn sgwrsio â Ceri Davies, *Ar Daf: Cylchgrawn Coleg y Brifysgol Caerdydd*, 3:2 (Gwanwyn, 1966), dyfynnwyd yn R. M. Jones, *Llenyddiaeth Gymraeg 1936–72* (Abertawe: Christopher Davies, 1975), t. 335.

4 J. Gwyn Griffiths, 'Saunders Lewis', yn Aneirin Talfan Davies (gol.), *Gwŷr Llên: Ysgrifau Beirniadol ar Weithiau Deuddeg Gŵr Llên Cyfoes* (Llundain: Griffiths, 1948), tt. 119–42 [132–3].

5 Pennar Davies, 'Clasuriaeth, Rhamantiaeth a Serch', yn Pennar Davies (gol.) *Saunders Lewis, Ei Feddwl a'i Waith* (Dinbych: Gwasg Gee, 1950), tt. 163–75 [167].

6 Am fanylion ei yrfa, gw. Mair Saunders (gol.) *Bro a Bywyd: Saunders Lewis* (Caerdydd: Cyngor Celfyddydau Cymru, 1987); D. Tecwyn Lloyd, *John Saunders Lewis: Y Gyfrol Gyntaf* (Dinbych: Gwasg Gee, 1988); T. Robin Chapman, *Un Bywyd O Blith Nifer: Cofiant Saunders Lewis* (Llandysul: Gwasg Gomer, 2006).

7 G. J. Williams, 'Cyfraniad Saunders Lewis fel Ysgolhaig Cymraeg', yn Pennar Davies (gol.), *Saunders Lewis, Ei Feddwl a'i Waith*, tt. 121–36 [123].

8 *Y Llenor*, 1 (1922), 11–17; adargraffwyd yn R. Geraint Gruffydd (gol.), *Meistri'r Canrifoedd* (Caerdydd: Gwasg Prifysgol Cymru, 1973), tt. 225–31.

9 *Y Llenor*, 2 (1923), 159–69; adargraffwyd yn Gruffydd (gol.), *Meistri'r Canrifoedd*, tt. 206–16.

10 *Trafodion Anrhydeddus Gymdeithas y Cymmrodorion* (1922–3), 7–27; adargraffwyd yn Gruffydd (gol.), *Meistri'r Canrifoedd*, tt. 259–75.

11 Saunders Lewis, *Williams Pantycelyn* (Llundain: Foyle, 1927; Caerdydd: Gwasg Prifysgol Cymru, 1991), t. ix; o hyn allan cynhwysir rhif y tudalen yng nghorff y testun.

12 Saunders Lewis, 'Dafydd Nanmor', *Y Llenor*, 4 (1925), 135–48; adargraffwyd yn Gruffydd (gol.), *Meistri'r Canrifoedd*, tt. 80–92.

[13] Lewis, 'Dafydd Nanmor', 135; t. 80 ym *Meistri'r Canrifoedd.*

[14] Lewis, 'Dafydd Nanmor', 136; t. 81 ym *Meistri'r Canrifoedd.*

[15] Lewis, 'Dafydd Nanmor', 141; t. 85 ym *Meistri'r Canrifoedd.*

[16] Lewis, 'Dafydd Nanmor', 146; t. 90 ym *Meistri'r Canrifoedd.*

[17] Lewis, 'Dafydd Nanmor', 148; t. 91 ym *Meistri'r Canrifoedd.*

[18] Williams, 'Cyfraniad Saunders Lewis fel Ysgolhaig Cymraeg', tt. 125, 126.

[19] Gw. D. Hywel Davies, *The Welsh Nationalist Party, 1925–1945: A Call to Nationhood* (Cardiff: University of Wales Press, 1983), tt. 61–70.

[20] Gw. 'Llyfryddiaeth gwaith Saunders Lewis', yn Lloyd, *John Saunders Lewis: Y Gyfrol Gyntaf*, tt. 358–80 [362–3].

[21] Dadansoddir y cyd-destun yn olau gan T. Robin Chapman, *W. J. Gruffydd* (Caerdydd: Gwasg Prifysgol Cymru, 1993) a *W. Ambrose Bebb* (Caerdydd: Gwasg Prifysgol Cymru, 1997), ac erys yr ysgrif 'Meddwl y Dau-Ddegau' yn Alun Llywelyn-Williams, *Nes Na'r Hanesydd?: Ysgrifau Llenyddol* (Dinbych: Gwasg Gee, d.d.), tt. 29–69, yn werthfawr o hyd.

[22] Gw. Gomer M. Roberts, *Y Pêr Ganiedydd (Pantycelyn), Cyfrol 1, Trem ar ei Fywyd* (Aberystwyth: Gwasg Aberystwyth, 1949), tt. 205–13; am destun *Drws y Society Profiad*, gw. Garfield H. Hughes (gol.), *Gweithiau William Williams Pantycelyn*, Cyfrol 2 (Caerdydd: Gwasg Prifysgol Cymru, 1967), tt. 181–242.

[23] Teitl llawn cyfrol Hall oedd *Adolescence: Its Psychology and Its Relations to Physiology, Anthropology, Sociology, Sex, Crime, Religion and Education* (New York: Appleton, 1904).

[24] W. J. Gruffydd, 'Theomemphus', *Y Llenor*, 1 (1922), 37–61.

[25] Cynhwysir testun 'Theomemphus' yn Gomer M. Roberts (gol.), *Gweithiau William Williams Pantycelyn*, Cyfrol 1 (Caerdydd: Gwasg Prifysgol Cymru, 1964), tt. 193–399 [193].

[26] Ceir disgrifiad ardderchog o ansawdd y cefndir hwn gan R. Tudur Jones, 'Yr Hen Ymneilltuwyr', yn Gomer M. Roberts (gol.), *Hanes Methodistiaeth Galfinaidd Cymru, Cyfrol 1, Y Deffroad Mawr* (Caernarfon: Llyfrfa'r Methodistiaid Calfinaidd, 1973), tt. 13–42.

[27] Am Gilson, gw. Laurence K. Shook, *Étienne Gilson* (Toronto: Pontifical Institute of Medieval Studies, 1984); am Maritain, gw. Jude P. Dougherty, *Jacques Maritain: An Intellectual Profile* (New York: Catholic University of America Press, 2003), Ralph McInerny,

*The Very Rich Hours of Jacques Maritain: A Spiritual Life* (Notre Dame, Indiana: University of Notre Dame Press, 2003); trafodir dylanwad Maritain ar wleidyddiaeth Saunders Lewis gan Dafydd Glyn Jones yn 'His Politics', yn Alun R. Jones a Gwyn Thomas (goln), *Presenting Saunders Lewis* (Cardiff: University of Wales Press, 1973), tt. 23–78.

28 Gruffydd, 'Theomemphus', 56–7.

29 Gw. Hughes (gol.), *Gweithiau William Williams Pantycelyn*, Cyfrol 2, tt. 243–303.

30 Gweler, fodd bynnag, feirniadaeth Pennar Davies: 'Credaf . . . fod Saunders Lewis yn gorsymleiddio'r pwnc trwy fethu gwahaniaethu rhwng serch rhamantus diamod . . . a serch rhamantus amodol . . . a'i fod yn methu gweld bod pechod cnawdolrwydd dilyffethair i'w ystyried ar wahân i bechod y serch rhamantus, er bod yr olaf yn aml yn arwain at ffurf arbennig o'r cyntaf', yn 'Clasuriaeth, Rhamantiaeth a Serch', t. 171.

31 Gw. 'Sŵn y Gwynt sy'n Chwythu', Mair I. Davies (gol.), *Gwaith James Kitchener Davies* (Llandysul: Gwasg Gomer, 1980), tt. 13–26 [24–6].

32 Roedd yr Eidalwr Jacopone da Todi (*c.*1230–1306) yn aelod o Urdd Sant Ffransis, yn llenor nodedig ac yn awdur caneuon ysbrydol; roedd ei waith mewn bri mewn cylchoedd Catholig ac Uchel Anglicanaidd yn Lloegr yn y 1920au; gw. Evelyn Underhill, *Jacopone da Todi, Poet and Mystic* (London: J. M. Dent, 1919).

33 Am ddehongliad awdurdodol o sut y mae Pantycelyn yn trin athrawiaeth sancteiddhad yn ei gyd-destun cysefin, gw. R. Tudur Jones, 'Rhyfel a Gorfoledd yng Ngwaith William Williams, Pantycelyn', yn J. E. Wynne Davies (gol.), *Gwanwyn Duw: Cyfrol Deyrnged i Gomer M. Roberts* (Caernarfon: Gwasg Pantycelyn, 1982), tt. 143–63.

34 John Rowlands, *Saunders y Beirniad*, Cyfres 'Llên y Llenor' (Caernarfon: Gwasg Pantycelyn, 1990), t. 44.

35 'Wrth daflu enwau'n wybodus ar ddalennau'i erthyglau, rhydd ryw deimlad o awdurdod, weithiau fel petai am i'w ddarllenydd gywilyddio yn swildod ei anwybodaeth', Rowlands, *Saunders y Beirniad*, t. 35.

36 Lloyd, *John Saunders Lewis: Y Gyfrol Gyntaf*, t. 173.

37 Ceir sôn amdano gan Guido Cimino a Renato Foschi yn eu herthygl, 'Italy', yn David B. Baker (ed.), *The Oxford Handbook of*

*the History of Psychology* (Oxford: Oxford University Press, 2012), tt. 307–46; cf. Giovanni Pietro Lombardo a Renato Foschi, 'Escape from the dark forest: the experimentalist standpoint of Sante de Sanctis' psychology of dreams', *History of the Human Sciences*, 21 (2008), 45–69.

38 Graham Richards, 'Robert Henry Thouless (1894–1984)', *Oxford Dictionary of National Biography* Vol. 54 (Oxford: Oxford University Press, 2004), tt. 677–8 [677].

39 Gw. John J. Heaney, *The Modernist Crisis: Von Hügel* (London: Geoffrey Chapman, 1969).

40 Gw. Dana Greene, *Evelyn Underhill: Artist of the Infinite Life* (London: Darton, Longman and Todd, 1991); Anne Loades, *Evelyn Underhill* (New York: Harpers, 1997).

41 Pierre Pourrat, *La Spiritualité Chrétienne*, cyf. Saesneg gan W. H. Mitchell and S. P. Jacques, *Christian Spirituality*, 4 cyfrol (London: Burns and Oates, 1953–5).

42 *Y Llenor*, 6 (1927), 72–7; adargraffwyd yn Marged Dafydd (gol.), *Ati, Wŷr Ifainc: Ysgrifau gan Saunders Lewis* (Caerdydd: Gwasg Prifysgol Cymru, 1986), tt. 4–7.

43 Gw. Mair Saunders Jones, Ned Thomas a Harri Pritchard Jones (goln), *Saunders Lewis: Letters to Margaret Gilcriest* (Cardiff: University of Wales Press, 1993), tt. 418–19; ymhlith ysgrifau beirniadol cynharaf Lewis roedd 'The critical writings of T. Gwynn Jones', *The Welsh Outlook* 7 (1920), 265–7, 288–90.

44 T. Gwynn Jones, 'Williams Pant-y-Celyn', *The Welsh Outlook*, 14 (1927), 286–8 [286].

45 Jones, 'Williams Pant-y-Celyn', 288.

46 *Yr Efengylydd*, 2 (1910), 41–3, 51–4, 101–2, 118–20, 189–91; 3 (1911), 52–3, 100–2, 182–4; 4 (1912), 179–80; 5 (1913), 103–5.

47 Gw. E. Keri Evans, *Fy Mhererindod Ysbrydol* (Lerpwl: Hugh Evans, 1938) ynghyd â'r ysgrif arno yn *Y Bywgraffiadur Cymreig*; cafwyd cyfieithiad Saesneg o'r hunangofiant gan T. Glyn Thomas, ynghyd â rhagymadrodd gan J. D. Vernon Lewis, *My Spiritual Pilgrimage: From Philosophy to Faith* (London: James Clarke, 1961), ond nid oes hyd yma astudiaeth drwyadl wedi'i gyhoeddi ar ei feddwl a'i waith.

48 E. Keri Evans, 'Williams Pantycelyn', *Yr Efrydydd*, 4 (1928), 85–90 [87].

49 Evans, 'Williams Pantycelyn', 88.

50 Evans, 'Williams Pantycelyn', 88.

51 Evans, 'Williams Pantycelyn', 89.

52 Evans, 'Williams Pantycelyn', 89.

53 Evans, 'Williams Pantycelyn', 89.

54 Evans, 'Williams Pantycelyn', 90.

55 Evans, 'Williams Pantycelyn', 90.

56 Evans, 'Williams Pantycelyn', 90.

57 Meirion Lloyd Davies, 'Meddwl Moelwyn', yn Brynley F. Roberts (gol.), *Moelwyn: Bardd y Ddinas Gadarn* (Caernarfon: Gwasg Pantycelyn, 1996), tt. 67–84 [68].

58 Brynley F. Roberts, 'Y Dyn a'i Yrfa', yn, Roberts, *Moelwyn: Bardd y Ddinas Gadarn*, tt. 9–33 [23].

59 Moelwyn, *Mr. Saunders Lewis a Williams Pantycelyn*, ail arg. (Birkenhead: A. ac M. Hughes, 1928), t. 1; o hyn allan cynhwysir rhif y tudalen yng nghorff y testun.

60 Davies, 'Meddwl Moelwyn', t. 68.

61 Davies, 'Meddwl Moelwyn', t. 69.

62 Gw. Peredur Lynch, ' "Y Sant", Gwenallt', yn Hywel Teifi Edwards (gol.), *Cyfres y Cymoedd: Cwm Tawe* (Llandysul: Gwasg Gomer, 1993), tt. 293–328; Allan James, *John Morris-Jones* Cyfres 'Dawn Dweud' (Caerdydd: Gwasg Prifysgol Cymru, 2011), tt. 272–5.

63 Cyfeiriad sydd yma, mae'n debyg, at W. J. Gruffydd yn ogystal â Saunders Lewis.

64 Kathryn Jenkins, 'Moelwyn a Phantycelyn', yn Roberts (gol.), *Moelwyn: Bardd y Ddinas Gadarn*, tt. 85–97 [94].

65 T. Gwynn Jones, 'Williams Pantycelyn: I', *Y Traethodydd*, 84 (1929), 197–204 [199].

66 John Gwilym Jones, *William Williams Pantycelyn* (Caerdydd: Gwasg Prifysgol Cymru, 1969), t. 112.

67 Jones, 'Williams Pantycelyn: I', 197.

68 T. Gwynn Jones, 'Williams Pantycelyn: II', *Y Traethodydd*, 85 (1930), 19–28 [23].

69 *Trafodion Anrhydeddus Gymdeithas y Cymmrodorion* (1933–5), 157–73; adargraffwyd yn Gruffydd (gol.), *Meistri'r Canrifoedd*, tt. 341–56.

70 Chapman, *Un Bywyd O Blith Nifer*, tt. 92–3.

71 Jones, Thomas a Jones (goln), *Letters to Margaret Gilcriest*, t. 442.

72 'Traddodiadau Catholig Cymru', yn *Catholiciaeth a Chymru: Crynhoad o Ysgrifau Pabyddol* (dim lle: Llyfrau Sulien, 1954), tt. 10–21 [20–1]; adargraffwyd yn Dafydd (gol.), *Ati, Wŷr Ifainc*, tt. 8–13 [13].

[73] Gw. Dafydd Jenkins, *Tân yn Llŷn*, arg. newydd (Caerdydd: Plaid Cymru, 1975); Chapman, *Un Bywyd O Blith Nifer*, tt. 171–215.

[74] H. Idris Bell, *The Development of Welsh Poetry* (Oxford: The Clarendon Press, 1936), t. 129.

[75] Gwilym Davies, 'Cymru gyfan a'r Blaid Genedlaethol Gymreig', *Y Traethodydd*, 97 (1942), 97–111; am yr helynt gw. Dafydd Glyn Jones, 'His Politics', tt. 68–70, a Chapman, *Un Bywyd O Blith Nifer*, tt. 239–58.

[76] A. O. H. Jarman, 'Y Blaid a'r Ail Ryfel Byd', yn John Davies (gol.), *Cymru'n Deffro: Hanes y Blaid Genedlaethol, 1925–75* (Tal-y-bont: Y Lolfa, 1981), tt. 67–92 [87]; cf. Hywel Davies, *The Welsh Nationalist Party, 1925–1945: A Call to Nationhood*, tt. 237–40; Chapman, *W. J. Gruffydd*, tt. 176–83.

[77] *Efrydiau Catholig*, 2 (1947), 36–55; adargraffwyd yn Gruffydd (gol.), *Meistri'r Canrifoedd*, tt. 116–39.

[78] Gw. nodyn 4 uchod.

[79] Davies, *Saunders Lewis, Ei Feddwl a'i Waith*, t. 3.

[80] Adolygiad ar Gomer M. Roberts, *Bywyd a Gwaith Peter Williams* (Caerdydd: Gwasg Prifysgol Cymru, 1943), *Baner ac Amserau Cymru*, 9 Mehefin 1943.

[81] Adolygiad ar Gomer M. Roberts, *Y Pêr Ganiedydd (Pantycelyn), Cyfrol 1, Trem ar ei Fywyd* (Aberystwyth: Gwasg Aberystwyth, 1949), *Y Fflam* 9 (1950), 61–3 [61].

[82] Adolygiad ar Roberts, *Y Pêr Ganiedydd*, 63.

[83] Adolygiad ar Roberts, *Y Pêr Ganiedydd*, 62.

[84] R. T. Jenkins, 'Canu a'r Deall', *Y Traethodydd*, 104 (1949), 1–20; adargraffwyd yn Emlyn Evans (gol.), R. T. Jenkins, *Cwpanaid o De a Diferion Eraill* (Dinbych: Gwasg Gee, 1997), tt. 155–73.

[85] Adolygiad ar Roberts, *Y Pêr Ganiedydd*, 63.

[86] 'Y Gymraeg yng Nghymru a'r Ysgol', *Baner ac Amserau Cymru*, 23 Ebrill 1951; adargraffwyd yn Dafydd (gol.), *Ati, Wŷr Ifainc*, tt. 78–81 [80].

[87] 'Dylanwadau: Saunders Lewis mewn ymgom ag Aneirin Talfan Davies', *Taliesin*, 2 (1961), 5–18 [13].

[88] 'Tröedigaeth Ann Griffiths', *Seren Gomer*, 55 (1962), 69–74; 'Ann Griffiths: Arolwg Llenyddol', *Trafodion Anrhydeddus Gymdeithas y Cymmrodorion* (1965), 244–56; 'Ann Griffiths a Chyfriniaeth', *Y Traethodydd*, 126 (1971), 99–103; fe'u hadargraffwyd yn Gruffydd

(gol.), *Meistri'r Canrifoedd*, tt. 299–324 (diwygiwyd yr erthygl, 'Tröedigaeth Ann Griffiths', ar gyfer ei chyhoeddi yn y gyfrol honno).

89 'Rhagair i'r Argraffiad Cyntaf' (Mawrth 1963), yn John Gwilym Jones, *Y Tad a'r Mab: Drama Tair Act*, ail argraffiad (Llandysul: Gwasg Gomer, 1970), tt. 7–8 [8].

90 'Nodyn Ynghylch Diwinyddiaeth', *Barn*, 22 (Awst 1964), 272–3 [273]; adargraffwyd yn Dafydd (gol.), *Ati, Wŷr Ifainc*, tt. 30–1 [31].

91 Adolygiad ar Gomer M. Roberts (gol.), *Gweithiau William Williams Pantycelyn*, Cyfrol 1 (Caerdydd: Gwasg Prifysgol Cymru, 1964), yn *Llên Cymru*, 8 (1964–5), 102–7; adargraffwyd yn Gruffydd (gol.), *Meistri'r Canrifoedd*, tt. 406–14.

92 'Efa Pantycelyn', *Barn*, 25 (Tachwedd 1964), 5, 18; adargraffwyd yn Gruffydd (gol.), *Meistri'r Canrifoedd*, tt. 276–9.

93 Saunders Lewis, *Merch Gwern Hywel: Rhamant Hanesiol* (Llandybie: Llyfrau'r Dryw, 1964), t. 64.

94 Mair Saunders (gol.) *Bro a Bywyd: Saunders Lewis*, t. 97; am y thema hon, gw. Meredydd Evans, 'Saunders Lewis a Methodistiaeth Galfinaidd', *Y Traethodydd*, 149 (1994), 5–16; fe'i ailgyhoeddwyd yn Ann Ffrancon a Geraint H. Jenkins (goln), *Merêd: Detholiad o Ysgrifau Dr Meredydd Evans* (Llandysul: Gwasg Gomer, 1994), tt. 189–202.

95 W. Roberts, 'Saunders Lewis and William Williams: Notes for a Revaluation', *The Anglo-Welsh Review*, 15 (1965), 18–25 [18].

96 D. Gwenallt Jones, 'William Williams, Pantycelyn: Ei Gerddi Hir', yn Dyfnallt Morgan (gol.), *Gwŷr Llên y Ddeunawfed Ganrif* (Llandybie: Llyfrau'r Dryw, 1966), tt. 92–101 [93]; yn 1963 y darlledwyd y sgyrsiau'n wreiddiol.

97 Jones, 'William Williams, Pantycelyn: Ei Gerddi Hir', tt. 97–8.

98 Jones, 'William Williams, Pantycelyn: Ei Gerddi Hir', t.100.

99 Ynghyd ag ysgrif Gwenallt, caed yn y gyfrol uchod benodau gan T. H. Parry-Williams, ('Ei Emynau', tt. 89–91), a D. Myrddin Lloyd ('Ei Rhyddiaith' [*sic*], tt. 102–9), tra ymddangosodd hefyd oddeutu'r un pryd erthyglau gan D. Myrddin Lloyd, 'Rhai Agweddau o Feddwl Pantycelyn', *Efrydiau Athronyddol*, 28 (1965), 54–66, ac R. M. Jones, 'Byd Pantycelyn', yn J. E. Caerwyn Williams (gol.), *Ysgrifau Beirniadol*, 2 (Dinbych: Gwasg Gee, 1966), tt. 77–91.

[100] Amdano gw. yr hunangofiant Gwenno Hywyn (gol) *Ar Draws ac ar Hyd* (Caernarfon: Gwasg Gwynedd, 1986); Gwyn Thomas (gol.), *John Gwilym Jones: Cyfrol Deyrnged* (Abertawe: Christopher Davies, 1974); John Rowlands, *John Gwilym Jones* Cyfres 'Llên y Llenor' (Caernarfon: Gwasg Pantycelyn, 1988); Manon Wyn Siôn, *Bro a Bywyd: John Gwilym Jones* (Cyhoeddiadau Barddas, 1993); William R. Lewis, *John Gwilym Jones* Cyfres 'Writers of Wales' (Cardiff: University of Wales Press, 1994).

[101] Jones, *William Williams Pantycelyn*, t. 98.

[102] Alwyn Roberts, 'Pantycelyn fel Bardd Cymdeithasol', *Y Traethodydd*, 127 (1972), 7–13 [10].

[103] Roberts, 'Pantycelyn fel Bardd Cymdeithasol', 11.

[104] Roberts, 'Pantycelyn fel Bardd Cymdeithasol', 11.

[105] Roberts, 'Pantycelyn fel Bardd Cymdeithasol', 12.

[106] Roberts, 'Pantycelyn fel Bardd Cymdeithasol', 12.

[107] Roberts, 'Pantycelyn fel Bardd Cymdeithasol', 13.

[108] Roberts, 'Pantycelyn fel Bardd Cymdeithasol', 13.

[109] Roberts (gol.), *Hanes Methodistiaeth Galfinaidd Cymru, Cyfrol 1, Y Deffroad Mawr*, yn *Barn*, 139 (Mai 1974), 284–5; adargraffwyd yn Gwynn ap Gwilym (gol.), *Meistri a'u Crefft: Ysgrifau Llenyddol gan Saunders Lewis* (Caerdydd: Gwasg Prifysgol Cymru, 1981), tt. 289–92.

[110] Ymddangosodd 'Dwy Briodas Ann' gyntaf yn *Taliesin*, 27 (1973), 9–38 yna yn *Dramâu'r Parlwr* (Llandybie: Christopher Davies, 1975).

[111] Pennar Davies, 'His Criticism', yn Jones a Thomas (goln), *Presenting Saunders Lewis*, tt. 93–105 [93].

[112] Bruce Griffiths, *Saunders Lewis* Cyfres 'Writers of Wales' (Cardiff: University of Wales Press, 1979), t. 28.

[113] 2 Tachwedd 1927, Ifans (gol.), *Annwyl Kate, Annwyl Saunder*, tt. 27–8.

[114] Glyn Tegai Hughes, *Williams Pantycelyn* Cyfres 'Writers of Wales' (Cardiff: University of Wales Press, 1983), tt. 133–4; o hyn ymlaen cynhwysir rhif y tudalen yng nghorff y testun.

[115] Cynhwysir rhagymadrodd y *Llwybr Hyfforddl* yn Garfield H. Hughes (gol.), *Rhagymadroddion 1547–1659* (Caerdydd: Gwasg Prifysgol Cymru, 1967), tt. 126–31.

[116] Am arwyddocâd hanesyddol cyfrol Dent, gw. Christopher Haigh, *The Plain Man's Pathways to Heaven: Kinds of Christianity in Post-Reformation England, 1570–1640* (Oxford: Oxford University Press, 2007).

[117] 'Rhyddiaith Pantycelyn' yn Geraint Bowen (gol.), *Y Traddodiad Rhyddiaith* (Llandysul: Gwasg Gomer, 1970), tt. 293–317; 'Williams Pantycelyn: sylwadau ar ystyr a diben ei waith', yn J. E. Caerwyn Williams (gol.), *Ysgrifau Beirniadol*, 8 (Dinbych: Gwasg Gee, 1974), tt. 130–59; 'Pantycelyn a Gwyddoniaeth', yn Davies (gol.), *Gwanwyn Duw*, tt. 164–83, ac yn ddiweddarach, 'Pantycelyn a'i gynulleidfa', yn Morgan (gol.), *Meddwl a Dychymyg Williams Pantycelyn* (Llandysul: Gwasg Gomer, 1991), tt. 82–101.

[118] Derec Llwyd Morgan, *Y Diwygiad Mawr* (Llandysul: Gwasg Gomer, 1981), t. 111.

[119] Morgan, *Y Diwygiad Mawr*, t. 118.

[120] Morgan, *Y Diwygiad Mawr*, t. 136.

[121] Morgan, *Y Diwygiad Mawr*, t. 152.

[122] Morgan, *Y Diwygiad Mawr*, t. 177.

[123] Morgan, *Y Diwygiad Mawr*, t. 178.

[124] Morgan, *Y Diwygiad Mawr*, tt. 291, 295–6.

[125] Derec Llwyd Morgan, *Williams Pantycelyn*, Cyfres 'Llên y Llenor' (Caernarfon: Gwasg Pantycelyn, 1983), t. 3.

[126] Morgan, *Williams Pantycelyn*, t. 14.

[127] Morgan, *Williams Pantycelyn*, t. 3.

[128] Lloyd, *John Saunders Lewis: Y Gyfrol Gyntaf.*

[129] Amdano gw. Elwyn Edwards, *Bro a Bywyd: D. Tecwyn Lloyd* (Cyhoeddiadau Barddas, 1997) ynghyd ag ysgrif yn *Y Bywgraffiadur Cymreig.*

[130] Rowlands, *Saunders y Beirniad* Cyfres 'Llên y Llenor'.

[131] Jones, Thomas a Jones (goln), *Letters to Margaret Gilcriest.*

[132] Ifans (gol.), *Annwyl Kate, Annwyl Saunders: Gohebiaeth 1923–83.*

[133] Hazel Walford Davies, *Saunders Lewis a Theatr Garthewin* (Llandysul: Gwasg Gomer, 1995).

[134] Gw. e.e. Ioan M. Williams, *A Straitened Gate: A Study of the Theatre of J. Saunders Lewis* (Bridgend: Seren Books, 1991); idem (gol.) *Dramâu Saunders Lewis: Y Casgliad Cyflawn*, Cyfrol 1 a 2 (Caerdydd: Gwasg Prifysgol Cymru, 1996, 2000); Medwin Hughes (gol.), *Saunders Lewis y Bardd* (Dinbych: Gwasg Gee, 1993); Grahame Davies, *Sefyll yn y Bwlch. Cymru a'r Mudiad Gwrth-Fodern: Astudiaeth o Waith R. S. Thomas, Saunders Lewis, T.S. Eliot a Simone Weil* (Caerdydd: Gwasg Prifysgol Cymru, 1999); D. Ben Rees (gol.), *Ffydd a Gwreiddiau John Saunders Lewis* (Lerpwl: Cyhoeddiadau Modern Cymreig, 2002);

Tudur Hallam, *Canon ein Llên: Saunders Lewis, R. M. Jones ac Alan Llwyd* (Caerdydd: Gwasg Prifysgol Cymru, 2007); idem. *Saunders y Dramodydd* Cyfres 'Llên y Llenor' (Caernarfon: Gwasg y Bwthyn, 2013); Emyr Hywel (gol.), *Annwyl D.J. Detholiad o'r Ohebiaeth rhwng D. J. Williams, Kate Roberts a Saunders Lewis, 1924–69* (Tal-y-bont: Y Lolfa, 2007); Gwynn ap Gwilym, *Stori Saunders Lewis: Bardd y Chwyldro yng Nghymru* (Cyhoeddiadau Barddas, 2011) ynghyd â rhagymadrodd Ned Thomas i argraffiad newydd o *Tynged yr Iaith* (Llandysul: Gwasg Gomer, 2012).

135 R. Tudur Jones, *Saunders Lewis a Williams Pantycelyn: Darlith Goffa Henry Lewis* (Abertawe: Coleg Prifysgol Abertawe, 1987), t. 6.

136 Dyfynnwyd yn Roberts, *Y Pêr Ganiedydd, Cyfrol 1*, t. 171.

137 Jones, *Saunders Lewis a Williams Pantycelyn*, t. 12.

138 Jones, *Saunders Lewis a Williams Pantycelyn*, t. 15.

139 Jones, *Saunders Lewis a Williams Pantycelyn*, t. 17.

140 Jones, *Saunders Lewis a Williams Pantycelyn*, t. 24.

141 Jones, *Saunders Lewis a Williams Pantycelyn*, t. 23; cyfeiria yn arbennig at y Daniad Søren Kierkegaard.

142 Jones, *Saunders Lewis a Williams Pantycelyn*, t. 24.

143 Jones, *Saunders Lewis a Williams Pantycelyn*, t. 25.

144 Jones, *Saunders Lewis a Williams Pantycelyn*, t. 21.

145 Patrick Collinson, *The Elizabeth Puritan Movement* (London: Jonathan Cape, 1967); idem, *The Religion of Protestants: The Church in English Society, 1559–1625* (Oxford: Clarendon Press, 1982); idem, *Godly People: Essays on English Protestantism and Puritanism* (London: Hambledon Press, 1983).

146 Glyn Tegai Hughes, 'Pantycelyn a'r Piwritaniaid', yn Morgan (gol.), *Meddwl a Dychymyg Williams Pantycelyn*, tt. 31–54 [32]; 'Angerdd y sêl, difrifoldeb yr ymarweddiad, sicrwydd y broffes sy'n dynodi'r Piwritan', t. 33.

147 Hughes, 'Pantycelyn a'r Piwritaniaid', t. 34.

148 Meredydd Evans, 'Pantycelyn a Thröedigaeth', yn Morgan (gol.), *Meddwl a Dychymyg Williams Pantycelyn*, tt. 55–81 [81].

149 R. M. Jones, *Cyfriniaeth Gymraeg* (Caerdydd: Gwasg Prifysgol Cymru, 1994), t. lv.

150 Jones, *Cyfriniaeth Gymraeg*, t. lvi.

151 Jones, *Cyfriniaeth Gymraeg*, tt. 92–3.

152 Gw. 'Williams Pantycelyn a'r Beibl', *Y Traethodydd*, 143 (1988),

159–70; 'Williams Pantycelyn yr Emynydd', *Y Traethodydd*, 146 (1991), 193–208; 'Y Llenor o Bantycelyn', *Efrydiau Athronyddol*, 55 (1992), 52–67; 'Motiffau Emynau Pantycelyn', yn Morgan (gol.), *Meddwl a Dychymyg Williams Pantycelyn*, tt. 102–21;'Ysbrydoled Pantycelyn', *Llên Cymru*, 17 (1993), 226–38; fe'u hailargraffwyd ynghyd â detholiad o'i hysgrifau eraill yn y gyfrol goffa, Rhidian Griffiths (gol.), *Cân y Ffydd: Ysgrifau ar Emynyddiaeth* (Caernarfon: Cymdeithas Emynau Cymru, 2011).

153 Jenkins, 'Moelwyn a Phantycelyn', t. 93.

154 Hoffwn ddiolch i Gwen J. Davies, Prifysgol Cymru Y Drindod Dewi Sant, a'r Athro E. Wyn James, Prifysgol Caerdydd, am ddarllen y Rhagymadrodd, cynnig eu sylwadau arno a'm cadw rhag llithriadau. Hefyd i'r Athro Brynley F. Roberts am gael benthyg cyfrolau Moelwyn, *Pedair Cymwynas Pantycelyn* a *Mr. Saunders Lewis a Williams Pantycelyn.*

WILLIAMS PANTYCELYN

# WILLIAMS PANTYCELYN

GAN

SAUNDERS LEWIS

Caerdydd
Gwasg Prifysgol Cymru

# I'm Tad

*"Necesse est ascendere secundum triplicem viam: scilicet purgativam quae consistit in expulsione peccati; illuminativam quae consistit in imitatione Christi; unitivam quae consistit in susceptione Sponsi."*[1]

*Bonaventura: De Triplici Via.*

[1] Rhaid yw esgyn ar hyd ffordd driphlyg: ffordd y puro, ac yn honno y glanheir o bechod; ffordd y goleuni, ac yn honno y dilynir Crist; ffordd yr uno, ac yn honno y derbynnir y Priodfab.

# RHAGAIR

Y LLYFR hwn yw'r cyntaf o dri a obeithiaf i eu sgrifennu ar lenyddiaeth Gymraeg. Efallai na warafunir imi egluro fy amcan.

Ebr y beirniad llenyddol Saesneg, Mr. T. S. Eliot: " The important critic is the person who is absorbed in the present problems of art, and who wishes to bring the forces of the past to bear upon the solution of these problems."[1] Dyna o leiaf fy awydd innau. Fy uchelgais yw gweld ail-sefydlu beirniadaeth Gymraeg ar sylfaen y traddodiad Ewropeaidd a ffynnai ac a dyfai yng Nghymru hyd at ddiwedd yr unfed ganrif ar bymtheg. Nid mynd yn ôl at y traddodiad hwnnw i aros ynddo, ond mynd ato i'w ddatblygu. Canys fy nghrêd i yw mai beirniadaeth ac egwyddorion athronyddol y traddodiad llenyddol Cymraeg yn yr Oesoedd Canol yw cyfraniad arbenicaf Cymru i feddwl Ewrop, a bod egluro'r feirniadaeth honno, a dangos ei *chyfeiriad* yn wyneb datblygiad athroniaeth ddiweddar a llenyddiaeth ein hoes

[1] T. S. Eliot: *The Sacred Wood*, tud. 33.

ninnau, yn dasg y gelwir arnom ei chyflawni. Felly yn unig y ceir yn y diwedd feirniadaeth lenyddol Gymraeg.

Efallai mai gyda'r Oesoedd Canol gan hynny, nid gyda Phantycelyn, y dylaswn ddechrau. A diau y deëllid gwaith Pantycelyn yn well ped eglurid yn gyntaf y pethau a fuasai o'i flaen ef. Ond nid trefn amser na threfn rhesymeg oedd trefn ysbrydoliaeth. Parodd datblygiadau'r tair blynedd diwethaf, yr ymosod chwerw ar 'anfoesoldeb' rhai o lenorion ifainc heddiw, arwyddion hefyd o ddiddordeb newydd mewn athroniaeth a gwyddoniaeth, yr ymdrech am onestrwydd a difrifwch gan y pedwar neu bump bardd a nofelydd a dramâydd sy'n ddigon i gynrychioli cenhedlaeth,—parodd y cwbl imi sgrifennu'r llyfr hwn. Credaf ein bod bellach yn addfed i ddeall neges Pantycelyn. Credaf hefyd y gellir osgoi rhai camgymeriadau drud drwy ei astudio. I'm cyfeillion yn arbennig y sgrifennais i, gan obeithio y bydd egluro datblygiad Pantycelyn yn arbed eu maglu hwythau mewn rhamantiaeth ddiffrwyth, ac yn rhwystro gwasgaru eu doniau'n aneffeithiol.

Yng nghydol y gwaith mentrais greu rhai termau newydd. Ni wn i a dderbynnir hwynt gan ysgolheigion na chan lenorion, ac ni ddadleuaf drostynt. Sgrifennais 'ffenomen' am '*phenomenon*' y Groegiaid, yn gyson â'r rheol a osodwyd i lawr gan ddau o feirniaid mwyaf Cymru, sef Gruffydd Robert ac Emrys ap Iwan. Gellir hefyd ddefnyddio'r ansoddair 'ffenomenaidd', ac am '*noumenon*' Kant, gellir arfer 'noemen' a 'noemenaidd'. Defnyddiaf 'eneideg' yn hytrach na 'meddyleg'. Gwell gennyf ei sain, ac y mae'n ehangach enw ac yn awgrymu cynnwys yr wyddor yn well.

Dau lyfryn anhepgor i efrydwyr Pantycelyn yw *Rhestr o Lyfrau gan y Parch. William Williams* o waith y diweddar Brifathro J. H. Davies, a rhifyn coffa Williams o *Gylchgrawn Hanes y Methodistiaid Calfinaidd*, Rhagfyr 1917. Ceir ysgrif ar *Theomemphus* gan yr Athro W. J. Gruffydd yn y *Llenor*, 1922, a chyfeiriaf ati fwy nag unwaith. Yn ddiweddar cyhoeddwyd argraffiad o *Aleluia* gan y Parch. Llewelyn Jones, argraffiad diplomatig gyda rhagarweiniad. Byddai'n diolch yn fwy pe dewisid un o'r llyfrau eraill sy'n brinnach ac yn fwy gwerthfawr. Rhoes fy nhad imi, heblaw'r llyfrau uchod, ei gasgliad helaeth ef o argraffiadau cyntaf ac argraffiadau cynnar Williams ynghyd â'r *Gweithiau* dan olygyddiaeth Kilsby Jones a than olygyddiaeth Cynhafal Jones. Er mwyn cysondeb defnyddiais felly yr argraffiad cyntaf o *Theomemphus* ac o *Olwg ar*

*Deyrnas Crist*, ond argraffiad John Williams yn 1811 o'r *Holl Hymnau* (teitl anghywir), gan gadw mewn golwg pan fyddai o bwys ddarlleniadau gwahanol cynharach neu ddiweddarach. Dyledus wyf i'm tad am fy holl ddefnyddiau ac am lawer beirniadaeth. Dymunaf gydnabod diolch arbennig i'm Dosbarth mewn Llenyddiaeth Gymraeg ym Mhontardawe a brofodd y rhan fwyaf o'r llyfr cyn ei gyhoeddi a'm symbylu a'm helpu yn ddirfawr. Yn olaf, bydd fy nyled yn drom i'r Athro Henry Lewis, Abertawe, am ddarllen a chywiro proflenni, ac ymboeni i achub fy ngwaith rhag camgymeriadau argraff ac orgraff, ac i'r Parchedig D. James Jones am ei hynawsedd yn paratoi mynegai, ac i Mr. John Hughes o adran Gymraeg y Meistri Foyle am ei ofal dros yr holl waith.

# CYNNWYS

# WILLIAMS PANTYCELYN

## I

## YR ESTHETEG GYMREIG

YN fuan wedi'r flwyddyn 1740 fe gychwynnodd Williams o Bantycelyn ar ei yrfa lenyddol. Nid rhyw lawer ar ei ôl dechreuodd Goronwy Owen ar ei waith yntau. Gan hynny, y mae'n gyfleus dweud mai 1740 yw blwyddyn geni barddoniaeth Gymraeg ddiweddar. A rhwng dechrau'r cyfnod hwn a gorffen y cyfnod cynt, a eilw'r Syr John Morris Jones yn 'gyfnod caeth' neu 'gyfnod y cywyddau',[1] ond y carwn i ei alw yn Gyfnod Clasurol,—rhyngddynt y mae canrif o fwlch. O 1640 hyd 1740 nid oes i farddoniaeth yng Nghymru na hanes na phwysigrwydd. Gwir bod yn y ganrif honno un bardd, sef Edward Morus, a'i awen yn brin eithr yn bur, ac eraill megis Huw Morus ac Owen Gruffudd nad yw 'n gosb drom eu darllen. Ond nid digon hynny i achub y ganrif 1640–1740

[1] Cerdd Dafod, gan John Morris Jones, 1925, tud. 18.

o'i dinodedd. Felly, yn olyniaeth y prif feirdd Cymraeg daw enw Williams o Bantycelyn yn union ar ôl beirdd diwethaf y Cyfnod Clasurol.

Un rheswm dros alw'r cyfnod 1330-1640 yn Gyfnod Clasurol yw mai dyna'r cyfnod a welodd grisialu y meddwl Cymreig am farddoniaeth. Wedi'r cyfnod hwnnw ni bu feddwl Cymreig pur, ond meddwl Seisnig ar ŵyr i gyfeiriadau Cymreig. Dyma gyfnod y gwŷr wrth gerdd, y llenorion proffesedig, amseroedd ysgolion y beirdd a'r athrawon mewn prydyddiaeth a beirniadaeth. A mantais arbennig i lenyddiaeth Cymru oedd fod cerdd dafod yn alwedigaeth, canys felly fe sicrhawyd drwy'r canrifoedd olyniaeth ysgolion y beirdd; a chan mai traddodiad yw hanfod pob addysg, fe dyfodd ac fe addfedodd yn yr ysgolion hynny gorff o feirniadaeth lenyddol a damcaniaethau am lenyddiaeth sy'n ddifwlch o Einion Offeiriad hyd at Simwnt Fychan. A'r corff damcaniaethau hyn yw prif gyfraniad Cymru i feddwl esthetig yn Ewrop. Ysywaeth, un arwydd o'r ysgariad truan rhwng Cymru heddiw a'i hen wareiddiad yw mai prin iawn y dechreuwyd eto astudio estheteg ein clasuron. A heb hynny, gellir mentro dweud, ni cheir gennym fyth feirniadaeth ddiogel na gwreiddiol yng Nghymru, a defnyddio'r gair 'gwreiddiol' yn ei ystyr fanwl sy'n wrthwyneb i 'newydd.' Nid ydys yn barnu y dylid yn awr edrych ar lenyddiaeth yn union fel yr edrychai Ddafydd ab Edmwnt arni. Ond y mae'n rhaid synio'n gywir am feddwl Dafydd ab Edmwnt cyn y gellir o gwbl ddeall llenyddiaeth Gymraeg. Ac y mae synio'n gywir amdano yn werthfawr wrth ddechrau astudio Williams o Bantycelyn, oblegid mai Williams yw'r bardd pwysig cyntaf ar ôl y Cyfnod Clasurol, ac yr oedd ei ffilosoffi ef, ei dyb am natur ac amcanion barddoniaeth, yn groes i holl ddamcaniaethau'r Estheteg Gymreig. Od yw'n iawn defnyddio'r gair 'rhamantus' i ddynodi dull o feddwl a ddaeth yn amlwg yn Ewrop tua diwedd y ddeunawfed ganrif, yna Williams yw'r bardd rhamantus cyntaf yng Nghymru. Efallai y gellir dangos cyn y dibenno'r llyfr hwn, mai ef oedd y bardd rhamantus, a'r bardd modern, cyntaf yn Ewrop.

Nid dyma'r lle priodol i drin yn fanwl egwyddorion beirniadaeth y Cyfnod Clasurol. Ond rhaid sylwi'n fyr ar y nodweddion hynny sy'n help i ddeall yr elfennau newydd yng ngwaith Pantycelyn. Mewn penodau diweddarach cawn droi'n ôl at y mater o dro i dro. Y nodwedd gyntaf yw ei bod yn honni mai peth cymdeithasol yw barddoniaeth. "Swydd prydydd yw moli . . . i ddigrifhau llysoedd a diddanu gwyrda a rhianedd." Dyna athrawiaeth y beirniaid Cymraeg am ddiben barddoniaeth.[1] Diddanu trwy foliant! Mor wahanol yw'r syniad i bob syniad a ffynna heddiw. Er enghraifft, gellir dweud am y ddrama Gymraeg yr awr hon mai ei bwriad hi yw diddanu drwy feirniadu a thorri i lawr. Dengys y gwahaniaeth rhwng y ddau syniad y gwahaniaeth hefyd mewn bywyd. Gorffwys holl ddamcaniaeth lenyddol Cymru'r Oesoedd Canol ar sylfaen unoliaeth cymdeithas ac athroniaeth gyffredin am bethau pwysig bywyd. Sefydlwyd y gymdeithas honno ar ddeffiniadau a dosbarth rhesymegol ac Aristotelaidd, yn gystal ag ar egwyddorion Cristnogaeth. Dywed haneswyr wrthym nad oedd hi'n berffaith. Dywed rhai nad oedd hi'n ddymunol, peth sy'n llawer ansicrach, ac yn amhosibl ei brofi na'i wrthbrofi. Y peth sy'n weddol eglur yw bod ei chynllun hi, y gyfundrefn gymdeithasol ddelfrydol y ceisiai bywyd ei dynwared—ei bod hi o leiaf yn berffaith ym marn beirdd a beirn-

[1] I gyfiawnhau defnyddio'r gair 'Clasurol' i ddisgrifio meddwl yr Oesoedd Canol, codaf y paragraff a ganlyn o ysgrif Jaques Rivière ar *La Crise du Concept de la Littérature* (Nouvelle Revue Française, 1924). Dyma'r darn wedi ei droi'n Gymraeg: "Yn yr ail ganrif ar bymtheg pe gofynnai rywun i Molière neu Racine paham yr ysgrifennent, diau na chaent yn ateb ond hyn—I ddiddanu gwyrda (*les honnêtes gens*). Gyda rhamantiaeth yn unig y dechreuwyd edrych ar waith llenyddol megis ymosod ar y Diamod, a'i ganlyniad yn ddatguddiad. Yn y funud honno etifeddodd llenyddiaeth orchwyl crefydd."—Ceir gweled pwysigrwydd y syniad hwn ym mhellach ymlaen yn y llyfr hwn.

iaid a lleygwyr yr oesoedd hynny. Hwn, y patrwm perffaith yr ymgeisiai bywyd tuag ato, oedd testun moliant beirdd a thestun ffyddlondeb y gymdeithas ei hun. Canys gweithred gymdeithasol yw moliant, teyrnged nid i'r unigolyn ond i'r bywyd a'r moesau a ymglymo o'i gwmpas, arwydd o ffydd mewn gwareiddiad ac arwydd o ffydd mewn bywyd. Ffydd yw sicrwydd y pethau ni welir. Yr oedd yr Oesoedd Canol yn sicr bod trefn yn y greadigaeth, mai cyfundrefn ddisiom oedd Bod, a bod cytgord i'w glywed odditan holl sŵn amherffaith ffeithiau. Rhaid oedd gan hynny gael praw a symbol o'r cytgord hwnnw. Rhaid oedd i ddyn weld bywyd yn ei berffeithrwydd. Hynny a'i diddanai. Hynny a droai fywyd yn beth ag ystyr iddo. Hynny yn wir oedd diddanu gwyrda a rhianedd. Felly, dwy gelfyddyd gain yn unig a gydnabuwyd yn yr Oesoedd Canol, sef cerdd dafod a cherdd dant. Nid oedd pensaernïaeth na cherfluniaeth na phaentio namyn celfyddydau defnyddiol. Ni allent hwy ond llunio'r amherffaith. Mater oedd eu deunydd. Ond cynyrchion pur ysbryd dyn oedd cerdd dafod a cherdd dant, symbolau o gytgord y cread. Cytgord yn wir oedd eu hanfod: perffeithrwydd oedd eu defnydd. Yng ngeiriau syml, cynwysfawr Simwnt Fychan: "Ni wnaed cerdd ond er melyster i'r glust ac o'r glust i'r galon." Yma y gwelir dyfnder athroniaeth sagrafennaidd yr Oesoedd Canol. 'O'r glust i'r galon'; troi'r synhwyrau'n gyfrwng meddiannu perffeithrwydd. Gosod trefn lwyr a chytgord ar air a sain, eu troi'n symbolau cyfundrefn athronyddol gyfan a diddamwain, ac felly'n gerdd ddisgybledig a ddiddanai a bodloni cymdeithas. Y 'Creawdwr hollgyfoethog' a Mair a'r Saint a'r angylion, a gwyrda a rhianedd a phreladiaid ac ysgolheigion a chrefyddwyr a chrefydd-wragedd, y rhain yw'r gymdeithas ddosbarthus a chysylltiedig a chyfan sy'n destun moliant pryd-yddion. 'Ni ddyly prydydd oganu neb.' Yr ystyr yw bod gogan neu sarhad yn perthyn i fyd ffaith ac amherffeithrwydd. Mewn cerdd byddent yn fradwriaeth, yn llusgo damwain a drwg i mewn i'r Realiti anweledig perffaith sy'n sylfaen ffydd y Cristion ac yn ddeunydd byd Cerdd. I arwyddo natur ddiddamwain, gyfundrefnol y byd hwnnw y lluniwyd holl gelfyddyd cynghanedd.

Ni allasai fod meddwl fel hwn am natur a diben barddoniaeth oddieithr mewn cymdeithas sefydlog a threfngar, a'i chadernid wedi ei sicrhau drwy unfrydedd barn ar bethau pwysig bywyd, megis awdurdod Duw ar y byd a dyletswyddau dynion tuag at ei gilydd. Y mae'n anodd i ddarllenwyr ysgafn-fryd gredu bod a fynno barddoniaeth â'r pethau hyn, ond felly y mae, a dangosir hynny yn hanes llên Cymru. Canys yn ystod yr unfed ganrif ar bymtheg a'r ail ar bymtheg fe ddinistriwyd trefn yr hen fywyd Cymreig, dinistriwyd hefyd grefydd y genedl, ac yn lle trefn a gwareiddiad daeth ar Gymru dywyllwch ac anhrefn. Ysbeiliwyd yr eglwysi, gwasgarwyd y mynachlogydd. Aeth plasau'r uchelwyr, a fuasai gynt yn ganolfannau bywyd a diwylliant y genedl, naill ai'n adfeilion neu ynteu i ddwylo'r cyfoethogion newydd na wyddent am na dyletswydd na thraddodiad. Mewn paragraff craff o'r *Bardd Cwsc* fe ddisgrifia Ellis Wynne y caos a'r diffeithdra a syrthiasai ar y wlad yn y cyfnod hwn:—

"Descynnasom ar ben 'hangle o Blasdy penegored mawr, wedi i'r Cŵn a'r Brain dynnu ei Lygaid, a'i berchenogion wedi mynd i Loegr, neu Ffrainc . . . . felly yn lle'r hên Dylwyth lusengar daionus gwladaidd gynt, nid oes rwan yn cadw meddiant ond y modryb Dylluan hurt, neu Frain rheibus, neu Biod brithfeilchion, neu'r cyffelyb i ddadcan campeu y perchenogion presennol. *Yr oedd yno fyrdd o'r fâth blasau gwrthodedig a allasei oni bai Falchder, fod fel cynt yn gyrchfa goreugwyr, yn Noddfa i'r gweiniaid, yn Yscol Heddwch a phob Daioni, ac yn fendith i fil o Dai bâch o'u hamgylch.*" . . .

Dyna mewn brawddeg ddarlun o ddrychfeddwl cymdeithas yng Nghymru cyn y collwyd ein gwareiddiad. Nid oes a wnelom yn awr ag effeithiau economaidd y golled honno, eithr yn unig â'r effaith ar dymer a meddwl dynion. Gwnaethpwyd Cymru'n wlad o bobl unig. Collodd ei threfn a'i chymdeithas grefyddol, collodd ei hunfrydedd barn am bethau hanfodol bywyd. Canlyniad anhrefn a drysni meddwl yw unigedd. Er dyddiau Llywarch Hen ni chlywyd fawr o acen unigedd mewn llenyddiaeth Gymraeg. Ond o ddyddiau teyrnasiad Elisabeth ymlaen dyma nodyn amlwg ein barddoniaeth. Clywir ef fel cwyn lleddf ym mhob bardd gwlad o'r ail ganrif ar bymtheg, a dyma ddechrau'r 'canu lleddf', y peth cwbl anghymreig hwnnw y credai'r hen feirniaid ei fod mor Geltaidd. Un meddyliwr o athrylith arbennig a gafodd Cymru yn yr ail ganrif ar bymtheg, a cheisiodd hwnnw, Morgan Llwyd o Wynedd, roi rhyw lun ar ei fywyd a'i athroniaeth drwy honni mai yn yr enaid unig ac ym mhrofiad personol yr unigolyn yr oedd chwilio am awdurdod mewn bywyd, ac am Dduw ei hun. Gweithiau Morgan Llwyd yw'r enghraifft wrolaf yn ein llenyddiaeth o feddyliwr cryf yn wynebu distryw ac anobaith ei oes, ac yn ceisio codi allan o'r caos o'i amgylch adeilad ddisigl a threfnus y byddai ei enaid yn llonydd ynddi.

Ac yn yr un ganrif ag y bu byw Morgan Llwyd yr ysgrifennwyd yn Saesneg ac y cyfieithwyd i Gymraeg y llyfr sy'n symbol o'r modd unig, ymneilltuol o synio am fywyd. Ni wn i am lyfr tristach yn y byd na *Thaith y Pererin* John Bunyan, nac am lyfr mwy anghymreig ei ysbryd. Ond fe'i troswyd i Gymraeg, ac y mae'n arwyddlon bod ei effaith ar ddychymyg Cymru, ac ar feddwl Williams o Bantycelyn yntau, yn bennod bwysig yn hanes ein llên. Canys er mwyn deall bywyd a gwaith Pantycelyn, a'i farn am farddoniaeth, rhaid dal yn gyntaf oll ar y ffaith hon: ei eni a'i fagu a'i addysgu mewn gwlad a gollasai ei threfn gymdeithasol a'i thraddodiadau, gwlad wedi ei maglu mewn unigedd a thlodi ysbrydol. Bardd unigedd yw Williams, bardd a ganai:—

> "I gyhoeddi'r ffoedigaeth fawr,"

a'r dull ffoedig, ymneilltuol o feddwl:—

> " Mi a' maes o blith y werin . . .
> Heb wybod beth mae'r werin fawr
> Yn wneud a dadrys 'rhyd y llawr."

Cawn weld eto iddo ef a'i gyfeillion yn y Diwygiad Methodistaidd ail-ddarganfod rhai arferion a rhai egwyddorion a fuasai'n gyfran Cymru ac Ewrop Gristnogol cyn bod Protestaniaeth. Ond yr oedd un peth nas darganfu Williams erioed, sef y syniad Cymreig am gymdeithas ac am natur gymdeithasol barddoniaeth. Ac effaith y chwildro a'r diwreiddio a fu yn hanes Cymru yw rhan fawr o'r esboniad sut na bu erioed lai o wlatgarwr na Williams. Yr oedd y geiriau 'gwlad' a 'chenedl' yn eu hystyr ddynol yn ddi-ystyr iddo. 'Gwlad o dywyllwch wyf yn trigo', ebr ef yn ddigon cywir, a deffiniodd ei syniadau politicaidd a'i wlad a'i genedl ei hun mewn llinellau pendant:—

"Dyn dieithr ydwyf yma,
Draw mae'm genedigol wlad. . . ."

"Darfydded caru tref a gwlad."

Yn ei hymnau diweddaraf cawn weld i'r syniad am 'wlad draw' gilio, hwnnw hefyd, fwyfwy o'i fryd, ond yn ei waith cynnar y mae iddo le pwysig. Fe ddywed yr eneidegwyr am yr artist, os newynir ef drwy atal rhyw elfen a fyddai'n gynhaliaeth iddo, fod ynddo duedd i gyflenwi'r rhaid hwnnw yng nghynyrchion ei ddychymyg, a throi bywyd ei ddychymyg yn noddfa rhag ei amgylchiadau, hyd yn oed heb yn wybod iddo'i hun. Gallem gredu mai dyna fu hanes Pantycelyn, bardd y 'ffoedigaeth'. Y drefn olau a'r unfrydedd a'r diddanwch a'r berthynas a gollasid yn y wlad y ganed ef, rhoes hwynt oll yn nefoedd ei ddychymyg:—

"Gwlad o oleuni heb dywyllwch,
Gwlad o gariad heb ddim trai" . . .

"Pob rhan ohoni, bryn a bro,
Sydd gyflawn o ddiddanwch;
Dim sôn am ryfel, bai, na phla,
Ond byth didra dawelwch."

"Yno mae 'nhrysor i gyd,
'Nghyfeillion a'm brodyr o'u bron."

Gwelir yr un anaf ar ddiwinyddiaeth Williams. Prin y ceir ganddo syniad am gymdeithas Gristnogol neu Eglwys o gwbl yn y byd yma. Pererin unig yw ei Gristion ef fel Pererin Bunyan:—

"Mewn anialwch wyf yn trigo,
Alltud unig wrthyf fy hun."

Diau nad yw'n gwbl amddifad. Bu rhai ar y ffordd o'i flaen, a Christ, y pererin cyntaf:—

"Bu'r Iesu'n rhodio yma ei hun,
Rwy'n dilyn ôl ei droed,"

a bu eraill yr un ffordd a gadael olion yn gyfarwyddyd i'r Cristion:—

"Mae rhai fel finnau fu
Mewn gofid trist yn brudd,
Tu fewn i Sion fry . . ."

"Dilynaf ôl eu traed."

A dyna'r unig a thruan gymdeithas sydd ar y ddaear:—

"Rwyf i 'n caru'r pererinion
Ar y tylau serth y sy
Ar eu traed ac ar eu dwylo
'N ceisio dringo fyny fry;
Ar fy neulin
Minnau ddof i ben y bryn."

Mor dlawd yw'r meddwl hwn o'i gymharu â'r syniad gwareiddiol a chyfriniol am yr

Eglwys yn gorff Crist yn y byd ac yn barhad o'r ymgnawdoliad. Nid yw'n rhyfedd bod hiraeth trist yng nghanu Williams, canys:—

" 'Dwy'n awr ond gweld fy Mhriod gwych
Ar fryniau draw ymhell trwy ddrych,"

a thu hwnt i'r bedd y gwêl ef eglwys ac undeb:—

" Caf weld aneirif lu
O bererinion glân
O fewn Caersalem fry
A ddaethant yno'm blaen. . . ."

ond disgwyl y maent hwythau am y gymdeithas lawn:—

" Disgwyl y maent bob munud awr
Am weld yr Atgyfodiad mawr."

*Golwg ar Deyrnas Crist* a ddengys y diffyg meddwl cymdeithasol hwn ar ei ddiwinyddiaeth yn egluraf. Bwriad y gerdd yw canu am deyrnasiad Crist o dragwyddoldeb i dragwyddoldeb, a phob pennod yn amlygu rhyw wedd bwysig ar ei arglwyddiaeth, megis 'Crist yn bob peth yn yr arfaeth, yn bob peth yn y greadigaeth, yn bob peth yn addewid Eden, yn bob peth mewn Rhagluniaeth, yn bob peth yn y Beibl', etc. Amlwg yw bod yma gais at gyfundrefn ddiwinyddol gyfan. Mor rhyfedd gan hynny yw sylwi nad oes yn y gân bennod ar 'Grist yn bob peth yn ei Eglwys'. Braidd nad yw'r gwall yn anhygoel. Ys gwir y ceir rhan fer iawn ar 'Grist yn dysgu ei ddeiliaid neu yn ddoethineb i'w Eglwys', ond o ddarllen y rhan honno fe welir mai 'doethineb i'r unigolyn' yw gwir destun y bennod:

> "Rhaid iti'm cyfarwyddo a rhoi doethineb im'."

Yn unig yn niwedd y gerdd, yn y rhan a ddisgrifia'r nefoedd y ceir o gwbl ganu am Eglwys: 'Crist yn presentio ei Eglwys i'w Dad a gwynfydedigrwydd y Saint ar ôl Dydd y Farn'. Ie, ar ôl dydd y Farn y gwelai Williams Gymundeb y Saint.

Gwn mai gwaith cynnar yw *Golwg ar Deyrnas Crist*, ac mai yn y gweithiau cynnar yn arbennig y ceir yr unigoliaeth lem hon gan Williams. Ni ddywedaf ychwaith nad oedd ganddo un syniad am Eglwys. Ef oedd sefydlydd y Seiat, a rhoes le pwysig i gyffes yn ei athrawiaeth. Pethau cymdeithasol yw'r rheini, ac yn y Doctor Alethius creodd Williams gymeriad eglwysig pur. Daw'r elfen gymdeithasol hefyd yn amlycach yn ei hymnau diweddaraf. Y cwbl a haerir yma yw bod unigoliaeth yn elfen gref dros ben yn ei holl waith, ac yn y cyfnodau cynnar yn elfen lywodraethol. Nid beio Williams yw dweud hynny. Os tlawd yw ei syniad ef o eglwys a chymdeithas, dyna a etifeddodd ef. Collesid cyflawnder y meddwl Cristnogol gynt. "Fe'm cefais fy hun," meddai

Descartes, athronydd a sgrifennodd mewn cyfnod a welodd ddryllio cyfundrefn athroniaeth yr Oesoedd Canol, "megis dan orfod i ymdaro drosof fy hun yn y gwaith o reoli fy mywyd . . . fel dyn yn cerdded ar ei ben ei hun ac yn y tywyllwch."[1] Gellir cymhwyso'i eiriau yn briodol i ddisgrifio lle Williams o Bantycelyn yn hanes llenyddiaeth Cymru. Yr oedd bod y bardd hwn yn rhoi ei holl drysor a'i etifeddiaeth y tu hwnt i'r bedd yn gyfaddefiad o'i anobaith am drefn gymdeithasol yr ochr hon yng Nghymru. Dyn oedd yntau yn cerdded ar ei ben ei hun ac yn y tywyllwch.

Paham gan hynny y sgrifennai, ac i ba beth y barddonai? Dyna'r cwestiwn y mae'n rhaid i feirniadaeth Gymraeg ei ofyn. Fe wyddom ateb y Cyfnod Clasurol: sgrifennu er diddanu gwyrda a rhianedd. Ond wele alltud yn ymwrthod â phob cymdeithas, a'i obaith am ddiddanwch y tu draw i angau, a'r alltud digymdeithas hwn yn rhoi'i fywyd yn dra llwyr i farddoniaeth! A sylwer, nid barddoni llai na'r hen feirdd. Nid bardd prin a chynnil mohono, megis un yn syrthio i anghysondeb. Ond yn hytrach y bardd mwyaf toreithiog a welodd Cymru, un a gyhoeddodd o

[1] *Traethawd ar Drefn Wyddonol*, Cyf. D. Miall Edwards, tud. 16–17.

leiaf ddeuddeg-a-phedwar-ugain o lyfrau a phamffledau, a marw'n hen ŵr ar ganol cyfansoddi cerdd faith arall.

Diau bod y chwedl am 'Williams biau'r canu' yn cefnogi'r syniad o anghysondeb: cyfansoddi emynau ar gyfer y Methodistiaid a wnâi, ac felly ni bu mor ddigymdeithas mewn bywyd ag mewn llyfr. Ond pe derbyniem y syniad, nid eglurai hynny namyn rhan o'i waith. Beth am y gweddill, *Theomemphus*, a'r *Gerdd Benrhydd*, a'r *Gerdd Newydd am Briodas*, a llawer ychwaneg? Gwyddom hefyd fod ym mhlith yr emynau liaws na buont erioed yn ddefnyddiol dros ben i neb. Nis cenid; neu os cenid, nid cyn i olygyddion di-awen eu malurio a'u llwyr newid. Wrth gwrs, pan argraffai hwynt, fe fwriadai Williams eu canu gan gynulleidfaoedd. Y pwynt yw nad oedd dim yn ei feddwl *yn awr y cyfansoddi* namyn ef ei hun â Duw. Yn sicr ni ellir pwyso ar y syniad o anghysondeb.

Y gwir, a'r gwir pwysig yn hanes meddwl yng Nghymru ac yn Ewrop, yw i Williams ddarganfod a phrofi damcaniaeth newydd am natur a diben llenyddiaeth, syniad a ledodd yn gyflym drwy Ewrop ym mlynyddoedd olaf y ddeunawfed ganrif, ac a lywodraethodd feddyliau lliaws o lenorion o hynny hyd heddiw. Gellir dweud mai dwy ddamcaniaeth sylfaenol am natur llenyddiaeth a fu erioed yn Ewrop, ac nid oes a ddengys yn well werthfawredd llenyddiaeth Gymraeg a'i chyfran hanfodol yn hanes gwareiddiad y Gorllewin, na'r ffaith ddarfod mynegi'r ddwy ddamcaniaeth yn llawn yn ein llên, y naill ym meirniadaeth y Cyfnod Clasurol, a'r llall ym marddoniaeth Pantycelyn. Fe ddywedir weithiau mai Rousseau a roes fod i'r ddamcaniaeth newydd. Yr oedd Rousseau (1712–1778) a Williams yn gyfoeswyr; ymddangosodd eu prif weithiau yn agos iawn i'w gilydd. Nid oedd o gwbl gysylltiad rhyngddynt, a theg felly yw cydnabod y naill gyda'r llall fel sylfaenwyr y mudiad Rhamantus yn llên Ewrop. Ac nid mewn llenyddiaeth yn unig y gwelwyd yr egwyddor newydd yn gweithio. Canfyddir hi hefyd mewn miwsig. Tueddaf weithiau i gredu mai yn ail hanner y ddeunawfed ganrif y datblygodd a blodeuodd yr hadau meddwl a blannwyd yn Ewrop yng nghychwyn oesoedd gwyddoniaeth gan Bruno a Galileo. Beth bynnag am hynny, y mae'r gwahaniaeth rhwng Bach a Beethoven yn debyg yn y bôn i'r gwahaniaeth rhwng Racine a Rousseau, neu rhwng Tudur Aled a Phantycelyn.

Er mwyn egluro'r egwyddor newydd hon, bydd yn gyfleus sylwi ar ddwy nodwedd ym mhrydyddiaeth Williams a'u cymharu â'r nodweddion cyferbyniol yng ngwaith y beirdd clasurol. Yn gyntaf craffwn ar gymeriad mewnol ei weithiau. Gwelodd ef ei hun fod 'y gair bychan atgas hwnnw, y FI yn ambell un ohonynt'.[1] Doniol yr 'ambell un'; canys ambell un yn unig o'r holl emynau a wnaeth erioed sy'n rhydd oddiwrth y gair. Yn ei unigedd nid oedd ganddo i ganu amdano onid ef ei hun. Dyna'n sicr achos llawer o'i wendidau, ond dyna hefyd elfen ym mhwysigrwydd eithriadol ei waith. Enillodd gyfandir newydd i'r awen, daear wyryfol nas troediodd neb bardd yng Nghymru o'r blaen. Daear beryglus yn ddiau, ac fe dyfodd beirdd ar ei ôl ef lysiau gwenwynig arni, sentimentaleiddiwch ac afiechyd moesol a meddalwch gorsynhwyrus. Ond ef oedd y bardd cyntaf i droi profiadau mewnol a chyflyrau enaid yn brif ddeunydd barddoniaeth. Nid ef oedd bardd crefyddol cyntaf y Gymraeg. Yr oedd y cyfnod Clasurol yn gyfoethog mewn barddoniaeth grefyddol, a rhoes beirniadaeth y cyfnod le blaen iddi. A diau bod y canu hwnnw yn fwy crefyddol mewn un ystyr na chanu Williams, oblegid mai canu gwrthrychol, moliant, ydoedd. Yn y gwraidd, nid bardd crefyddol oedd Williams, ond bardd eneidegol, bardd ei brofiadau'i hun. Digwyddodd mai crefyddol, neu'n hytrach, mai duwiol oedd y profiadau hynny, ac felly crefyddol neu dduwiol yw cymeriad

[1] *Rhai Hymnau a Chaniadau Duwiol*, 1757, tud. 47.

ei waith. Nid pwnc i feirniadaeth lenyddol yw penderfynu a ddylid canu emynau Williams yn gynulleidfaol; ond y mae'n iawn dangos mai barddoniaeth y Seiat, y gyffesgell, ac nid barddoniaeth moliant a'r gwasanaeth cyhoeddus yw holl ganu Pantycelyn. Y mae i'r ddau eu lle yn y bywyd Cristnogol.

Sylwn yn nesaf ar ddull Williams o drin defnyddiau barddoniaeth. Cawn sôn yn fanwl mewn pennod arall am nodweddion ei arddull. Yma ni raid ond dangos bod ei amcan pan ddefnyddiai iaith yn wahanol i amcan y Cyfnod Clasurol. Creu ceinder, symbol o berffeithrwydd, oedd delfryd y beirdd clasurol. Gan hynny yr oedd eu parch i'r Gymraeg yn ddiderfyn, ac i eiriau unigol a oedd yn elfennau melyster. Ni cheir fyth neb ohonynt yn achwyn ar yr iaith, na'i chael hi'n annigonol i'w amcan. Yn hytrach, astudio geiriau a'u caru. Bodlonent ar lenyddiaeth. Nid moddion na chyfrwng i gyrraedd rhyw nod arall y tu draw iddi ei hun oedd iaith; eithr diben, peth synhwyrus a ddigonai'r glust a'r galon.

Nid felly i Bantycelyn. Ni pharchai ef eiriau o gwbl, ond eu darnio a'u hanafu. Y mae'n debyg gennyf mai'r llinell hon yn *Theomemphus*:—

"Yn Constant fawr inople,"

yw'r llinell waethaf mewn barddoniaeth Gymraeg, ond ceir ugeiniau â gystadlai â hi yng ngwaith Williams. Nid na allai yntau greu llinellau a phenillion melys i'r glust. Ceir ganddo gannoedd ohonynt hwythau. Ond nis ceisiodd hwynt, a difwriad yw melyster ei emynau. Nid yw'r tlws na'r melys yn nodweddiadol o'i arddull ar ei gorau. Canys nid yn unig nad oedd ganddo barch at eiriau, nid oedd ganddo ychwaith barch at farddoniaeth. Cyfrwng oedd hi iddo, cyfrwng dynol, meidrol, ac felly'n amherffaith. Digiai wrthi, wrth ei ffigurau a'i chyffelybiaethau a oedd yn annichon i'w amcan ef:—

"Does gyffelybiaeth is y nefoedd,
Ag yn gywir draetha ma's
Ddistaw, ddirgel, bur brofiadau
Ac och'neidiau'th nefol ras."

Nid yn aml y mynega Williams ei syniadau beirniadol mor eglur ag yn y pennill hwn. Dyma un o'i ddywediadau pwysig, ac o'r diwedd dyma ateb i'r cwestiwn: paham y sgrifennai? Nid er mwyn melyster na diddanwch, ond er mwyn 'traethu maes ei brofiadau'. Cywirdeb, nid ceinder, yw ei amcan mewn barddoniaeth. Mynegi'n gyflawn y profiadau dirgelaf na cheisiodd neb o'i flaen eu rhoi mewn geiriau. Am hynny y digiai wrth yr iaith ac wrth farddoniaeth, am eu bod mor feidrol, mor anghyfarwydd yn y gwaith dieithr hwn:—

" Ac ni alla' i fyth fynegi,
   Pe anturiwn tra fawn byw,
Pa mor hyfryd, pa mor felys,
   Pa mor gryf ei gariad yw."

Cawn weld eto mai'r anturiaeth hon i ' fynegi ' sy'n esbonio holl brif nodweddion ei arddull. A dyma'r gair ' mynegi ' bellach wedi cychwyn ar ei yrfa mewn beirniadaeth lenyddol Gymraeg.

Paham y ceisiai fynegi ei brofiad? Onid yw mynegiant yn arwain yn ôl at y syniad cymdeithasol am lenyddiaeth? Canys pa fudd sydd i'r dyn unig o fynegi dim? Bu llawer o astudio ar y cwestiwn hwn, a'r ateb a eglura orau farddoniaeth Pantycelyn ac y sy'n agosaf i'w feddwl yw ateb Benedetto Croce, yr athronydd o'r Eidal. Deil Croce yn ei lyfr ar "Estheteg" fod mynegi profiad yn rhan o'r profi, yn foddion i feddiannu'r profiad yn llawn. Dywed pobl weithiau fod ganddynt yn eu pennau syniadau dyfnion a mawr, er na allant eu mynegi. Ond pe byddai'r syniadau ganddynt, fe'u rhoddent mewn geiriau. Os tlawd yr ymddengys eu syniadau pan ddywedont eu cynnwys, y rheswm yw mai tlawd yn wir ydynt. Cred rhai pobl eu bod hwythau'n gweld ac yn dychmygu fel Raphael, ac mai unig fantais Raphael oedd gallu ohono roi a welodd ar gynfas. Ond y gwir yw mai prin a niwlog yw gweledigaeth y mwyafrif mawr. Bodlonant ar farnu: ceffyl yw hwn, dyma ddyn, mae hwn yn drwm, het lwyd yw honno. Ond fe sylla'r artist, a syllu'n hir oni welo, a gweld yn llawn. A'i weledigaeth yw ei fynegiant. Trwy fynegi peth fe'i deil yn bendant ac yn fanwl o flaen ei feddwl. Y mae'n meistroli a meddiannu ei brofiad. Cawn weld eto, yn arbennig yn y bennod olaf, mor agos yw meddwl Croce i un o brif bwyntiau athroniaeth Pantycelyn.

Dyma ni'n rhoi dwylo bellach ar ddirgelwch bywyd a gwaith Williams o Bantycelyn, ac yn dod o hyd i sail ei bwysigrwydd yn hanes meddwl. Yn ôl damcaniaeth Williams y mae llenyddiaeth yn ddull o fyw. Nid diddanwch yw ei diben, ac nid ynddi ei hun y mae ei gwerth hi. Cyfrwng yw hi i feddiannu bywyd yn llwyr, i ddal profiad yn bendant fel fflam. Bwrier at hynny, a dyna fel y bu hi yn hanes Williams, mai ymchwil am Dduw a darganfyddiadau o olion Duw ar yr enaid yw'r profiadau a ddewisodd ac a geisiodd, ac fe ganlyn bod mynegi'r rheini yn rheidrwydd moesol, a bod barddoniaeth gan hynny'n offeryn i feddiannu Duw yn llwyrach. A'r profiad sy'n bwysig. Nid yw'r mynegiant yn ddim ynddo'i hun; ond trwy farddoniaeth fe â'r bardd heibio i farddoniaeth at y datguddiad dwyfol:

"Ehengir f'enaid
I 'nabod datguddiaethau'r nef."

Ceir effeithiau pwysig eraill. Cynnyrch ewyllys y bardd oedd y farddoniaeth glasurol, ac yntau bob amser yn feistr, yn bensaer, yn cynllunio harddwch. Nid yw barddoniaeth Williams o gwbl dan lywodraeth ei ewyllys. Dibynna'n hytrach ar y profiadau a ddigwydd iddo, y cynyrfiadau na all ef mo'u galw pan fynno. Yn ei gyngor i emynwyr, a gyhoeddwyd yn ail ran *Ffarwel Weledig*, ceir y rhybudd hwn: "Peidio gwneud un Hymn fyth nes y byddont yn teimlo eu heneidiau yn agos i'r nef, tan awelon yr Ysbryd Glan". Hynny yw, mewn termau lleygol, cymryd celfyddyd oddiwrth reolaeth yr ewyllys a pheri iddi ddibynnu ar gynhyrfiad cyfrin na ellir mo'i reoli o gwbl. Ac felly, wrth reswm, nid hawdd i'r bardd feirniadu ei ganu. Oblegid gwaith y meddwl yn ei reoli'i hun yw beirniadaeth; a rhyfyg fyddai beirniadu 'yr Ysbryd'. Dengys degau o weithiau Williams fod dianc fel hyn rhag beirniadaeth yn berygl. Yn aml ddigon fe gyfansoddai dan ysbrydoliaeth fel y credai ef, ond heb brofi yr ysbrydion.

Effaith arall. Yr unig ddull y galler gafael ar brofiad mewnol a'i fynegi'n gywir yw trwy ymholi a dadansoddiad eneidegol. Rhaid i'r bardd ei ddisgyblu'i hun i fyfyrio ar ei deimladau a'u dosrannu a'u trefnu onis traether oll o'r bron. Dyna'n wir ei brif ran ef yn ei farddoniaeth. Oblegid peth a roddir iddo yw'r deunydd, 'awelon yr Ysbryd Glan' sy'n chwythu lle y mynnont. Felly y mae ymchwil eneidegol yn rhan anhepgor yng ngweithgarwch y bardd. Fe esbonia hynny un o syniadau llywodraethol Pantycelyn, a bydd yn rhaid ei drin yn gyflawn yn y llyfr hwn. Esbonia hefyd bwysigrwydd y dylanwad cryfaf a fu ar ei fywyd ac ar ei farddoniaeth, sef y Seiat. Rhaid i bob ymgais at ddeall Williams ddechrau gyda'r "Society Profiad".

Byw trwy lenyddiaeth, dyna felly ddirgelwch Pantycelyn. Gresynodd rhai beirniaid oblegid mai ychydig o hanes y bardd sydd ar gael. Dengys eu gresynu na ddeallasant mo'i gyfrinach. Y mae holl hanes sylweddol Williams ar gadw. Ei farddoniaeth yw ei gofiant cyflawn. Trwyddi gellir olrhain ei yrfa o gam i gam, o ddatguddiad i ddatguddiad, a gellir gweld hefyd y pwynt lle y paid ei dyfiant, lle y darfu'r datguddiad. Gellir rhoi bys ar y caneuon gwag, a ganai'r bardd oblegid mynd canu'n drech nag ef, yn arfer, ac yntau'n ei dwyllo'i hun bod yr 'awelon' yn parhau i'w gymell. A thrwy'r syniad hwn am lenyddiaeth fel 'gyrfa', fe welir yr unoliaeth sy'n ei ganu. Gorwedd unoliaeth gwaith y beirdd clasurol yn eu hewyllys a'r delfryd artistig a'u llywodraethai. Ond peth a dyf o'i fywyd heb iddo ei fynnu yw unoliaeth gwaith Williams. Hynny yw, gan fod ei farddoniaeth yn gynnyrch ac yn symbol ei ddatblygiad ysbrydol, y mae'r caneuon hwythau'n ymgysylltu'n organig â'i gilydd er mwyn amlygu cysondeb ei fywyd. Ceir yn *Aleluia*, y casgliad cyntaf o'i emynau, ddechrau darlun ei brofiad; gwelir ei gyflawni yng *Ngolwg ar Deyrnas Crist*, y *Môr o Wydr*, *Theomemphus*, *Ffarwel Weledig*, *Gloria in Excelsis*, a'r gweithiau rhyddiaith. Fel y dywedwyd, ni chymell yr ysbryd byw bob un o'r rhain fel ei gilydd. Ceir gan Williams rai gweithiau 'di-awelon', megis mwyafrif y *Marwnadau*:[1] Canolbwynt ei holl waith yw *Theomemphus*. Dyma'r ymgais gyflawnaf i gyfleu profiadau

[1] Y rheswm yw mai ychydig o brofiad personol sy'n y *Marwnadau*, a Williams felly y tu allan i'w faes priodol. Yr orau ohonynt, ag eithrio *Maria Sophia* sydd ar ei phen ei hun, yw *Marwnad Howel Harris*, lle y ceir dadansoddiad eneidegol. Am y gweddill, maent yn undonog ac yn aml yn ddi-urddas. Ynddynt y gwelir gwaethaf cymeriad Williams. Dyma ddwy enghraifft :—

> " Gwrandaw, angeu cas di-ffafar,
> Pam y t'rewaist ddyn gwas'naethgar ?
> On'd oedd myrdd 'r hyd bryniau a bronydd
> Mwy eu hoed a llai eu defnydd ?
> Pa sawl plwyf sydd yn ochneidio

sylfaenol ei fywyd. Ein harwain at *Theomemphus* a wna'r hymnau cynnar. Dibynna'r hymnau diweddarach ar *Theomemphus*. Cân am droedigaeth yw'r gân hon. Megis y dibynnodd bywyd Williams ar ei brofiad o droedigaeth, felly y trefnir ei waith o gwmpas y mynegiant llawnaf o'r profiad hwnnw.

Bellach y mae'n eglur bod yn rhaid derbyn barddoniaeth Pantycelyn fel gyrfa. Ond er hynny, ac er y dylid cydnabod ei hawl ef i fynd heibio i lenyddiaeth, eto rhaid i feirniadaeth lenyddol aros yn llenyddol. Y mai'n iawn ac yn rhaid iddi ddilyn y bardd a thrin materion eneideg a diwinyddiaeth. Ond wedi hynny priodol yw iddi ddychwelyd i dir sicr yr estheteg Gymreig, a rhoi'r prif le i gelfyddyd llenyddiaeth. Trwy'r llyfr hwn fe erys y cwestiynau hyn yn gyson yn ein meddwl: beth a wnaeth Williams â geiriau, â mydr, ac ag odlau? Sut y tyfodd ei grefft a pha ddatblygiadau technegol yn ei eirfa,

---

Am ladd tlodion ag sydd arno ?
Hwy gant fyw, ddiles griw " etc.
(CYNHAFAL I, 464).

Ac eto :—

" Lle'r oedd mil a mil drachefn
O rai diffrwyth yn y byd,
Deillion, cloffion, gwywedigion,
Oedd yn chwyddo'r trethi o hyd."
(IBID I, 523)

I bobl gefnog y sgrifennai Williams farwnadau.

ei fesurau, a'i ddull o drin iaith, sy'n dilyn ei ymdrech barhaus i ddatguddio profiadau newydd? Beth yw nodweddion ei arddull? Beth a wnaeth ef â'r iaith Gymraeg, a pha oleuni newydd a deifl ei ymdrechion ef ar gymhwyster yr iaith i gyflawni gofynion bywyd? Ac nid y cwestiwn lleiaf fydd hwn: beth yw gwerth ei syniad newydd ef am farddoniaeth, ac a ellir ei gyfuno â'r hen estheteg Gymreig?

Ond y mae un cwestiwn cyffredin mewn beirniadaeth na raid inni ddim ei drin. Wrth astudio bardd fel Goronwy Owen, sy'n grefftwr yn y dull clasurol, pwysig yw chwilio o ble y cafodd ef ddeunydd ei waith, a pheth a fenthygiodd ef gan eraill. Trwy ddeall hynny gellir gwerthfawrogi'n well ei gelfyddyd, y modd y triniodd ef y deunydd. Yn awr, diamau i Williams gymryd llawer syniad oddiwrth Bunyan, Milton, Young, Watts, ac aml fardd Saesneg arall, a gellid rhestr faith o'i fenthygion. Byddai ymchwil fel yna yn gwbl ddi-fudd, oblegid ni oleuai ddim ar brofiadau Pantycelyn, yr unig beth pwysig. Ar y cwestiwn hwn y mae rhagymadrodd *Golwg ar Deyrnas Crist* yn derfynol:—

"Mi wnes fy ngorau wrth gyfansoddi hyn o lyfr am ddarllain llyfrau at yr achos fal oeddwn yn myned trwyddo, a rheiny, os gallwn, yn union gred a iachus. A phan gwelwn rywbeth at fy mhwrpas cymerwn swm hynny i fy meddwl, ac yna rhown faint o'i sylwedd i lawr wedi ei wisgo â fy ngeiriau fy hun; ond megis yn gyntaf ymborthu arno fel fy eiddo fy hun a'i gymysgu a'r hyn oeddwn wedi wau o fy meddyliau eusys."

Ni ellir dadlau â sicrwydd a gonestrwydd y geiriau. Y mae holl wreiddiau barddoniaeth Pantycelyn yn ei brofiad ei hun. Ni wiw inni sylwi ar ei fân fenthygion, ond yn unig o dro i dro ddangos y cysylltiadau hynny â llenyddiaeth a fo'n gymorth i ddeall twf ei feddwl. Rhaid i ninnau gymryd bywyd a gwaith Pantycelyn yn brofiad. Felly yn unig y byddant yn fuddiol.

## II

# DRWS Y SOCIETY PROFIAD

YN y flwyddyn 1771 cyhoeddodd Williams lyfr rhyddiaith dan y teitl: *Templum Experientiae Apertum, neu Ddrws y Society Profiad . . . mewn saith dialog ar ddull o ymddiddan rhwng Theophilus ac Eusebius.* Yr oedd yn briodol i'r llyfr ymddangos yn yr un flwyddyn ag y dechreuwyd cyhoeddi *Gloria in Excelsis*, nid ysgub olaf emynau'r awdur, ond yr olaf o bwys. Bu fyw am ugain mlynedd wedi hynny, ond ni ellir cymharu cynnyrch y cyfnod hwnnw â gwaith y deng mlynedd ar hugain cynt. Y mae'r llyfr rhyddiaith hwn megis clo ar y rhan bwysig o'i yrfa, a thrwy *Ddrws y Society Profiad* y mae mynd i mewn i deml barddoniaeth Pantycelyn.

Yn ôl ei dystiolaeth ei hun[1] bu'n cadw Seiat o'r pryd y dechreuodd farddoni. Ef yn anad neb a roes iddi ei lle ym mywyd crefyddol y Methodistiaid ac a luniodd ei method a'i threfn. Bu eraill yn bregethwyr enwocach, ond yn y Seiat ni bu

[1] Rhagymadrodd i *Theomemphus*, 1764.

o'r holl ddiwygwyr ail iddo ef. Ac i'w gyfoeswyr y sefydliad hwn oedd cynnyrch dieithriaf y Diwygiad:—" Rhai ddywedant gyda ni nad oes sylfaen iddynt o'r Ysgrythyr-lân, ac nad oedd y fath ymgynulliad dirgel ddim yn cael ei arferyd yn yr eglwys Iuddewig, nac 'chwaith tan y Testament Newydd, na chan y Diwygwyr oddiwrth y grefydd Babaidd, ond mai rhyw drefn newydd ddaeth gan y Methodistiaid i mewn yw hi ":[1] Yn yr ymchwil hon am gynseiliau fe welir bod un angof. Ni ddywedir dim am y grefydd 'Babaidd'. Mewn paragraff maith fe geisiodd Williams droi pob math o gyfarfod y ceir hanes amdano yn y Beibl yn enghraifft gynnar o Seiat, ond yn y diwedd ei wir ddiffyniad yw bod Seiat yn angenrheidiol:—" Pe bai heb un instans nac esiampl o'r Hen Destament na'r Newydd i'w gael, mae buddioldeb y fath gyfarfodydd ynddo ei hunan yn ddigon i gadarnhau eu bod hwy wrth feddwl Duw ".[2] Dyna'r diheurad gorau; canys wedi dwy ganrif o ddrysni a difrawder, pan gynhyrfwyd y Cymry unwaith eto gan brofiadau crefyddol, bu'n rhaid er mwyn iechyd meddwl dynion a'u harbed rhag gwallgofrwydd, atgyfodi mewn rhyw fodd gyffes yr eglwys Gatholig, a dyna oedd y Seiat.

Ond cyn y galler bod Seiat, rhaid bod profiad, a hwnnw'n brofiad eithriadol o

[1] Cynhafal, II, 486. [2] Cynhafal, II, 487.

wanu enaid.[1] Dechreua'r llyfr drwy ddisgrifio cyflwr Gwlad Cwsg, sef Cymru cyn y Diwygiad. Gwlad grefyddol yw Gwlad Cwsg, ac ynddi wasanaeth ac ordinhadau, a bywyd yno'n rheolaidd a di-stŵr, a dynion yn priodi a magu plant mewn heddwch; ond i Williams y bywyd tawel hwn yw'r drwg pennaf:—"Rhai wedi ymroddi i gnawd ac anlladrwydd, megys yn nyddiau Noah—gwreica, gwra, priodi, a rhoi mewn priodas, a mi fy hun yn mron digaloni". Ond ar haf y tawelwch hwn tyrr tymestl y cyffro crefyddol:—"Y fflam a ymaflodd yn ereill—fe ddihunodd pob rhai—yr ysbrydoedd mwyaf oer a difraw a ymaflasant ac a wresogasant—ymdrech ac ymorchestu a gwympodd ar bawb . . . dyblwyd gweddi, canu, canmawl, a bendithio heb neb yn blasu ar ddiwedd: rhai oedd yn awr yn wylo, rhai yn moli, rhai yn canu, rhai yn hyfryd nefol chwerthin, a phawb yn synu, yn caru, ac yn rhyfeddu gwaith yr Arglwydd . . . rhai oedd yn cael eu hargyhoeddi bob oedfa—un llangc oddiwrth gyfnewidiad ei gyfaill yn yfed argyhoeddiad—un chwaer oddiwrth chwaer arall—gŵr oddiwrth ei wraig, gwraig oddiwrth ei gŵr, a chariadau yn derbyn argyhoeddiad oddiwrth eu cariadau".

[1] Dangoswyd yn y bennod gyntaf fod hyn yn wir hefyd am farddoniaeth Williams. Un enghraifft o'r berthynas rhwng y Seiat a'i ganu.

Cynhyrfwyd rhai henafgwyr gan y cyffro hwn, ond yn arbenicaf yr ifainc:—"aneirif yw eu temtasiynau. . . . Ond chwi a ddeallwch rai ohonynt pan yr ystyrioch eu hoedran a'u hamgylchiadau—*sef cwmpeini o lanciau hoenus a gwrol, tyrfa o ferched yn eu grym a'u nwyfiant, dynion y rhan fwyaf ohonynt ag sy gan Satan le cryf i weithio ar eu serchiadau cnawdol*".

Er mwyn deall meddwl a barddoniaeth Williams o Bantycelyn, rhaid dal hyn yn gyson mewn cof: ei fod yn edrych ar y Diwygiad fel profiad llanc.[1] Yr oedd ganddo reswm neilltuol dros hynny. Profiad llanc oedd ei droedigaeth ei hun. Ychydig a wyddom ni am fanylion ei fywyd cyn 1738, ond y mae'n nodedig bod ei fryd pan oedd yn yr ysgol ar fynd yn feddyg, arwydd bod tuedd ynddo er yn ifanc i ymroi i waith dadansoddi cyflyrau corff a meddwl dyn. Yna, ac yntau'n gorffen ei addysg, yn wynebu ar y dyfodol ond heb benderfynu beth a wnelai, yng nghyflawnder ei lencyndod, yn yr adeg fwyaf dramatig yn hanes dyn, yn un ar hugain oed, fe glybu Howel Harris yn pregethu, a newidiwyd holl amcanion a dull ei fywyd. Y profiad hwnnw a'r profiadau a'i dilynodd yw deunydd y cwbl o'i farddoniaeth. Chwilio'r

[1] Trwy'r llyfr hwn llanc = *adolescent*; llencyndod = *adolescence*, yn yr ystyron technegol sydd i'r geiriau mewn eneideg. Cân am adolescent yw "Atgof, Stori *llanc* synhwyrus" Mr. Prosser Rhys.

profiad hwnnw, craffu ar ei effeithiau, datguddio cyflwr ei enaid cyn ei brofi, datgan yn fanylach fanylach ryfeddod y peth, ei olrhain yn ei holl droion, byw ynddo a'i adnewyddu mewn myfyrdod a thanbeidrwydd atgof, dwyn ei feddwl yn gyfan, ei ymwybod a'i ddiymwybod, i mewn i unoliaeth dangnefeddus y profiad hwn, dyna nod ei yrfa farddonol. A rhan o'i yrfa farddonol, rhan o'i fethod mewn barddoniaeth, yw'r Seiat.

Dwy brif elfen yn y method hwn yw cyffes a dadansoddiad eneidegol, neu ymchwil drefnus i gyflwr enaid, a'r rheini yw swydd arbennig y Seiat. "Society cyfaddef gwendidau a llygredigaethau ydyw hon," medd Theophilus yn ail bennod y llyfr, a'r ddau amcan blaen sydd iddi yw "cadw i fyny yr un gwres a bywyd ag y dechreuasom ynddo, ac [yn ail] dadrus amryw rwydau a maglau dirgel oedd Satan wedi eu gwau tuag at ddala'r credadyn syml ar ei dir ei hunan . . . ac yn yr achos hyn da yw i seintiau ddyfod yn nghyd i chwilio, i holi, ac i fynu adnabod natur y profedigaethau fo wedi dal gweiniaid." Nid oes dim yn hynotach yng ngwaith Pantycelyn na'i amgyffred o beryglon troedigaeth a phrofiadau duwiol. Yn hynny y mae'n debyg i'r Santes Teresa. Megis yr amheuai hithau ei llewygon ysbrydol a'i gweledigaethau, felly Williams ei brofiadau yntau :—

"Mae'r diafol yn ysbryd cyfrwys, fe ymrithia ei hun fel angel goleuni." Oblegid hynny, fel na lwyddid i 'ddallu'r etholedigion', yr oedd 'Chwilio a holi a mynnu adnabod' yn fuddiol. Er enghraifft, fe ddangosodd eneidegwyr diweddar fod melancoli yn un o briodoleddau llencyndod.[1] Deallodd Williams berygl hynny:—"Mae amryw saint ieuaingc yn tybied mai calon friw yw ysbryd melancoli, ac angen yw i dduwiolion i ymgynull yn nghyd i ddadrys Cristnogion gweinion o'r maglau hyn."

Offeryn gan hynny yw'r Seiat i gadw gwres y profiad cyntaf, ac i arwain gyrfa'r Cristion ar hyd llinell gyfeiriol ei droedigaeth. Meithrinodd hithau ei chelfyddyd ei hun mewn cyffes ac mewn holi. Ond yr oedd i gyffes gyhoeddus ei pheryglon, yn enwedig i rai'n syfrdan gan eu profiad cyntaf, fel 'plantos newydd ddyfod i brofi hyfryd bethau Duw'. Y mae amryw bethau ni ddylid eu cyffesu mewn Seiat. "Fe gyfeiliornodd rhai eglwysi trwy fynegu gormod o'u llygredigaethau, eu haflendid, eu trais, eu hanonestrwydd, eu hanniweirdeb," nes "gwneud ysgariaeth mewn teuluoedd, cynulleidfaoedd, a gwladwriaeth." Ni ddylid felly "ddodi pechodau rhai eraill allan gyda'u pechodau eu hunain, neu

[1] *Vide* J. W. Slaughter, *The Adolescent*, tud. 32. Am rybudd Teresa yn erbyn melancoli a'i dwyll, gweler Pourrat, *La Spiritualité Chrétienne*, III, 264. Rhoes Teresa bennod gyfan o'i llyfr ar *Sylfeini* i drin peryglon melancoli.

ddadguddio pethau am danynt eu hunain hefyd ag fyddai yn gywilydd byth iddynt hwy a'u plant." Serch hynny, fe wybu Williams fel y gŵyr pob eneidegydd, fod mynegi'r pethau hyn yn aml yn rheidrwydd er mwyn rhyddhau'r meddwl yn ei gyflwr syfrdan o'i ddrysni a'i gaethiwed. Heb hynny fe gollid yr ymdeimlad o 'faddeuant' sy'n sylfaen iechyd ysbryd.[1] Gorfu arno felly gyfaddef priodoldeb cyffes ddirgel; a hynny, fel yr awgrymodd, a fuasai datblygiad naturiol y Seiat, megis mai hynny fu datblygiad cyffes yr eglwys Gristnogol fore. Un o swyddi arbennig 'stiward' y Seiat oedd gwrando profiadau neilltuol a chynghori yn eu hachos:—"Mae offeiriaid eglwys Rhufain—ag sydd yn cael cwnsel yr holl bobl o'r brenin i'r ysgubwr simneuau—yn medru cadw dirgelion yr eglwys tra font byw yn y byd . . . llawer rhagor dyled y wir eglwys yw cadw yr hyn roir iddi i'w chadw. . . . Mae llawer o bethau gan ddynion duwiol i siarad a'u hathrawon yn neillduol, nas gallant eu mynegu ond wrth ryw un neillduol, a hwnw y cyfryw ag na cheir clywed gair o'i enau byth mwy am dano,

[1] "Canys un o'r dibenion mwyaf sydd i fod gan gredinwyr i adrodd eu profedigaethau, eu cystuddiau, a'u haml wendidau yw er mwyn cael nerth ragor yn eu herbyn." Op. Cit. II, 527. Gŵyr eneidegwyr meddygol (*psycho-therapists*) mai eu diffyg mawr hwy wrth drin llawer claf a ddelo atynt yw na allant roi 'maddeuant' iddo, ac am hynny mo'i iachau.

ond rhoi cyngor ac addysg, a thaer weddio ar Dduw am waredigaeth o'r unrhyw. Amryw feichiau trymion sydd ar ysgwyddau gwragedd yn berchen gwŷr annuwiol, nad allont fynegu o flaen y gymdeithas. Weithiau gwŷr priod tan feichiau trymion o ran eu gwragedd, ac yn byw mewn angen mawr o gynghorion ac addysgiadau nefol i ymddwyn atynt. Weithiau meibion dan demtasiynau poethion at wyryfon uwchlaw neu islaw eu gradd i'w priodi; a phrydiau ereill gwyryfon hwythau yn byw ar ochen-eidiau cariad heb neb i fynegu eu meddyliau na'u cynorthwyo i ddal eu baich. Yn y fath achosion, angen yw yn fynych osod y peth o flaen brawd ffyddlon, cywir, dystaw, ag a gymero ran o'r baich arno ei hun, ac a'i gosod o flaen gorseddfaingc y gras hyd onis teimlo y dyn gorthrymedig a adroddodd ei gwyn a'i archoll, esmwythad a llon-yddwch o'i flinder a'i brofedigaeth."

Ond yn ei ddosbarth ar y temtasiynau y dengys Williams yn arbennig ei athrylith eneidegol. A phriodol yw aros yma, ar gychwyn ein hefrydiaeth, i sylwi ar yr elfen hon yn ei waith a mawrygu ei phwys-iced. Yn naturiol, eneideg ei oes a geir ganddo, a dull meddygon ac athronwyr ei oes o ddosbarthu'r enaid yn nifer o 'rannau'. Traetha am 'ryw un o ranau yr enaid—y deall neu yr ewyllys, neu rhyw un o nwydau yr enaid', a dealler mai ystyr ddiragfarn a gwyddonol sydd i'r gair 'nwyd' yma, megis gan amlaf yn ei farddoniaeth. Wel, fe roes eneideg y syniadau hyn heibio. Nid ydys mwyach yn sôn am y deall na'r ewyllys na'r nwydau fel rhannau ar wahan yn y meddwl, ond yn hytrach fel agweddau gwahanol ar weithrediad y meddwl. Ac nid termau'r awdur yn unig a newidiwyd. Esbonia gwyddonwyr heddiw y ffeithiau a ddisgrifir ganddo yn wahanol. Ond y peth a erys o waith Williams gan brofi ei athrylith ryfedd, yw ei ddisgrifiad o'r ffeithiau. Cofiwn iddo feddwl unwaith am fynd yn feddyg. Diau bod ganddo'r ddawn. A'r hyn a wnaeth wedi ei droedigaeth oedd cysegru'r ddawn honno i wasanaeth eneidiau ac i wasanaeth ei awen. Ef oedd prif sefydlydd y Seiat, a chlinig enaid oedd y Seiat. Yn ei weithiau, y llyfr rhyddiaith hwn a'r emynau a *Theomemphus*, ceir y diagnosis manylaf a chywiraf o gyflyrau meddwl llanc dan brofiad troedigaeth ac ar ôl hynny, a welwyd erioed mewn llenyddiaeth. Ni wn ond am un llyfr tebyg iddynt, a hwnnw yw *Cyffesion* Awstin Sant, a rydd hanes troedigaeth o fath tra gwahanol. Cawn ddangos eto, pan astudiom *Theomemphus*, mai celfyddyd y Seiat, sef cyffes a dadansoddi profiadau gan y 'stiward', y Tad Alethius, yw canolbwynt y gân honno. A rhan o werth neilltuol *Drws y Society Profiad* yw ei fod yn esboniad anhepgor ar brif waith Pantycelyn.

Gwelir craffter eneidegol y bardd yn arbennig yn ei ymdriniaeth â themtasiynau. Gellir eu rhannu'n ddau ddosbarth, y rhai y dylid eu cyffesu a'r rhai nis dylid: "Mae gwahaniaeth rhwng profedigaethau ar y meddwl a meddwl gwibiog; mae'r gynta' yn dyfod gyda grym ac awdurdod parhaus ar ryw un o ranau yr enaid . . . a hyn oll yn para gyda grym ar yr ysbryd tros gryn ronyn o amser . . . y cyfryw ag fo yn cael effaith lawn ar yr enaid . . . yn glynu yn barhaus ar y serchiadau." Dyna'r profedigaethau peryglus, y dylid eu cyffesu a'u chwilio fel na fagler yr enaid trwy 'anadnabyddiaeth y chwant', gelyn pennaf y Seiat. Yr enghraifft safonol o brofedigaeth o'r math hwnnw yw cariad Theomemphus at Philomela. Yna disgrifir y profedigaethau atgas, ond nad yw'n wiw eu cyffesu namyn i Dduw neu i gynghorwr doeth. Yn y seithfed dialog rhennir y rhain yn dri dosbarth, ond un yw eu hansawdd eneidegol:—"Nid oes gan natur nemawr neu ddim llaw yn y rhai'n . . . Y rhai'n sydd fel mellten yn taro i mewn i 'stafell yn peri dychryn i bawb, ond nid yn y 'stafell yr oedd y natur ohoni. . . . Meddyliau gwibiog, crwydredig ag sydd yn rhedeg i mewn fel afon lifeiriol i'n hysbrydoedd . . . pa dorfeydd ohonynt sydd yn ddisylwedd . . . rhai o ofn, rhai o hyder cnawdol, rhai o garu, rhai o gasau, rhai o alar, rhai o ddymuno rhyw bethau, rhai o ffieiddio pethau eraill, a thorfeydd aneirif yn cynwys awydd at y byd neu anfoddlonrwydd ynddo. . . . Nid da adrodd pob temtasiwn wyllt a ddelo i gynhyrfu ein nwydau pan na bo hi o hir barhad nag o dderbyniad ewyllysgar . . . meddwl-gwibiog nid yw ond peth sy'n nofio ar yr wyneb ac yn cyfnewid o un peth i'r llall mewn mynyd."

Nac anghofiwn newyddwch y disgrifiadau hyn. Yn y llenyddiaethau Protestannaidd dyma'r ymgais gyntaf i roi dosbarth ar brofedigaethau'r meddwl a'u darlunio'n fanwl. Mewn eneideg y bu diwinyddiaeth Brotestannaidd bob amser yn wan, a dyna lle y mae cryfder eithriadol Williams. Bid sicr, yr oedd iddo un anfantais, sef diffyg termau. Collasid termau'r hen ddiwinyddion, ac nid oedd termau'r gwyddonwyr modern eto mewn bod. Ond goresgyn ei athrylith yr anfantais, canys o ddiffyg termau pendant fe ddewisodd gymariaethau a throsiadau, a throi traethawd gwyddonol yn ddarn o lenyddiaeth. Byddai'n dda gan Freud ei hun am gymhariaeth oleulon y fellten mewn ystafell.

Craffer hefyd ar gywirdeb y disgrifiad. Yma fe ddarluniodd Williams gyflwr meddwl a gafodd gryn sylw gan eneidegwyr diweddar. Profedigaethau, ebr ef, yw'r rhai hyn "nad oes gan *natur* ddim llaw ynddynt . . . nid ydynt o dderbyniad ewyllysgar", ond deuant yn sydyn i'r ymwybod gan "gynhyrfu y nwydau". Satan yw eu hawdur.[1] Gwelir felly fod yn cydnabod yma wahaniaeth rhwng y 'natur ewyllysiol' a'r 'cynyrfiadau nwydus' nad oes gan y dyn ddim llywodraeth arnynt, ond sy'n ei flino. Cydnabyddir heddiw yr un ddeuoliaeth ynghyd â gwirionedd y disgrifiad. Nid oes anghytundeb ond mewn termau ac esbonio achos y temtasiynau. Yn iaith y gwyddonwyr, fe lwyddodd y Cristion yn ei droedigaeth i glymu egnïon neu ddyheadau'i natur wrth ddelfryd teilwng a boddhaus. Y clymu hwnnw yw llywodraeth y dyn arno'i hunan, a rhoir iddo'n enw yr hunan disgybledig. Term llai trwsgl fydd 'y cymeriad'.[2] Pan fo'r cymeriad yn ymegnio

[1] Felly defnyddia Williams 'Satan' lle y dywed gwyddonwyr heddiw 'y diymwybod'. Teg yw sylwi bod o safbwynt gwyddoniaeth bur lawn cystal profion o fodolaeth 'Satan' ag y sydd o fodolaeth y 'diymwybod'. Damcaniaeth yw'r ddau syniad, a thrwy ffydd yn unig y derbynnir hwynt.

[2] Ystyr wreiddiol *cymeriad* yw cymryd neu dderbyn. Ffurfir yr hunan disgybledig drwy *gymryd* delfryd yn nod bywyd. Felly addas ddigon yw'r gair 'cymeriad' fel term technegol i ddisgrifio'r peth. Diau bod yr ystyr yma'n ddieithr, a gall fod yn anodd i rai am amser, ond gwir hynny am holl dermau gwyddoniaeth. Credaf, wedi yr arferir ag ef, y bydd yn ddefnyddiol. Wrth gwrs, ceidw mewn siarad ac mewn sgrifennu ei hen ystyron; yn unig rhoir iddo'r ystyr neilltuol hon mewn eneideg.

tuag at ei ddelfryd—yng ngeiriau Paul, yn estyn at y nod—gelwir yr egni hwnnw yn ewyllys. Enw felly yw ewyllys ar y cymeriad yn gweithredu. Ond, oni pherffeithier dyn yn gwbl, bydd ganddo chwantau na lwyddodd ef ddim i'w dwyn dan lywodraeth y cymeriad, na'u clymu wrth ei ddelfryd. Cais yntau eu dinistrio, ac yna, am nas medr, eu hanghofio; canys yn dra aml moddion i gael gwared ar bethau diflas yw anghofio. Felly fe wthir y chwantau hyn o'r ymwybod i'r diymwybod, canys hynny a ddigwydd mewn anghofio. Galwaf y chwantau hyn a gedwir allan o'r ymwybod yn 'atalnwydau.'[1] Ond weithiau yn annisgwyl ac yn flin, cyffroir yr atalnwydau hyn neu ryw un ohonynt, a fflachio i'r ymwybod â nerth ac â sydynrwydd, a dyna yw temtasiwn—" temtasiwn danllyd a ddaeth fel *hurrican* o gyffiniau uffern," medd Williams; gellir gweld yn awr mor

[1] Atalnwyd = (S.) *Complex*. " Modern psychology, on its pathological side, has been interested in other cases of apparent irruptions into consciousness of material which seems to have no continuity with what has previously been in the mind, and therefore appears to come into the mind from outside. These are commonly explained as due to the influence on consciousness of instincts or of sentiments which have been repressed from the conscious mind, and have become unconscious. These unconscious mental dispositions are now commonly called *complexes*." Thouless, *Introduction to the Psychology of Religion*, p. 188. Gwelir felly weddusrwydd yr enw atalnwyd. Yn aml fe ddefnyddia Williams y gair *nwyd* ei hun yn gyfystyr a *complex*, ond nid yw'n ddigon pendant fel term gwyddonol, heb ychwanegu mai nwyd ataliedig ydyw. Defnyddiaf ' nwyd ' i olygu ' *impulse* ', gan mai felly y defnyddia Williams ef amlaf.

gymwys ac athrylithlon yw cymhariaeth "y fellten yn taro i mewn i 'stafell yn peri dychryn i bawb, ond nid yn y 'stafell yr oedd y natur ohoni." Y stafell yw'r ymwybod. Sonia Williams yn aml yn ei farddoniaeth am rym y nwydau pan ddelont i'r ymwybod wedi dianc rhag yr ateiliad.[1] Deallodd yntau, mor bendant â neb o'r gwyddonwyr, aneffeithioled yw'r ewyllys i ddifodi'r rhain na'u rhwystro rhag eu mynegi eu hunain. Ymddangosant iddo weithiau fel 'ewyllys arall', a chyn gryfed â phe baent yn ei gymeriad:—

> " Fy ewyllys i yw mynd ymhell,"

a thrachefn:—

> " Mi dueddais gant o weithiau
> O ochr fy ngelynion cas,
> Gwell oedd genni' golli'r frwydr
> Nag oedd genni' gario'r maes;
> O fy anfodd
> De'st a'm beiau tan fy nhraed "[2]

Ceir sylwi eto ar le'r emyn hwn yn nhwf ei feddwl. Craffwn yma'n unig ar

[1] Ateiliad = (S.) *Censor*, term a ddefnyddir yn helaeth gan Freud a'i ysgol.

[2] Yn argraffiad 1811 o'r hymnau ceir hefyd :—

> " Mi wrth'nebais bur ragluniaeth
> Oedd yn dodi 'm traed yn rhydd ;
> Gwell oedd genni' gadw 'mhechod,
> *Pa mor felus bara cudd ;*
> O fy anfodd, etc."

Y mae'r pennill hwn hefyd yn dra gwerthfawr gan mor dreiddgar a chywir ydyw, yn arbennig y bedwaredd linell.

gywirdeb a threiddgarwch rhyfedd y disgrifiad eneidegol.

Ond yn *Nrws y Society Profiad* nid y temtasiynau hyn a gaiff y prif le. Yn wir ni ddylid, meddir, eu cyffesu yn y Seiat, a dengys Williams ei fawr ddoethineb meddygol yn ei oddefgarwch wrth eu trin:—" Ond am ryw gwympiadau disymwth, na bo gan gredadyn un meddwl blaenllaw am danynt, ond syrthio iddynt o nerth temtasiwn danllyd a ddaeth fel *hurrican* o gyffiniau uffern, neu fel llifeiriant diarwybod o [=oddiwrth] fynyddau cig a gwaed, ni ddylid taflu allan yn frwd y cyfryw rai." Yn ei ddiwinyddiaeth, ei syniadau athronyddol, derbyniai Williams Galfiniaeth yn llawn. Y mae ei eneideg, ffrwyth ei brofiad a'i feddwl ei hun, yn gwbl anghalfinaidd. Ni welodd ef erioed yr anghysondeb.

Problem y Seiat yw amhurdeb yn y cymeriad, y pechodau a ddaw "gyda grym ac awdurdod parhaus, ac yn glynu yn barhaus ar y serchiadau". Ni ddichon cyffes yn unig ddinoethi'r rhain, oblegid eu cymhlethu â'r cymeriad, a rhaid i'r dyn wrth gyfarwyddyd y tu allan iddo'i hun. Rhan o gelfyddyd stiward y Seiat yw 'holi, chwilio, a mynnu adnabod' y rhai hyn:—

" Pa beth fydd swydd y stiwardiaid hyn? Mi debygwn y dylai eu dawn fod yn helaeth iawn—eu profiad, eu doethineb, eu pwyll, a'u harafwch yn rhagori ar bawb arall o'r society; ac yn enwedig yn meddu llygaid clir i adnabod tymherau, nwydau, profedigaethau, a thueddiadau penaf pob oedran a graddau o aelodau'r gymdeithas. Mae'n gofyn iddynt, ar ol fy meddwl i, i gael ysbryd tad, brawd, mam, a mamaeth, i fod yn greulon wrth rai, a'u tynu fel tewynion allan o'r tân; ac yn dynerach wrth ereill."

Disgrifir wedyn gymwysterau'r stiward a'i beryglon. Ei beryglon mwyaf yw annhegwch ac ofni wynebau dynion a chyfeillgarwch, dangos rhai tlawd yn waeth nag ydynt a chuddio pechodau'r cefnog, derbyn anrhegion gan aelodau ac yna peidio â'u holi'n gywir. Fe â'r awdur cyn belled â dweud mai'r stiward dieithr na bo'n adnabod dim o amgylchiadau'r aelodau yw'r holwr goreu. Y mae'n amlwg drwy'r rhan hon o'r llyfr i Williams ei hun weld y Seiat erbyn 1771 yn dirywio, a dull y gyffes gyhoeddus yn ben-agored i lygriadau. Mewn llenyddiaeth Gymraeg rhoes pin athrylith inni ddau ddarlun o'r stiward, un yn ei berffeithrwydd, y Doctor Alethius yn *Theomemphus*, a'r llall wedi iddo syrthio'n 'flaenor' ond cyn colli ohono bob tebygrwydd i'r patrwm, a hwnnw yw Abel Huws, a ddarluniodd Daniel Owen yn *Rhys Lewis*. Gwelir oddiwrth a godwyd eisioes mai treiddgarwch eneidegol yw prif ddawn y stiward. Eglurir hyn yn llawnach:

"Gwir yw, dawn neillduol yw holi nad oes ond un o gant yn berchen arno; mae'r pethau canlynol ynddo: Yn gyntaf, gofyn cwestiynau ag fo yn perthyn i gyflwr yr hwn fyddo yn cael ei holi . . . deall cyflwr y dyn a holir wrth yr ychydig atebion a gafodd o'i enau. . . . mae holiedydd da yn canfod pa bechod sydd yn cadw yr hwn a holir yn ol oddiwrth Dduw; fe fedr y cyfryw chwilio allan walau tywyll lle mae Satan a phechod, cnawd a chwant y byd a'i eilunod yn llechu ynddynt, fel y medr pysgotwr i adnabod pa le y mae y pysgod, a'r gwaddotwr lwybrau y gwaddod, a'r ffowler leoedd y petris; felly medr holiedydd cyfarwydd i adnabod yr achosion o bob cwymp, adnabod dirgel ffyrdd temtasiynau y byd a'r cnawd, gwybod am holl droion natur, gwahaniaethu rhwng awelon gras ac awelon natur, gwir edifeirwch ac oriau o dristwch y byd hwn, neu ffits o felancoli. . . ."[1]

Gellir derbyn y darlun hwn o ddawn y stiward yn ddisgrifiad hapus o athrylith Williams ei hun. Wele ei faes llenyddol ef, sef 'dirgel ffyrdd temtasiynau y byd a'r cnawd a holl droion natur'. Ef oedd y Cymro cyntaf i fynd i'r maes disathr hwn, a ffrwyth ei ddarganfyddiadau yw ei weithiau. Oni buasai iddo gyfyngu ei ddiddordeb yn fwyaf i'w brofiadau'i hun, gellid disgwyl i'r llwybr a gymerth ei arwain

[1] Yn ei bwyslais ar bwysigrwydd stiward i'r enaid duwiol, y mae Williams yn debyg i'r cyfrinwyr Sbaenig, y Santes Teresa a'r Sant Ieuan y Groes. Gadawodd Ieuan y Groes bymtheg rheol i gyfarwyddwyr enaid, a dywedai :—" Nid i'r cyntaf a ddelo y perthyn cyfarwyddo enaid, canys y mae barnu'n gywir neu fethu mewn mater o fath hwn, yn bethau o'r pwysigrwydd mwyaf." Pourrat, *Spiritualité Chrétienne*, III, 278.

i sgrifennu drama neu nofel. Tybiodd yntau hynny, canys yn ei ragymadrodd i *Theomemphus*, geilw'r gân honno yn 'brydyddiaeth dramatig', ac mewn llyfr rhyddiaith o'i eiddo, sef *Hanes Bywyd a Marwolaeth Tri Wyr o Sodom a'r Aipht* (1768) ceir yr ymgais gyntaf i greu nofel mewn Cymraeg.[1] Canys disgrifiad o gymeriad neu o gymeriadau yw hanfod nofel, a dyna a geir yn y *Tri Wyr o Sodom*. Am y portread o Avaritius yn arbennig, oblegid ei gymhlethdod a'r dull y dangosir un pechod yn llywodraethu ar holl weithredoedd dyn ac ar ei amgylchiadau, ac megis cancr yn gwthio'i wreiddiau i bob cornel o'i fyd a'i gymdeithas nes llygru'r cwbl, fe haedda'r darlun, er byrred yw, ei gymharu â'r llun mawr a dynnodd Molière o'r un gwrthrych yn ei ddrama enwog *Y Cybydd*.

Ond i'r efrydydd o waith Pantycelyn prif werth y llyfrau rhyddiaith yw eu bod yn oleuni ar ei farddoniaeth, a hynny oherwydd yr ymgais sydd ynddynt i roi dosbarth gwyddonol a chwbl fanwl ar gyflyrau profiad. Gwelsom hynny eisioes ynglŷn â'r temtasiynau. Ceir enghraifft arall yn y *Tri Wyr o Sodom*, lle y disgrifir dull Fidelius o "ranu ei brofiadau

[1] Y mae ei waith arall, *Crocodil Afon yr Aipht*, hefyd yn bwysig yn hanes y nofel. Effaith Bunyan sydd amlycaf ar y ddau lyfr. Gweler hefyd dudalen 159.

tumewnol i bedwar math"—rhaniad a fydd o gymorth sylweddol i astudio hymnau diweddaraf Pantycelyn. A thrwy'r rhaniad hwnnw y cysylltir *Tri Wyr o Sodom* â hanes y stiward yn *Nrws y Society Profiad.* Canys y trydydd math o brofiad a gafodd Fidelius oedd "goleuni rhyfedd oedd efe yn ei gael rai prydiau nid yn unig yn ei galon ei hun, i'w hadnabod hi yn well, ond hefyd yn yr ysgrythyrau, ac o galonnau rhai eraill, i adnabod dyben ysbrydoedd dynion, ac i'w chwilio hwynt yn well nag y gallent eu chwilio hwynt eu hunain. . . . Mi clywais ef yn cael cymaint goleuni i ddweyd am ei gyflwr ei hun, ac i holi ereill am eu cyflyrau, fel y credodd amryw yn ddiamheuol fod cyflawnder o Dduw gydag ef".

Dyma eto un o syniadau sylfaenol Pantycelyn: bod cynnydd mewn duwioldeb yn gynnydd yng ngallu dyn i ddadansoddi ei brofiad ei hun ac yn gynnydd mewn craffter eneideg. Fe'i gwelir hefyd yn *Nrws y Society Profiad* ym mhlith y cwestiynau y dylid eu gofyn i aelodau addfed:—"Wrth holi eu hunain yn fanwl, a ydynt yn cynyddu mewn gras ac yn nês i'r nefoedd nag yr oeddent ar y cyntaf? A ydynt yn chwilio eu dybenion yn mhob dim a gymmeront mewn llaw." Daw'r un syniad yn amlwg yn *Theomemphus*, a theifl oleuni llachar ar unoliaeth bywyd a gwaith Pantycelyn. Un amcan oedd ganddo mewn Seiat ac emyn, sef chwilio'i galon ei hun, darganfod ei chyfrinion, eu mynegi a'u meddiannu. Ymholiad[1] yw nod amgen y bywyd Cristnogol: *cette passion chrétienne de l'examen de conscience,* fel y dywed y nofelydd Cristnogol gan François Mauriac. Yn y ganrif ddiwethaf aeth Cymru i ofni ymholiad, i ofni'r gwir am natur dyn. Trowyd testunau llên yn haniaethol. Nid oes mwy sôn am gnawd a nwyd a rhyw. Dyna'r Biwritaniaeth yr ymosodwyd arni gan feirniaid ifainc ein hoes ni. Eithr nid Piwritan mo Williams. Nid ofnodd ef ddweud y gwir cyfan am gnawdolrwydd dyn. Ni ddychrynodd rhag unrhyw ddarganfyddiad. O mynn neb wybod pa fath un yw dyn, darllened lyfrau Pantycelyn.

[1] Ymholiad = (S.) *Introspection* yn ystyr fanwl y gair mewn eneideg.

## III

# FFORDD Y PURO: 1744–1762.

SEISNIG oedd pob addysg uwchraddol yng Nghymru'r ddeunawfed ganrif, yn academïau'r Ymneilltuwyr yn gystal ag yn yr ysgolion gramadegol. Addysg Seisnig a gafodd Williams Pantycelyn yn y Llwyn Llwyd. Saesneg oedd cyfrwng diwylliant iddo, a thrwy'r iaith honno y dysgodd Ladin a Groeg. Canys addysg ramadegol, hynny yw, clasurol, a gafodd. Y mae'n anodd gwybod pa nifer o lyfrau Cymraeg a ddarllenodd erioed. Y rhai hyn yn sicr: *Cannwyll y Cymry, Bardd Cwsc,*[1] *Drych y Prif Oesoedd,* cyfieithiadau Cymraeg o Bunyan ac o'r Beibl, llawer o lyfrau crefyddol ei ganrif a'r ganrif o'i blaen, carolau a baledau a phenillion telyn.

[1] Dengys y "Llythyr wedi ei ddychmygu o fyd yr ysbrydoedd at ei wraig a'i ferched" ar ddiwedd *Marwnad William Read* (Cynhafal I, 470) effeithiau eglur y *Bardd Cwsc.* Ond dengys hefyd y gwyddai Williams am y dull o sgrifennu llythyrau oddiwrth y meirw at y byw a fuasai'n boblogaidd yn Lloegr ym mlynyddoedd cyntaf y 18fed ganrif. Gweler *School of Welsh Augustans,* 34–35.

Gwyddai am gynghanedd, a meddai mewn un pennill:—

> " Caned y byd
> Ganiadau o gyd gynghanedd,"

ond y tebyg yw na ddarllenodd ef na barddoniaeth na rhyddiaith Gymraeg o'r cyfnodau cyn y Ficer Pritchard. Nid oedd ganddo felly ddiwylliant Cymreig, ac ni ddysgodd barch at draddodiadau'r iaith. Sgrifennai Gymraeg cywir ar brydiau, ond yn gwbl anwastad. Nid oedd yn feistr diogel ar Gymraeg llenyddol, ac anaml y ceir ganddo emyn nad oes ynddo wallau cystrawen.

Nid felly ei Saesneg. Sgrifennai Saesneg llenyddol ei oes, a dengys ei ganeuon yn yr iaith honno iddo'i drwytho'i hun ym marddoniaeth Loegr yn ei ganrif. Cymerer yn enghraifft y dernyn a ganlyn o'r *Elegy on the Rev. G. Whitfield*:—

> " Assist, O Muse! and let my soul repair
> From scenes of mourning and of sad despair,
> From dark retreats, where willing I have stray'd,
> Till dreadful woes have all my soul dismay'd,
> To real faith, and hope which shall allay
> My pensive grief, and turn my night to day."

Dengys aml frawddeg yma, megis *sad despair, pensive grief, dark retreats*, a berfau nodweddiadol y ddeunawfed ganrif, *assist, repair, allay*, fod eu hawdur yn hyddysg ym meirdd y cyfnod rhwng Milton a

Cowper. Bradycha pob llinell Saesneg a sgrifennodd ei ddiwylliant a'i oes. Cadarnheir hynny gan ei gynghorion i emynwyr yn *Ffarwel Weledig*:—"Darllen yn Saesneg, os nad allant mewn ieithoedd ereill [ond nid yn Gymraeg, sylwer] bob llyfrau o brydyddiaeth addas a allont gyrhaedd, er mwyn helaethu eu deall i adnabod prydyddiaeth—pa le y mae ei thegwch hi yn gorphwys, at ba ddyben y mae, a'r amryw reolau sydd yn perthyn iddi." Dacw acen Seisnig ei ganrif yn y sôn am reolau, a daw brawddeg ar lyfrau barddonol y Beibl:—"y rhai sydd yn llawn o ehediadau prydyddiaeth, troell-ymadroddion, amrywioldeb, esmwythder iaith, a chyffelybiaethau bywiog,"—i awgrymu ddarllen o'r awdur draethodau beirniadol John Dennis, a'i fod yn rhugl yn nhermau beirniadaeth Saesneg ei gyfnod. Yn ei lyfrgell yr oedd ganddo "gannoedd o lyfrau,"[1] yn eu plith "lyfrau Dr. Goodwin, Dr. Owen, Hervey, Usher, a'r hen ddiwygwyr enwog,"—Saesneg bron i gyd. Fel y disgwyliem gan un a ddarllenodd John Dennis, edmygai ac efelychai waith John Milton. Gwelir effaith hynny'n eglur ar *Olwg ar Deyrnas Crist* ac ar *Theomemphus*; ac yn 1762 cyhoeddodd Williams y gerdd ddi-odl gyntaf a brintiwyd mewn Cymraeg,

[1] Cynhafal I, 28–30: llythyr W. W. at Thomas Charles Ionawr 1, 1791.

"cân benrydd" y geilw ef hi. Wrth gwrs, nid mesur Seisnig yn arbennig yw'r mesur di-odl, a chydnebydd Milton ei hun ei ddyled i feirdd yr Eidal am y patrwm. Ond fe brawf rhagymadrodd Williams i'w gân mai o'r Saesneg ac oddiwrth Milton y benthyciodd:—"Am y Gân Benrydd, yr hon a eilw y Saeson yn *blank verse*, mae hi yn rhoi cenad i'r prydydd arferyd ei holl ddoniau, ei ddychymygion, ei droell-ymadroddion, ei ehediadau . . .lle mae cymaint o gaethiwed gyda'r llall trwy amryw glymu geiriau o'r un swn, a hyn mewn iaith nad oes fawr iawn i gael ynddi o eiriau; ac sydd yn peri fod y bardd yn rhwym draed a dwylaw." A ddarllenodd ragair Milton i *Paradise Lost*, lle y sonnir am *vexation, hindrance and restraint* odlau, fe wêl o ble y cymerth Pantycelyn ei syniad. Ond y peth pwysig yng nghân ddiodl Williams yw rhwyddineb ei chelfyddyd. Lle y bu beirdd ei oes ac ar ôl ei oes, a geisiai ganu ar y mesur hwn, yn drwsgl ac yn fethiant, oblegid ei annhebyced i hen arfer barddoniaeth Gymraeg, y mae ef yn feistr esmwyth:—

"Caf yno weld Ouranus, nefol ddyn,
Fu'n rhodio'n hir trwy'r dyrys anial maith,
Yn cael ei ladd trwy gydol faith y dydd,
Ac yn dyoddef oll, heb rwgnach dim,
Yn wirion fel yr oen, heb roddi dant
Am ddant i neb; ond achwyn arno ei hun;

Na blino dim am groesau'r byd a'i wae,
Ond edrych ar y goron, draw i'r bedd,
A llawenhau yn fynych wrtho ei hun
Wrth weld ei olaf ddydd yn agoshau."

Gan unrhyw fardd oddieithr Williams byddai'r paragraff hwn yn y ddeunawfed ganrif yn wyrth anhygoel o gelfyddyd. Iddo ef yr oedd yn hawdd, a dyna'r praw terfynol mai Seisnig oedd ei ddiwylliant. Canys aeth miwsig a rhythmau canu Saesneg mor gynefin iddo ag y gallai eu trosglwyddo'n ddidramgwydd i Gymraeg. Sylwer hefyd, ac yntau'n canu ar fesur Milton a than ei effaith, fod ei iaith yn gywirach nag arfer ac yn burach. Clywir dywedyd yn aml i Bantycelyn ymryddhau o lyffetheiriau'r gynghanedd ar farddoniaeth Gymraeg. Ni all neb ymryddhau oni bo'n gyntaf yn gaeth, ac ni wybu Williams nemor ddim am swyn mesurau cerdd dafod. Ac eto, ac wedi'r cwbl, mewn Cymraeg, er mor anwastad, y mae ef yn fardd. Cyfansoddodd ganeuon Saesneg lawer, ond er eu cywired ni chlywir mo'i enw gan haneswyr llên Loegr. Onid oes yn hynny awgrym na fedr addysg mewn iaith heb etifeddiaeth ynddi fawr ddim i godi bardd?

Efallai mai'r ffaith mai Seisnig fuasai addysg Williams a gyfrifai am mor araf y datblygodd ei gelfyddyd Gymraeg. Dechreuwyd cyhoeddi ei hymnau cyntaf yn 1744, a chasglwyd y rhannau yn un llyfr bum mlynedd wedyn. Ond yn *Aleluia* 1749 ni cheir mwy nag addewid o'i ddull addfed. Mewn llinell fel hon rhydd awgrym o'i allu i ddewis yr ansoddair iawn:—

> " Ei hyfryd wen a'i gusan gwâr,"

ac ym meiddgarwch ambell drosiad, gellir adnabod dechrau ei briod ddawn:

> " Pa le mae'r Iesu, 'r hwn a fu
> Yn meddwi 'gleddyf â'ch gwaed chwi?'

Dengys y newid rhythm hefyd yn y drydedd linell o'r pennill a ganlyn, a'r dull y rhoir un gair i lenwi ban, fod yma fardd a ddeallai gelfyddyd y mesurau rhyddion yn well na neb Cymro arall, oddieithr Ann Griffiths, am ganrif a mwy ar ei ôl:—

> " Gwasgara weddill pechod câs;
> Sêl fi â'th ras yn drigfan
> Berffaith, | hardd, | yn demel wiw,
> Adeilad Duw ei hunan."

Nid mympwy yw'r newid rhythm yma. Ei effaith yw arafu'r rhediad, er mwyn dangos y gwahaniaeth rhwng y llinell lonydd, ddisgrifiadol hon, a'r cwpled o'i blaen lle y ceir gweithgarwch a berfau. Ac eto yn y pennill hwn:—

> " Byth cofiaf mwy y lle a'r man
> Dylifod gwin i'm henaid gwan
> Yn ffrwd ddidrai o'r nefoedd draw
> Nes gwella'm briw a dofi'm braw,"

—yn y dull y clymir y syniad a'r ffrâm mewn unoliaeth, fel y gellir credu mai'r meddwl a benderfynodd y ffurf, ac nid y ffurf a estynnodd y meddwl i'w llenwi, ceir trem ar arddull y meistr sydd i fod. Ac ym mhob un o'r llinellau hyn y mae olion celfyddyd y penillion telyn, sef cynganeddu'r geiriau y gorffwys y llais arnynt: mwy-man, gwin-gwan, drai-draw, briw-braw.

Ond addewid, nid cyflawni, sydd yn *Aleluia* 1749. Prin ynddo yw'r penillion a ddywed ddim fel nas dywedir ddwywaith, a phrinnach yw'r emyn cyfan campus. Ni cheir ynddo fesurau hoffaf Pantycelyn ac ni ffurfiwyd mo'i arddull eto. Rhaid cydnabod hefyd nid yn unig ei fethiannau, ond ei feiau yn erbyn gweddusrwydd, beiau a barhaodd drwy holl waith y bardd ond sy'n noethaf yn y llyfr hwn. Ceir rhagflas o ddiffygion *Golwg ar Deyrnas Crist* yn y llinell daeogaidd:—

"Mae genom dwrnai gyda Duw."

ac o sentimentaleiddiwch Williams, ei fynych sôn am ei enaid bach a'i galon fach a'i dosturi afiach-ferchetaidd wrtho'i hun, ym mysg enghreifftiau lawer dyma un o'r gwrthunaf:—

"Pam ceraist fi, d'wed, un o fil,
O ganol hil llygredig,

Wrth natur f'aeth fy ngwell heb lai
I blith y rhai damnedig.
O safan drist Gehenna gaeth
Fy ngwared wnaeth yr Arglwydd;
Fy enaid bach am hyn bob tro
Gaiff lamu o lawenydd."

Ni raid sôn mwy am y diflastod hwn. Diau y gellid dethol swrn o benillion gan Williams a friwiai galon ac a dramgwyddai chwaeth pob llednais a bonheddig. Ni ddylid cuddio hynny na'i wadu. Ond bellach gellir mynd heibio iddo, oblegid mewn cymaint corff o farddoniaeth y mae'r pethau mawrfrydig yn ddigon amlach.

Y syniad sylfaenol yn *Aleluia*, y syniad a lywodraethodd ar feddwl Williams ar hyd blynyddoedd cyntaf ei ganu, gan uno holl waith y cyfnod dan un ffigur, a throi casgliad o emynau yn gyfanwaith, yw'r syniad am fywyd y Cristion yn bererindod drwy anialwch y byd o gaethiwed i gartref. Afraid dywedyd nad John Bunyan a greodd y symbol hwn o fywyd crefyddol; ond ei waith ef, a *Thaith y Pererin* yn anad dim, a'i stampiodd ar ddychymyg Cymru ac ar fyfyrdod Williams. Yn nhermau Bunyan y meddyliai'r bardd drwy'r cyfnod ar ôl ei droedigaeth, ac ynddynt y darluniai ei brofiad:—

"Pererin wyf, fy Nuw,
Sy'n mynd trwy nerth dy ras
I Salem bur i fyw
O Ddinas Distryw 'maes."

Dyna fater holl emynau *Aleluia*. Ychydig sydd o hymnau yn y llyfr heb gynnwys y ffigur o daith. Teithio, rhodio, mynd, nofio, dyfod, landio, ymadael, dyna'r berfau a geir mewn emyn ar ôl emyn, a'r ansoddeiriau cymwys i bererin, megis lluddedig, blin, llaith, gwael, ofnus, hiraethus. Y nefoedd yw nod y pererin saith ar hugain oed hwn, y nefoedd y profodd ef unwaith ei flas ar y ddaear:—

" Er mynd yn awr tan gwmwl du,
Yn ffaelu gweld fy nghartre fry,
Cof genni'r pryd, y man, a'r lle
Ce's eglur olwg draw i dre.

Er bod yn awr a'm henaid cu
Fel un ar daith mewn Gaia du,
Mi welais Haf a melys hin,
'N lle gofid gwae ce's yfed gwin."

A byth er profi hynny:—

" Ymdeithydd wi'n y byd
Fel rhai o'm tadau gynt,
Sy'n morio lawer pryd
Yn erbyn glaw a gwynt:
Mae ngolwg wiw tua'r hyfryd wlad
Lle mae fy Nhad a'm ffrinds yn byw.

Pan byddo hi yn awyr glir,
Rwi'n gweld trwy ddrych di-frêg
Rai mannau o Salem dir
A'm hetifeddiaeth deg;
A'r olwg hon trwy gwrs fy nhaith
Ddoed f'enaid llaith i fynd yn llon."

Ystyr hyn oll mewn rhyddiaith yw iddo unwaith, yn ei droedigaeth, brofi'r fath heddwch ag a'i diddyfnodd oddiwrth bleserau cyffredin a throi ei fywyd yn ymgais i adennill a chadw'r profiad cyntaf. Wedi gyrfa o buredigaeth ac ymgyflwyniad i'r delfryd a'i cynhyrfodd credai y deuai'r heddwch hwnnw'n eiddo gwastadol iddo y tu draw i angau, a dyna a fyddai ei 'Nefoedd'. Yn y bywyd hwn ei unig gysur oedd cofio'r rhagflas cyntaf, oddieithr weithiau—"Pan byddo hi yn awyr glir"—fe gâi eto fyrbrofi'r un heddwch, a'r byr brofiadau hynny a'i nerthai drwy aeaf ei oes. A'r profiad hwn o droedigaeth sy'n esbonio tymer *Aleluia*. Ymddengys i hyder a sicrwydd yr emynau beri tramgwydd i rai darllenwyr, canys dywed Williams ei hun amdanynt yn 1764:—"Mae llawer o'r rhai cyntaf yn ffaelu cael eu canu gan rai oherwydd y llawn sicrwydd ffydd sydd ynddynt am fywyd tragwyddol." Nid arwydd addfedrwydd yw'r sicrwydd hwn. Un o nodweddion amlycaf troedigaethau llanc yw'r duedd i ddisgrifio profiadau cynnar mewn termau a fyddai'n gymhwysach i radd uchel o santeiddrwydd. Hynny sy'n aml yn hymnau cyntaf Pantycelyn:—

"Mae rhai'n fy nghymryd fel rhyw sant."

Ond o gymharu *Aleluia* â *Ffarwel Weledig*, hawdd yw canfod yn y llyfr diweddarach ddyfnder cynnwys a phrofiad y mae'r casgliad bore yn gwbl amddifad ohono. Sicrwydd di-gynnwys *Aleluia* a'i anaddfedrwydd yw'r achos bod ei fiwsig yn denau, ei rythmau a'i arddull yn llwm, a'r effaith ar a'i darlleno dipyn yn arw.

Yn y blynyddoedd 1749–1756 fe ymroes Williams i gywiro'r diffyg hwn ar ei waith bore. Y canlyniad oedd gasgliad newydd o hymnau, *Hosanna i Fab Dafydd* a chân faith *Golwg ar Deyrnas Crist.* Cyhoeddwyd yr hymnau yn rhannau rhwng 1751 a 1754, ac yn 1758 gwnaethpwyd un llyfr ohonynt hwy a'r *Aleluia* cyntaf, a rhoddwyd *Aleluia* yn deitl ar y cyfan. Ond perthyn *Hosanna i Fab Dafydd* yn llawn agosach i'r *Golwg ar Deyrnas Crist* (1756) nag i'r hymnau cyntaf. Yn wir, fe'n trewir gan y gwahaniaeth rhwng y ddau gasgliad emynau. Ni cheir yn yr ail gyfanrwydd y cyntaf, ond y mae'n gyfoethocach. Erys o hyd y darlun o fywyd yn daith—fe erys drwy'r cwbl o farddoniaeth Pantycelyn—ond nid yw mor undonog ag o'r blaen. Gwahaniaeth pwysig yw bod yr hymnau newydd yn fwy gwrthrychol na'r hen. Dechreua'r bardd fynd allan ohono'i hun a disgrifio Crist, gwrthych ei brofiadau, yn hytrach na disgrifio effaith y gwrthrych arno'i hunan. Hyd yn oed pan ddarlunio ei deimladau'n unig, gwelir bod cylch ei brofiad yn ehangu, a'i ymwybod yn ymestyn i gynnwys yr holl greadigaeth a'i lliwio â'i feddwl ei hun:—

> " Y mae'r haul-wen wedi blino
>   Teithio yn yr wybr las;
> Daear drom yn mron diffygio
>   Borthi'r llysiau sy'n y maes;
> Mae'r planedau'n gwaeddu, diwedd;
>   Pob creadur yn ei ryw
> Yn och'neidio am gael gweled
>   Gwir ddatguddiad meibion Duw."

Williams ei hun yn ddiau yw'r haul a'r planedau hyn. Ei brofiad ef sydd yma. Ond y mae'n brofiad llawnach nag a gafwyd ganddo gynt, a sylwer iddo gymryd gafael yma ar un o'i fesurau mawr, a bod nodweddion ei briod arddull yn eglur yn y pennill hwn.

Arwydd yw'r datblygiad hwn yn ei arddull o'r prifio a fu yn ei brofiad. Perygl Williams yn yr amser y cyfansoddai *Aleluia* oedd pwyso ar atgof ei droedigaeth:—

> " Cof genni'r pryd, y man a'r lle."

Ond nid digon hynny. Un o'r cwestiynau a ofynnid i hen aelodau'r gymdeithas yn *Nrws y Society Profiad* oedd:—" Pan bo tymhestloedd mawrion o annghrediniaeth yn curo arnynt, i ba le maent yn myned—ai at yr hen dystiolaeth hon, neu at Grist ei hunan i ymofyn am oleuni a thystiolaeth newydd?" Ac yn hanes Theomemphus fe eglurir mai achos ei gwymp yntau ar ôl ei droedigaeth oedd iddo bwyso ar a gafodd:—

" Os pwysi ar a gefaist, ti gefaist ddigon mawr,
I gludo pob rhyw ofnau a'th flinodd gynt i lawr."

Diamau bod yma fynegiant o helbul y bardd, a daw'r elfen wrthrychol yn *Hosanna i Fab Dafydd*, y mynd allan ohono'i hun tuag at wrthrych ei brofiad, i gywiro'r mewnblygiad,[1] y troi i mewn o'i gwmpas ei hunan, y tueddai ato gynt.

Er mwyn cywiro'r un gwendid yr ymroes ef yn chwantus y blynyddoedd hyn i ddarllen ac astudio. Dysgodd hanes crefyddau a diwinyddiaeth, a darllenodd yn eang mewn gwyddoniaeth ac amryw wybodau. Yr oedd ganddo flys athrylith am gyfoethogi ei feddwl, gan ddeall bod llawnder gwybodaeth yn dyfnhau pob profiad, hyd yn oed brofiad synhwyrus. "Astudiodd gymaint" medd Thomas Charles, "fel yr effeithiodd yn niweidiol ar ei iechyd tra y bu byw." Ar un olwg fe ymddengys ffrwyth y dyfalwch hwn, sef *Golwg ar Deyrnas Crist* a *Pantheologia*,[2] yn ddigystlwn

[1] Dau air defnyddiol mewn eneideg yw *introversion* ac *extroversion*. Troi'r meddwl i mewn at ei gynnwys ei hun yw ystyr y cyntaf, a'i droi allan at wrthrychau a'r byd y tu allan yw ystyr yr ail. Defnyddir mewnblygiad = *introversion*; allblygiad = *extroversion*; a'r ansoddeiriau mewnblyg, allblyg, megis ' meddwl mewnblyg '.

[2] Dechreuwyd cyhoeddi *Pantheologia* yn 1762, ond diogel yw barnu mai yn yr un cyfnod ag y cyfansoddwyd G.D.C. y casglwyd defnyddiau *Pantheologia* hefyd.

ym mysg gweithiau'r awdur. Ynddynt fe ymadawodd â'i faes arbennig mewn llên ac ymroi i destunau dieithr. Ond o'u hystyried yn well, y mae iddynt eu lle yn ei hanes. Hwy yw arwyddion ei feirniadaeth arno'i hun a'i ymddisgyblu, a bydd ei ganu diweddarach yn addfetach oblegid iddo geisio canu epig *Golwg ar Deyrnas Crist*,—a methu ganddo.

Prin y bu mawreddocach cais yn hanes llenyddiaeth. Nid yw cynllun Dante yn y *Divina Commedia* yn ehangach, na bwriad Milton yn *Paradise Lost*,—"*To justify the ways of God to men*"—yn fwy urddasol. Hanes y Duwdod drwy'r unig gyfnod a'r holl gyfnod y bu hanes iddo, o'r pryd yr arfaethodd y cread ac y mynegodd ei hun i ddynion ac angylion, a thrwy angylion a dynion, a thrwy ei waith a'i ymgnawdoli, hyd at y pryd y cyflawner yr arfaeth oll, a chyflwyno'r cwbl yn ôl i'r Bwriedydd, a diweddu hanes,—dyna destun *Golwg ar Deyrnas Crist.* Teitl y bennod gyntaf yw 'y Deyrnas yn cael ei rhoddi i Grist', a theitl yr olaf 'Crist yn rhoddi y Deyrnas i'r Tad', dechrau yn nhragwyddoldeb a dychwelyd yno. *Summa Theologica* ar gân. A meddwl synthetig ac athronyddol megis meddwl Sant Thomas neu feddwl Dante a fyddai'n ddigonol i'r fath gynllun, meddwl a feithrinwyd ar resymeg ac ar gyfundrefn ddisigl, draddodiadol o ddiwinyddiaeth.

Deallodd Williams yr angen am hynny, ac atgof am lafur y cyfnod hwn a'i cymhellodd efallai ar ddiwedd ei oes i annog ar ei olynwyr sylfaenu eu proffes ar 'Erthyglau Eglwys Loegr a'r Credo, sef Credo'r Apostolion, Nicea, ac Athanasius'.[1] Wrth iddo gyfansoddi ei epig dysgodd o leiaf werth sylfeini diysgog y gredoau cyson a phendant. Ond nid athronyddol na synthetig oedd athrylith y bardd, ac nid ym mysg syniadau haniaethol na chyfundrefnau rheswm yr ymhyfrydai ei awen.

Dau beth arall y byddai raid wrthynt mewn rhaglen mor gynhwysfawr, a dwy elfen amlwg ym mhob epig campus, yw cysondeb, a gwastadrwydd cyfansoddiad. Y mae cynllunio cân mor fawr, trefnu ei phrif fannau, penderfynu ei ffurf a pherthynas pob pennod â'i gilydd, y cwbl yn rhan anhepgor o'r meddwl barddonol, yn rhan o'r creu a'r gelfyddyd. Amhosibl i'r damweiniol fod yn gelfyddyd, gan fod y gair 'celfyddyd' yn golygu peth a ffurfiwyd neu a dorrwyd allan. Am hynny, y mae cân faith yn gofyn cyfansoddi cadarn, a rhwymo'r rhannau mewn undeb ffurf, a dethol o gyfoeth y defnyddiau yr ychydig hynny a fo'n bwysicaf. Mewn gair, gofyn am allu beirniadol o radd uchel.

Ond yn y rhinweddau hyn, sef meddwl athronyddol a chyfundrefnol, cysondeb, a

[1] Llythyr at T. Charles, Ionawr 1, 1791 (Cynhafal I, 28–30).

gallu beirniadol, yr oedd Williams yn wallus. A chanlyniad cyntaf hynny yw nad un cyfansoddiad yw *Golwg ar Deyrnas Crist*, ond casgliad o ganeuon. Cysylltir y rhain a'i gilydd drwy eu bod oll yn emynnau mawl i Grist am ryw ran o'i waith, ond nid oes yma o gwbl 'Olwg' neu ddatguddiad cyfan. Awgryma'r enw 'Teyrnas' undeb hanfodol pob rhan â'i gilydd dan lywodraeth teyrn neu berson, eithr methodd gan y bardd ddadlennu natur anorfod, angenrheidiol y berthynas hon. Ac felly, oblegid nad oes unoliaeth yn hanfod ei gân, rhaid iddo geisio am unoliaeth yng nghôf y darllenydd:—

> " Canasom am yr arfaeth a Chwnsel tri yn un,
> Am greu nef a daiar, angylion pur a dyn,
> Ac am greadigaeth ehang, y Bydoedd oll o ddim,
> Doethineb a Daioni'r Creawdwr mawr ei rym;
> Canasom am y Moroedd, y Ddaiar drom a'r tân,
> Yr Awyr deneu lydan a'r Hediaid mawr a mân. . .
> Duw nerth im eto ganu . . ."

Onid yw'r atgofio hwn am gynnwys y rhannau blaenorol yn gyfaddefiad o natur achlysurol ei ganu? Nid fel hyn y cysylltir rhannau â'i gilydd mewn cyfanwaith na chyfundrefn. A phan ddelom at y bedwaredd bennod, a chael teitl 'Crist yn bob peth yn y Beibl' a'r llinell:—

> "Duw, nerth i ganu 'mhellach am dan dy lyfr mawr,"

gwelwn ar unwaith fod yma derfyn ar bob datblygiad cyson yn neunydd y gân, ac o'r bennod hon ymlaen ni cheir ymdrech at ganu gwrthychol, synthetig, ond troi'n fwyfwy personol a thelynegol:—

> " Gweld wyneb fy Anwylyd wna i'm henaid lawenhau."

Deallwn yn awr mai dedfryd rhagair y bardd ei hun sy'n gyfiawn:—" 'Roeddwn yn meddwl i'w brintio yn llawer llai, ond cynyddu a wnaeth i hyn o faintioli o ran fy mod yn gweld rhywbeth yn y blaen ar y testun, ac yn cwrdd â llyfrau a fyddai'n traethu ar y pwngc mewn llaw." Hynny yw, damwain neu ddamweiniau ac nid celfyddyd a bennodd y ffurf.

Rhaid cydnabod hefyd ddiffyg gallu beirniadol y gân. Hynny'n unig a all esgusodi'r disgrifiad erchyll hwn o arfaeth Dduw:—

> " Yn cynnwys myrdd o bethau ordeiniwyd idd' iw fod,
> Mil eilwaith a ddioddefwyd, rhai o rai gwaetha' erioed;
> Gogoniant Ior ni all'sid ei amlygu i uchel radd
> Fyth mwy na chlôd 'Merawdwyr heb gwympo rhai a'u lladd."

A theilwng yw'r llinellau a ganlyn o'r bardd a ganodd am ' Dwrnai gyda Duw ':—

> " Mor gynted daeth y meddwl i galon bur y Tad,
> Mor barod oedd fy Iesu i golli 'werthfawr waed!

*Can's yntau, pe nacausai, neu wrthddadleusai'r peth,*
Ein iechydwriaeth rasol a aethai 'n lân ar feth."

Yr un diffyg sy'n peri nad oes i'r gerdd unoliaeth ysbryd na thymer. Ac er enghraifft, rhan effeithiol a llwyddiannus ohoni, un o gampau anghyffredin Pantycelyn yw'r disgrifiad o'r cread yn yr ail bennod. Yn honno fe gymerth ddarganfyddiadau seryddwyr a'u troi'n ddeunydd barddoniaeth:—

" Ond er y meithder enbyd sy i gael ynghroth y Ne',
Ehangder heb ddim diwedd, lle heb ddiweddu lle,
Llu heb eu rhifo o fydoedd yn troi o gylch heb ball,
Yn cadw yn eu troion heb un yn cwrdd y llall. . . .

Rho waedd trwy droion Sadwrn, d'wed wrth yr Haeddel Fawr,
Pan fry ar furiau Dehau, am edrych tua'r llawr,
A meddwl mai'r hwn anwyd, fu farw ar y pren,
A'i rhoddodd yn eu troion i gerdded yn y nen."

Ond yr un bardd ag a welodd ardderchogrwydd meddylddrychau gwyddoniaeth a'u troi'n farddoniaeth fel yna, a rifodd hefyd ym mysg creaduriaid Duw:

" Y dolphyn cymwynasgar caruaidd iawn i ddyn,
Y crocodil a'r afanc 'nghyd a'r forwynfôr dal,"

A dyna ni ym myd ffansi a chwedl lle nid oes ran i wyddoniaeth. Hawdd deall mwyach sut y gallai'r gân gynnwys mewn un rhan ddisgrifiad gwyddonol o'r cosmos ac mewn rhan arall ddisgrifiad mor blentynnaidd o arfaeth Dduw ag a geir yn y bennod gyntaf. Y gwir yw na bu erioed fardd o ddawn a chanddo lai o athroniaeth na llai o allu beirniadol na Phantycelyn.

Yn hir cyn gorffen y gân rhoes yr awdur heibio bob ymgais at gadw unoliaeth mewn na ffurf na thymer, a thua'r diwedd troes hi'n gyfle i ganu am ei brofiadau a'i obeithion ei hun. Hyd yn oed felly, nid oes ran o *Olwg ar Deyrnas Crist* na cheir ynddi linellau neu benillion o farddoniaeth ddiledryw. Gan mor eang yw testun y gerdd rhydd gyfle i'r bardd ddangos ystwythed ei ddawn a helaethed ei gywreinrwydd. Gall dynnu darlun a rhoi mawredd mewn llinell megis yn ei gymhariaeth o'r ddaear:

> "Fel palas hardd, di-eisieu i wir roesawu dyn,"

neu roi inni un o olygfeydd Cymru â phwyntil ysgafn:

> "Ffynhonnau fel yr arian toddedig gloyw las
> O'r bryniau wnaeth e' i darddu i ddisychedu'r maes,
> *I faethu'r mân afonydd sy'n rhedeg 'rhyd y gwair.*"

Y mae'n gampus mewn ffigurau rhetoregol megis o'r glawogydd:

> "Ar ysgwydd gref y gwyntoedd yn eistedd yn y nen,"

a cheir ganddo aml fflach o ddychymyg

treiddiol yn cydio ynghyd bethau a ymddengys yn bell oddiwrth ei gilydd:

> " Ymlusgiaid, o dyrchefwch soniarus gân o'r
> trwch,
> Bu Iesu dri diwrnod yn gorwedd yn y llwch."

Ond dyn sy'n fwyaf diddorol gan Williams o ddim. Ni flina ar synnu ar ryfeddod corff dyn; a gwelir yn aml yn ei waith olion ei efrydiau meddygol:

> " Rhoi gwaed yn ei wythiennau tros ugain bwysi
> mawr
> Trwy ei galon amryw weithiau yn tramwy yn
> yr awr.
> A rhoi'r fath dorf amrywiol o fuscles mân yng-
> hyd,
> Eu nifer a'u cydsynied o ryfedd waith i gyd,
> Yn ateb pob ymddygiad a phob ysgogiad mân
> Mewn moment heb gael rhybudd o hono fe
> o'r blaen. . . .
> Gynifer nerf a gewin, gwythïen, arteri,
> Yn deall am eu lleoedd yn ddistaw yn y bru;
> Cynifer asgwrn bychan yn eistedd yn ei le,
> Heb un gorchymyn arall ond o'i ewyllys e'. . . ."

Dyma'n ddiau weledigaeth drwyadl farddonol ac annibynnol, ac esiampl o'r modd y gall gwyddoniaeth faethu'r dychymyg. Un o'r gwersi gwerthfawr i feirdd heddiw yng *Ngolwg ar Deyrnas Crist*, ac un peth modern tros ben yn athrylith Pantycelyn, yw ei ddiddordeb diderfyn mewn gwyddoniaeth. Yn hynny y mae'n rhagflaenu Goethe a holl dueddiadau barddoniaeth ar gyfandir Ewrop heddiw. Ac ym mhenodau olaf y gân fe ddychwel Williams i'w faes priodol ei hun:—

> " Ond bellach canaf, Arglwydd, am dy deyrnwialen aur
> Sy'n llywodraethu y rheini a gredodd yn dy air,
> Y Deyrnas yn y Galon . . ."

Ceir yn y rhannau, 'Crist yn teyrnasu o fewn i'w bobl, ac yn dysgu ei ddeiliaid' fath o ragolwg ar destun *Theomemphus*, ond gan edrych arno'n hytrach o safbwynt allanol. Y mae'r penodau hyn yn anhepgor i lawn ddeall meddwl y bardd. Ar y creadur, y goddefydd, y mae'r pwyslais yn *Theomemphus*. Helynt enaid dyn a ddadlennir yno. Dengys y rhannau hyn o *Olwg ar Deyrnas Crist* fod Williams yn gweld Odyseia Theomemphus fel rhan hefyd o gynllun Duw, rhywbeth a chyswllt agos rhyngddo a holl lafur y cread:—

> " Trwy eitha grym a dyfais rhaid ennill calon dyn."

A holl ymchwil y saint, eu poenau a'u siomedigaethau, un amcan sydd i'r cwbl:—

> " At buro ei eiddo ei hunan mae'n dyfod oll bob darn."

A'r puro hwn a ddatguddia i'r enaid bosibilrwydd ei natur ac a'i dyd ar ffordd ddisathr y serch dwyfol:—

> " I hynny y'm ganwyd innau, sef i'r llawenydd fry,
> 'Rwyn' gapabl o wleddoedd sy gan angylaidd lu."

Ac ar y meddwl hwnnw y terfyna'r gerdd, —y gall yr enaid ymestyn at lawenydd a gwleddoedd goruwchnaturiol. Try *Golwg ar Deyrnas Crist* yn olwg ar bosibilrwydd enaid dyn, syniad nodweddiadol o Bantycelyn.

Dyna derfyn ar gyfnod ei brentisiaeth. Yn yr ymdrech â'i epig fe enillodd feistrolaeth lwyr ar ei awen. Ei lyfr nesaf o farddoniaeth Gymraeg oedd *Caniadau y rhai sydd ar y Môr o Wydr*, casgliad o hymnau a gyhoeddwyd yn 1762. Yn hwnnw cyrhaeddodd ei arddull ei chyflawnder, a cheir ynddo ei fesurau nodweddiadol, y mesurau mawr chwe llinell ac wyth linell a fu'n offeryn ei gyffesiadau dwysaf. Ceir ganddo hefyd afael gryfach na chynt ar y mesurau byrion a grym a llawnder yn ei benillion, ac amrywiaeth mydr ac arddull. Dyma flaenffrwyth ei addfedrwydd, ac nid hwyrach y llyfr hoffusaf a gyfansoddodd erioed. Y mae ei ddynoliaeth yn gron ac yn ystwyth yn hwn, wedi ymryddhau oddiwrth angerdd cras llencyndod a heb eto ei hysu gan angerdd y cyfrinydd. Edrych yn ôl ar hyder ei ganu cyntaf a chyfeddyf:—

" Cyn ystyried, mi ddechreuais
Daith o'r Aipht i'r Ganaan wlad."

Onid oes gwên ar ei wefus pan gofio am falchter ei dduwioldeb:—

"Mi ryw synna ar rai oriau
Pan debygwy' nad oes dyn
Sydd yn teithio llwybrau newydd
Beunydd ond myfi fy hun;
Eto llu wela'i fry
Fu'n gyfeillion i myfi."

Darfu bellach am ymffrost, a chlywir swildod yn ei ganu:—

"Er na theithiais eto nemawr,
Nad fi dynnu hynny'n ôl."

Gŵyr am ofn temtasiynau ac ofn marw:—

"Annioddefol ydyw meddwl"

marw mewn ansicrwydd. Mor wahanol i ehofndra *Aleluia*. Arwydd o'i addfedrwydd yw iddo ddysgu doethach ymddygiad tuag at bethau'r cread. Nid ymgroesa rhagddynt mwy mewn braw, ond cais:—

"Nac i garu y creadur
Na'i ffieiddio trwyddo draw."

A hynny, er bod ei ganfod o natur y creadur yn fwy treiddiol nag erioed, ac yn aml yn arswydus. Ni chanodd Sion Cent yn llymach na hyn:—

"A oes neb o'm holl gyfeillion
A ddaw'n ddiddig gyda mi
Ac a orwedd wrth fy ochr
Obry yn y ddaear ddu?

A yw cyfaill ddim ond hynny,
Taflu dagrau, newid gwedd,
Pan bo'r pridd a'r clai a'r cerrig
Arna i'n cwympo yn y bedd."

Tardd y swildod a'r mwynder sy'n amlwg yn y *Môr o Wydr* o brofiad addfetach Williams. Teithiasai erbyn hyn gryn bellter ar lwybr duwioldeb Cristnogol, ac fel pawb a fuasai'r ffordd honno ac a adawodd inni ei hanes, cyfarfu â loesau annisgwyl a chelyd. Yn hytrach na bod cariad dwyfol yn ei dywys i helaethach cysuron ysbrydol a phereiddiach porfeydd, fe'i dwg i ddiffeithdra a newyn ac anobaith. Dro ar ôl tro fe gais y bardd ddisgrifio'i gyflwr: "'Rwy'n gorwedd yn y carchar du," "Gwlad o dywyllwch wyf yn trigo," a thywyllwch nos neu garchar yw'r enw a rydd ef amlaf arno:—

" Oll o mewn nid oes ond t'w'llwch,
Oll o mewn nid oes ond poen,
Rhyw ddieithrwch oer digariad
At y croeshoeliedig Oen."

Yna, mewn emyn maith a gwerthfawr, fe ddarlunia'i brofiad yn fanwl:—

" Fy ffydd sy'n soddi obry 'lawr
Dan donnau f'anghrediniaeth mawr,
Yn gwrthod addewidion llawn
O drugareddau gwerthfawr iawn.

Trwy wrthddadleuon gwag, di-sail,
A mân resymau rif y dail,

'Rwy'n ffaelu pwyso ar f'Arglwydd cun
A ffaelu bwyta 'mwyd fy hun.

A bwyswyd neb o dan fath bwn,
A ddaliodd neb fath faich â hwn?
Gweld Duw yn cuddio ei wyneb pur,
A chalon galed fel y dur?

Gobeithio heb obeithio dim,
Yn credu erioed heb fawr o rym,
Bywyd di-fywyd heb ddim rhin,
Ond poen wastadol im fy hun."

Y mae'r diagnosis gofalus hwn, enghraifft dda o allu analytig Williams, yn dwyn ar gof ddisgrifiadau tebyg gan dduwiolion eraill, ac yn arbennig ddisgrifiad Sant Ieuan y Groes o'r cyflwr a elwir ganddo ef yn Nos Enaid, ffigur sy'n drawiadol agos i "dywyllwch" Williams.[1] Nos yr Enaid yw'r cyflwr o baratoi ar gyfer cymundeb perffaith â Duw, yr un cyflwr ag a enwir gan awduron ysbrydol eraill yn Ffordd y Puro, pan brofo Duw yr enaid megis â thân, er mwyn ei garthu o bob delw namyn ei ddelw'i hun. Ebr Ieuan y Groes: "Llyncir yr enaid mewn tywyllwch dwfn a llwyr onis clywo'i

[1] Ganed Sant Ieuan y Groes yn 1542 ger Avila yn Sbaen. Yn 21 oed aeth yn fynach dan urdd y Carmeliaid, ac astudiodd ddiwinyddiaeth ym mhrifysgol Salamanca. Cyfarfu â'r Santes Teresa yn 1567, a than ei harweiniad hi ymroes i ddiwygio urdd y Carmeliaid. Erlidiwyd ef lawer. Bu farw yn 1591. Cydnabuwyd ei santeiddrwydd yn 1726 a'i ganoneiddio. Ei brif weithiau yw *Esgyniad Carmel*, *Y Nos Dywyll*, *Fflam Fywiol Cariad*, a'r *Caniad Ysbrydol*. Yr oedd yn fardd mawr yn gystal â chyfrinydd.

hun yn ymddatod a'i ddiddymu yn nhranc ei gyneddfau. Gyda hynny y mae'n profi gwagter enbyd a newyn annioddefol am y tri math ar drugaredd a allo gysuro enaid, sef y trugareddau tymhorol, naturiol, ac ysbrydol. Megis tân yn cnoi rhwd yr haearn, felly y glanhâ Duw gyneddfau'r enaid rhag dyheu am y trugareddau hyn. Ac oblegid gwreiddio o'r dyheadau hyn yn ddwfn yn sylwedd yr enaid rhaid iddo brofi'r gwagter llwyraf o bopeth. A thrwy'r profion hyn y darostwng Duw yr enaid i'r llwch. . . . Gellir dweud am yr enaid yma ei fod yn mynd i'r purdan yn y bywyd hwn. Glanheir ef yma megis y glanheir eraill yno. Cymaint yw ei boen a'i gur fel y cred yr enaid fod y Duw a wasnaethodd mewn dedwyddwch gynt wedi ei adael. Ymesyd temtasiynau anobaith yn haerllug arno, er ei fod yn sicr o'i gariad ef at Dduw ac y rhoddai 'i hun filwaith trosto. Ond mor flin yw ei gyflwr fel na allo mo'i berswadio'i hun i Dduw ei garu ef erioed. Y mae gweddi yn ofnadwy anodd. Ni all na thrwy'r deall na thrwy'r serchiadau ei godi'i hun at Dduw. Ac o daw iddo weddio, odid na bydd mor grinsych ag y barno na wrendy Duw mohono na'i ystyried ddim."[1] Fe welir ar unwaith fod y disgrifiad o gyflwr enaid a geir yma yn debyg yn ei brif nodweddion

[1] Pourrat, *La Spiritualité Chrétienne*, III, 302–303.

i'r disgrifiad yn emyn Williams, yr un anobaith, Duw yn ymguddio, anhawster gweddio a chalon-galedwch, poen gwastadol a phrofiad o sychter a diffeithdra. A'r nos gyntaf a ddarlunnir gan Ieuan y Groes yw Nos y Synhwyrau. Yn honno y chwantau a losgir, a'u gwacàu o bob dymuno cnawd, a'u gadael yn ddiffaith, oni byddont barod i'w llenwi gan Dduw ei hun. Cawn yn y *Môr o Wydr* feddwl cyffelyb:—

> " Chwychwi ffynhonnau'r bywyd gwir,
> Afonydd o bleserau pur,
> Chwi lifwch dros holl anial dir
> Fy enaid llesg ei wedd;
> Chwi lenwch yr eangder mawr,
> *Y nwydau sydd yn wag yn awr,*
> Ac yn hiraethu bob yr awr
> Am bleser draw i'r bedd."

Cofier bod y disgrifiadau hyn i'w derbyn yn llythrennol. Y maent yn ffeithiau eneidegol. Deall hynny, a gwybod digon am ein natur ddynol ein hunain a dyfnder ein cnawdolrwydd, a rydd i ni, na phrofasom ddim ohonynt, ryw olau ar danbeidrwydd llosgol y puredigaethau hyn. Drwy'r blynyddoedd yma yr oedd Williams yn byw megis ym mhurdan. Ond dyfnach a mwy arswydus na Nos y Synhwyrau yw Nos y Meddwl. Ac yn honno nid dysgu i'r enaid ymwrthod â phopeth cnawd, ond ei diddyfnu oddiwrth bob trugaredd ysbrydol fel nad ymhyfrydo ynddi.[1] Rhaid troi oddiwrth bob datguddiad dwyfol, pob ymweliad cysurlon o hedd, pob sibrwd dirgel yn y galon, pob gweledigaeth nefol a phob sicrwydd am fywyd tragywydd. Rhaid ymwadu â thiriondeb Duw a bod yn gwbl wag, yn llymun unig, canys ni ellir ond yn llwyr unig fynd at yr Unig ei hun. Nid wyf yn tybied i Williams brofi puredigaeth mor llwyr â hyn, ond diau mai profiad o'r natur yma sydd yn ei emyn. Un o nodweddion *Aleluia* oedd ymhyfrydu mewn moethau ysbrydol, ymweliadau o ras Duw; a phan gilient, dyheu amdanynt a myfyrio arnynt a'u barnu'n ddigon. Deallodd Williams, fel y gwelsom, fod hynny'n lluddias cynnydd ysbrydol, a diben y tywyllwch a ddisgrifir ganddo yn y *Môr o Wydr* yw ei ddiddyfnu oddiwrth radau Duw a'i yrru at Dduw ei hun. Am Dduw yn unig y dyhea fwyfwy yn y llyfr hwn. Bid sicr fe'i swynir o hyd gan drugareddau ysbrydol:—

> " Ar fryniau 'th drugareddau mawr
> Difyrrwn f'oes o awr i awr,"

ond mwyach nid digon ganddo faddeuant Duw:—

> " Dyw'r gair maddeuant imi ddim
> Heb imi weld dy wyneb-pryd."

[1] Pourrat, op. cit. III, 299.

Daw'r geiriau 'yn unig' a 'dy hunan' yn amlach o hyd yn ei ganu, a'i fywyd yntau'n ymroddiad llymach i un amcan:—

" Heb un achos, heb un neges,
Ond yn unig dy fwynhau,
Hyn ei hunan
Fydd fy ymgais tra f'wyf byw."

Droion fe gais fynegi llwyredd ei ymroddiad, emyn ar ôl emyn yn ei wthio 'mhellach ar hyd ffordd unigedd; ac o'r diwedd daw iddo'r ffigur a fynnai, yn angerddol megis Cerflun y Nos gan Michel-Angelo, a phennill wedi unwaith y ddarllener ni ellir fyth ei anghofio, y symbol terfynol o ymgysegriad yn ein llenyddiaeth ni:—

" Rwy'n morio tua chartre'm Ner,
Rhwng tonnau maith yn byw,
A dyn heb neges dan y ser
Ond 'mofyn am ei Dduw."

Nid rhyfedd i Williams ei hun yn ing y blynyddoedd hyn weiddi allan:—

"Lladd yn ddistaw mae ei gariad
Heb gael gweld ei nefol wedd,
Mae eiddigedd yn ei gwmp'ni
Sydd yn greulon fel y bedd."

Ac nid peth lwcus yw cryfder ffurf y pennill a godwyd. Yn y *Môr o Wydr* fe symuda o symlrwydd tawel y pennill pedair llinell—esiampl arall yw perffeithrwydd yr emyn 'Mi dafla 'maich oddiar fy ngwar,' —i fawredd dwys a chynhyrfus y penillion meithach lle y mae i'w dôn ddyfnder fel llais organ:—

" Holl angylion nef gwmpasog
  Sydd o nifer gwlith y wawr,
Pe bai eu tegwch a'u rhinweddau
  Oll mewn un rhyw angel mawr,
Tywyllai'i harddwch mewn munudyn,
  Toddai ei ddoniau maith yn un,
Wrth ymddangos i gymharu
  A'r hwn a wisgodd natur dyn."

A gall eto sgrifennu penillion sy'n delyn-egion pur ac ysgeifn, a naid y lyrig ym mhob llinell:—

" O, Rosyn Saron hardd,
  O'r lili wen ei lliw,
Nid oes o'r ddae'r a dardd
  Flaguryn fel fy Nuw;
Ym mhlith y coed rhyw gangen lawn
O sypiau grawn, f'Anwylyd yw."

Onid yw'n bryd cydnabod yn y *Môr o Wydr* un o lyfrau mawr barddoniaeth Gymraeg, a'r ystwythaf o gyfrolau Pantycelyn?

## IV

## THEOMEMPHUS: Y RHAGYMADRODD

SANT BONAFENTUR oedd y cyfrinydd Cristnogol cyntaf i ddisgrifio'n bendant ddatblygiad y bywyd ysbrydol, a'i rannu'n dri chyfnod, y tri a ennwyd eisioes, sef cyfnod puredigaeth, cyfnod goleuni, a chyfnod yr uno. Saif y trefniad hwn yn glasurol hyd heddiw, ac ni wnaeth yr awduron Sbaeneg, Teresa a Ieuan y Groes, a sylfaenodd gyfriniaeth Gristnogol fodern, namyn helaethu ar ddosraniad Bonafentur a disgrifio'r tri chyfnod â manyldeb gwyddonol llwyrach. Yn ôl y dysgawdwyr hyn, prif gynnyrch moesol cyfnod y puro yw gostyngeiddrwydd. Rhyfedd fel y darfu'r sôn amdano. Yn ein hoes ni prin y mae i'r gair ystyr namyn ystyr nacaol, megis ymryddhad oddiwrth falchter neu goegni. Ond i'r hen awduron, ac i bawb a ddarganfyddo sylweddau'r bywyd ysbrydol, y mae i'r rhinwedd hwn werth cadarnhaol a gallu.[1] Trwy ostyng-

[1] Cefais help arbennig gan ysgrif Charles Du Bos: *Jacques Rivière, et de la féconde humilité* (Nouvelle Revue Française, Janvier 1926).

eiddrwydd yr adnebydd dyn ef ei hunan. Tynnwyd y mwgwd oddiar ei lygaid. Peidiodd â'i roi ei hun ar bedestal hunan-barch. Fe'i gostyngwyd a'i lorio. Y cerflun ohono'i hun a ffurfiodd ei ddychymyg yn gysur iddo, wele ef yn ddeilchion. Bellach nid oes a'i rhwystra: gall edrych i mewn iddo'i hun, a'i weld nid mewn drych chwyddedig, ond mewn goleuni ffaith. Felly gostyngeiddrwydd yw sylfaen eneideg wyddonol ac ymholiad. Gŵyr pob efrydydd meddwl mor gyfrwys yw dawn dyn i'w dwyllo amdano'i hunan. Disgyblaeth ffordd y puro yn unig a'i rhyddha oddiwrth ei dwyll, a'i try'n deg a gonest tuag ato'i hunan, fel y medrer disgrifiad cywir o'i gyflwr. Canys er mai rhoi golau ar Dduw a wna'r *via illuminativa* yn y pen draw, fe gychwyn mewn eneideg a rhoi golau ar natur dyn. Gwelsom i Williams yntau yn *Nrws y Society Profiad* honni bod craffter eneidegol yn braw sicr o gynnydd ysbrydol. Gwelsom mai gostyngeiddrwydd yw un o nodweddion caneuon y *Môr O Wydr*. Ceisiwyd dangos bod y blynyddoedd y cyfansoddwyd yr emynau hynny yn gyfnod o brofiadau angerddol yn ei hanes. Ar eu diwedd daeth iddo wobr. Yn sydyn gwawriodd arno ystyr ei brofiadau. Gwelodd â threiddiolwch a manyldeb gweledigaeth helyntion yr yrfa ysbrydol, a gorfu arno fynegi'r cwbl mewn un gwaith mawr: "Fe redodd y llyfr hwn allan o'm hysbryd fel dwfr o ffynnon, neu we'r pryf copyn o'i fol ei hun." Yn *Theomemphus* fe gerddodd Williams ffordd y goleuni. Diwedd y gân a fydd ffordd yr Uno.

"Y mae yn ddarn o waith newydd nad oes un Platform iddo yn Saesoneg, Cymraeg, nac yn Lladin a'r wn i."[1] Gwadodd Mr. W. J. Gruffydd hyn.[2] Ceisiodd ddangos bod Williams, yn arbennig yn ei ddull o ddechrau'r gân, yn dilyn dulliau Homer, Fyrsil, Milton, a'r beirdd epig enwog. A digon gwir bod yn *Theomemphus* aml ddyfais a rhai syniadau a fenthygiwyd oddiar *Goll Gwynfa*. Ond pethau arwynebol yw y rhain, ac ar fater newydd-deb *Theomemphus*, Williams yn hytrach na Mr. Gruffydd sydd yn ei le. Nid 'epig y diwygiad' yw'r gerdd, a rhoi i'r gair epig yr ystyr sy'n gyffredin iddo yn hanes llên. Nid cân wrthrychol mohoni, na cherdd hanes am nac arwyr na chenedl. Gorwedd ei newydd-deb yn ddyfnach nag y gall tebygu ei dechrau i ddechrau'r cerddi epig ei ddangos. Gwrandawer ar Williams: "Ni ellir ei alw yn Alegori, am fod y

[1] *Theomemphus*: *Y Rhagymadrodd.*

[2] Y Llenor, 1922: *Theomemphus*, gan W. J. Gruffydd. Yr unig feirniadaeth o bwys a ysgrifennwyd hyd yn hyn ar y gân.

personau yn wir ddynion, a'r pechodau, grasusau, temtasiynau, a'r lleill o'r gelynion tumewnol ac allanol yn cael eu dodi yn eu henwau priod, heb un troellymadrodd. . . . Ond oddiwrth yr amryw gyfnewidiadau personau, a phob person wedi ei dynnu orau ag allwyd ar ôl ei alwad, ei waith, ei rasusau a'i garacter, gellir ei alw yn brydyddiaeth Dramatic."

Cofier mai'n ddigon prin y darllenid Shakespeare hyd yn oed yn Lloegr yn 1764, a darllener ymlaen: "Y llyfrau gorau o'r dull hyn a welais yn descrifio Credadyn yn ei argyhoeddiadau, ofnau, cysuron, a'i demtasiynau, yw Bunyan yn ei *Ryfel Ysbrydol, Taith Cristiana,* yn enwedig *Taith Pererin;* etto nid yw ei saint ef yn gallu cydredeg yn hollol â saint y Testament Newydd; y mae amryw fwhwman i athrawiaethau, amryw wrthgiliadau, codiadau, athrawon gau yn denu, cysuron, a themtasiynau, ar hyd Epistolau Paul, Pedr, Jaco, Jude, yn enwedig saith eglwys Asia, ynghyd a hanes bywyd y brif eglwys, nad oes fawr o'u pictiwr yn *Nhaith y Pererin.* . . . Mi feddyliais i mi fynd a *Theomemphus* trwy brofedigaethau neilltuol, gwrthgiliadau, ofnau, dychrynfâu cydwybod, cwympiadau, codiadau, caethiwed, cysuron, heddwch, rhyfel, llawenydd, gorfoledd, llwybrau gau, llwybrau union, temtasiynau oddiwrth gyfeillion, gelynion, yr eglwys, a'r gau athrawon, gau athrawiaethau, crefydd y deall, gau ymorphwysiadau, a holl demtasiynau'r serchiadau, sef caru, casau, hyderu, tristau, llawenhau, yn union neu yn gau, ac amryw o ddrwg a da eraill, nad aeth y Bunyan hwnnw sy nawr yn y nef ag ef."

Y ddau beth a haera Williams yn y rhagymadrodd tra phwysig hwn yw: (1) mai cân ddramatig, sef yw honno, cân yn creu personau byw, yw *Theomemphus;* (2) bod ei ddull ef o ddarlunio cymeriadau yn wahanol i'r hen ddull clasurol mewn Saesneg, Cymraeg, a Lladin, dull a gynrychiolid iddo ef yn arbennig gan nofelau Bunyan, ac mai yn y gwahaniaeth hwnnw y gorwedd newydd-deb a gwerth ei waith.

Y mae'n duedd yn y mwyafrif o'r beirdd mawr greu personau byw. Er mwyn cyfleu mewn symbol y profiad y mynnir ei fynegi, nid oes gyfrwng mor gyfoethog, mor gymhleth â pherson, na dim arall mor fyw nac mor gyffredinol ei apêl. Pan feddyliom am ganeuon godidog llên, nid am linellau na pharagraffau neilltuol y meddyliwn, nac ychwaith (oddieithr yn anaml iawn) am gyfundrefn feddwl, ond yn hytrach am gymeriadau sy'n crynhoi ynddynt eu hunain fêr y caneuon: Achilles, Clytemnestra, Oedipus, Dido, Beatrice, Lear. Felly yn *Theomemphus* fe grynhoes Williams brofiadau'i fywyd yn oriel o bersonau byw. Y mae Boanerges, Athemelion, Abasis, y Tad Alethius, bob un yn gymeriad crwn, a bortreadwyd yn fras eithr yn bendant. Yn arbennig fe ddangosir ei athrylith creu a bywiogrwydd ei sylwi yn y darluniau a dynnodd o arwyr y dadleuon diwinyddol. Megis rhwng dynion a fo'n byw ynghanol yr unrhyw amgylchiadau ac yn ymhyfrydu yn yr un pethau, felly nid oes rhwng Orthocephalus, Schematicus, Seducus ac Arbitrius Liber, namyn mân wahaniaethau mewn acen neu bwyslais, ond trwy'r gwahaniaethau cywrain hynny dangosir pob un ohonynt yn gymeriad ar ei ben ei hun. Canys trwy'r darluniau oll fe red rhyw falais ysgafn, craff, rhyw watwareg dawel ddigon ond treiddiol, sy'n fwy na dim yn cyfleu sicrwydd bod y personau hyn yn rhai byw. Ceir enghraifft o hynny yn llun Athemelion:

> " Yn awr fe brynai lyfrau f'ai tros ei bwngc ei hun,
> Am hwnnw fe wrthddadlai os gallai a phob dyn;
> Fe chwiliai am scrythurau yn ddiwid iawn bob dydd
> Bid cam neu iawn i brwfio anwylaf bwngc ei ffydd."

A thyf ei watwar yn frath ac yn epigram yn yr hanes am garu Abasis:

"Nawr roedd e'n gweld ei alwad yn oleu loyw, glir,
I gymryd Phania nefol yn briod sanctaidd, bur;
Pan c'ai e' hi yn ei freichiau, bryd hynny byddai byw,
Ac y dilynai'n gywir holl gamrau Fengyl Duw.
Ac heddyw fe rodd modrwy gwmpasog ar ei bys,
Hen arwydd cariad perffaith, diddiwedd maith fe wy's;
Fe gafodd wraig o'r diwedd, ei grefydd rodd e' bant,
Ac enw gŵr ddaeth arno, fe gollodd enw sant."

A'r bywiocaf o'r personau oll, canys ef yw'r cyflawnaf, yw Theomemphus ei hun. Y mae cyfyngder enaid hwn, pan demtier ef i gabledd, mor sylweddol fyw ag yw ing Othello pan drawodd ef Desdemona â'i law:

"Nes prin y gallai atal rhag gwaeddi yn groch i ma's
Ryw sgrech yn erbyn Iesu, ryw sgrech yn erbyn gras;
Ei law rodd ar ei enau, fe ataliodd dweud yn awr
Y gair mwya cableddus tu yma i uffern fawr."

Eithr ar fater y portread hwn y mae'n rhaid ystyried ail haeriad Williams yn ei ragymadrodd.

Nid peth newydd hyd yn oed mewn barddoniaeth Gymraeg oedd disgrifio cymeriadau. Yn wir, fe ymwrthododd y traddodiad llenyddol â'r gerdd hanes a rhamant yn unig er mwyn ymroi'n llwyr i foliant, sef disgrifio personau. Dyna yw testun caneuon y Gogynfeirdd a'r prif gywyddwyr o Iolo Goch hyd at Wiliam Llŷn. Ni raid ond darllen traethodau Einion Offeiriad a Simwnt Fychan er mwyn canfod pwysigrwydd hyn yn namcaniaethau beirniadaeth glasurol Cymru. Rhoddir ganddynt dudalennau o gyfarwyddyd manwl sut y dylid disgrifio pob aelod o'r gymdeithas ffiwdal. Naturiol hynny, oblegid ni bu erioed gymdeithas arall a roes gymaint pwyslais ar werth ac annibyniaeth y person unigol. Ac yn y feirniadaeth Gymraeg y ceir y darlun gorau o ddelfryd y gymdeithas honno. Ond sylwer: y darlun delfrydol, y teip, sydd yma. "Arglwydd, megis brenin neu ymherodr neu dywysog neu iarll neu farwn neu bennaeth arall, a folir o'i gadernid, a'i filwriaeth, a'i allu ar wŷr a meirch ac arfau a chyfoeth a thraul, a'i ddoethineb, a'i gymhendod yn llywio gwlad a theyrnas . . . . Gwraig dda o arglwyddes a folir o bryd a gwedd a thegwch ac addfwynder a digrifwch a haelioni a lledneisrwydd a doethineb a chymhendod a diweirdeb a disymlder ymadroddion, a phethau eraill ardderchog, addfwyn, canmoladwy."[1] Felly drwy waith y cerddorion oll, pan ganont gywydd canmol neu farwnad, fe berffeithir y portread a'i dra-dyrchafu, onid ymgollo'r

[1] Simwnt Fychan: *Pum Llyfr Cerddwriaeth.*

nodweddion personol yn y nodweddion delfrydol. Yn unig mewn ambell gân eithriadol, megis marwnad Lewis Glyn Cothi i'w blentyn, yr anghofir am dro y drychfeddwl dyrchafedig, ac y disgrifir nodweddion priod y gwrthrych ei hun.

Trwy holl brydyddiaeth Ewrop yn yr Oesoedd Clasurol, yn 'Saesneg, Cymraeg, nac yn Lladin', ni cheid gan amlaf ond hynny. Ac megis y gwelodd Williams, y mae nofelau Bunyan yn ffyddlon i'r traddodiad. Teipiau a geir ganddo yntau hyd yn oed pan ddychano. Dyna yw Cristion, Ffyddlon, Bydol Ddoethyn, Mr. Cofleidio'r Byd. Y mae'n canlyn hynny bedwar peth. Un yw bod y cymeriadau a ddisgrifir yn dra syml. Rheolir hwynt gan un prif nwyd neu duedd. Nid oes ond mewn ambell un ohonynt gymhlethdod dyrys a chyfoethog bywyd unigolyn. Yn ail, ni thyfant ddim na newid, ac nid effeithia'r blynyddoedd arnynt. Y mae hyn yn wir hyd yn oed am y dramâwyr clasurol mwyaf, Racine ac Alfieri, sy'n rhydd oddiwrth y cyhuddiad cyntaf. Cymaint oedd eu parch i'r angen am unoliaeth mewn drama oni cheisient wasgu'r digwyddiadau oll i gylch un diwrnod ac un lle. Nid oedd ganddynt felly gyfle i ddangos cymeriad yn ymnewid dan bwysau profiad, yn datblygu ac yn ymgyfoethogi. Ac yn sicr ni all y cymeriadau sy'n deipiau na thyfu na newid. Ni thyf hyd yn oed Cristion yn *Nhaith y Pererin.* Yr un yw ef yn y diwedd ag yn y paragraff cyntaf,—'a'i wyneb wedi troi oddiwrth ei dŷ ei hun,'—teip o Gristion, yn syml a digyfnewid fel pob teip arall. Dyna ystyr beirniadaeth Williams ar y llyfr. Y mae i'r bywyd Cristnogol, ebr ef, brofiadau " nad oes fawr o'u pictiwr yn *Nhaith y Pererin* ". Alegori yw'r llyfr; nid oes ynddo gyflawnder bywyd. Yn drydydd: yn y gweithiau clasurol fe gyfyngir y profiadau a ddisgrifir i'r rheini sy'n gyffredinol, yng nghyrraedd pawb. Ni all y cymeriad sy'n deip wybod am brofiad eithriadol, unig, canys fe ddinistriai hynny gyffredinolrwydd ei natur. Fe beidiai â bod yn deip, a throi'n *wahanol* i eraill. Diau mai'r elfen gyffredinol hon yw cryfder a diogelwch y ddrama glasurol . O'i phlegid hi y deil y clasuron i apelio at y ddynoliaeth oll ym mhob man ac ym mhob oes, gan rodio priffordd bywyd dyn. Nid y neilltuol na'r arbennig yw eu testun, ond y profiadau sy'n fwyaf dynol, am eu bod yn gyfran pob dyn a aner o wraig. Perygl parod yr eithriadol yw bod yn annynol. Gogoniant y ddrama glasurol yw ehangder a sicrwydd ei dyneiddiaeth. Yna'n olaf ac yn ganlyniad i'r tri pheth a nodwyd eisioes: gan mor syml a didwf yw cymeriadau'r gweithiau clasurol, o cheir ynddynt hanes o gwbl, ar y sefyllfa allanol y bydd y pwyslais, ac nid ar y profiad mewnol. Gellir dangos sut yr ymddwg y cymeriad mewn cyfyngder, a'r dull yr wyneba ef anhawster; bu hynny'n destun gwych i lawer o'r trasiedïau mwyaf a sgrifennwyd erioed. Ond yng ngwrthdrawiad y cymeriadau, yn y gwneuthur, y bydd y diddordeb. Felly hefyd fe droes Bunyan y bywyd ysbrydol yn beth allanol, gwrthrychol, yn siwrnai a arwain yn union ymlaen ar hyd ffordd hysbys, yn gyfres o ddigwyddiadau, nid o gyflyrau meddwl.

Ebr Williams: nid alegori yw'r gân hon. Nid teip yw Theomemphus, ond gwir ddyn a chanddo holl gymhlethdod person byw. Megis person byw y tyf ef ac ymgyfoethogi ac ymnewid, fel nad yw'n debyg yn nherfyn y gân i'r hyn ydoedd ar ei chychwyn. "Wel dyma'r dyn" yw ei "sgrifen-fedd," dyn a weodd ei brofiad yn rhan o'i bersonoliaeth, a greodd ei bersonoliaeth yn wir o'i brofiadau. Gan hynny, ar y profiad, ar y cyflwr meddwl y rhoddir pob pwyslais drwy'r gerdd. Dyma hanfod newydd-deb *Theomemphus* yn hanes meddwl Ewrop. Rhoes athroniaeth y ddeunawfed ganrif ei holl barch a'i holl bwys ar yr elfennau rhesymol, ymarferol, gweithredol, ym meddwl dyn. Un yn rhesymu, yn penderfynu, yn casglu syniadau trefnus a chlir a chyffredinol, yna'n gweithredu arnynt: dyna'r fath un a oedd dyn ym marn athronwyr o ddyddiau Descartes hyd ddyddiau Kant. "Synnwyr da," meddai Descartes, "yw'r peth a ddosbarthwyd oreu o ddim yn y byd . . . dengys y ffaith a nodwyd fod y gallu i farnu'n iawn, yr hyn yn briodol yw'r peth a elwir yn synnwyr da neu reswm, wrth natur yn gyfartal ym mhob dyn."[1] Dyma'r frawddeg a benderfynodd amryw o nodweddion Clasuraeth yr ail ganrif ar bymtheg a'r ddeunawfed. I'r athronwyr hyn yr oedd y cyflyrau meddwl amhendant, eithriadol neu unig, pob teimlad a phrofiad ysbrydol, yn bethau i ymgroesi rhagddynt. Yr athrawiaeth Gartesaidd hon a luniodd ddiwinyddiaeth y cyfnod, a'i phwyslais ar foesoldeb a rhesymoldeb; a'r unrhyw ddysg a ffurfiodd egwyddorion beirniadol y Doctor Johnson a barddoniaeth Pope a Goronwy Owen. Medd Williams amdani:

> "A'i bleser ef i gyd
> Yw ymresymu'r cwbl a glywo fe yn y byd;
> Ar reswm mae'n seilfaenu fel seilfaen gref, ddifai."

Dymchwelodd Williams yr egwyddor hon. Dirmygid hi gan Theomemphus:

> "Mae Satan o oleuni fel finnau'n ddigon llawn."

[1] *Traethawd ar Drefn Wyddonol*, Cyf. D. Miall Edwards tud. 1.

Pan ddywedodd Efangelius:

> "Mae caru yn un â chredu,"

a phan ddywedodd Theomemphus:—

> "*Prawf* wyf am gael o'r cyfan . . .
> A *theimlo* yr athrawiaeth,"

fe heriwyd nid yn unig ddiwinyddiaeth y ddeunawfed ganrif, ond ei holl feddwl. Fe drosglwyddwyd gwerth bywyd o gylch rheswm, y peth cyffredinol, i gylch cyngreddf, o weithredoedd i deimlad, o foesoldeb i brofiad. Llygrwyd ffynnon clasuraeth y cyfnod. Daeth i mewn i fywyd Ewrop ddyn newydd, creadigaeth newydd, un a deimlai ac a brofai, Theomemphus, y cymeriad rhamantus.

Er pan sgrifennwyd y bennod gyntaf o'r llyfr hwn daeth o'r wasg Saesneg lyfr pwysig gan y Miss A. E. Powell ar y ddamcaniaeth ramantus mewn barddoniaeth. Ynddo dywedir:

"Poets (for the English Romantics) are men of rare and strange experiences. Their prototype is Endymion, groping for foothold in the kingdom of his moon goddess. They make men 'feel vividly, and with a vital consciousness, emotions which ordinary life rarely or never supplies, occasions for exciting, and which had previously lain unawakened, and hardly within the dawn of consciousness' (De Quincey). . . . And of all experiences, the greatest and nearest to the desire of the romantics was to 'behold and know something *great*, something *one* and *indivisible*' (Coleridge), the warrant of a supersensible reality one yet infinite, the meaning and ground of the universe."[1]

Craffer yn fanwl ar y deffiniad hwn, yn arbennig ar y frawddeg gyntaf a'r olaf. Dywedais mai un o nodweddion y beirdd clasurol oedd cyfyngu'r profiadau a ddisgrifient i'r ychydig hynny a oedd yn gyffredinol, ac ymgroesi rhag y profiadau dieithr ac unig. Dengys Miss Powell mai'r profiadau neilltuol hyn oedd prif ddyhead yr ysgol ramantus, ac yn fwy na dim, rhyw brofiad mawr o sylweddau ysbrydol ac uwchanianol a fyddai'n esboniad ar fywyd ac yn sail iddo. Onid yw'r disgrifiad hwn yn berffaith yn ei addasrwydd i *Theomemphus*? Trwy'r gân, dyn unig yw Theomemphus, yn teimlo'n fwy angerddol nag eraill, yn drist yng nghanol llawenydd: symbol mor gyflawn bob tipyn o'r bardd rhamantus ag yw Endymion ei hun, ac yn debyg i Endymion yn unigedd ymchwil ei oes:

> "Fe deithiodd gylch o gwmpas i bob ardaloedd sydd,
> Heb weled gwawr, na seren, na haul, na goleu'r dydd."

A'r profiad a ddarlunnir yn *Theomemphus*, mater mawr y gân, yw'r profiad o'r dwyfol

[1] A. E. Powell: *The Romantic Theory in Poetry* (1926) ch. 1.

sylwedd, o Dduw ei hun, y profiad rhyfeddaf a allai ddigwydd i ddyn ar y ddaear. Pan ddelo'r gân hon i'w phwynt, a chael o Theomemphus yn y diwedd y peth a ddymunai, fel yma y disgrifir ef:

> " Ni ddeallodd ac nis clywodd erioed o'r blaen gan ddyn
> Yr hyn a gas ei deimlo yr awrhon ynddo ei hun. . . .
> *Trwy brofi'r hyn nas profodd efe o'r blaen erioed.*"

Dyna newydd-deb *Theomemphus*. " Y mae yn ddarn o waith newydd nad oes un Platform iddo yn Saesoneg, Cymraeg, nac yn Lladin." Eithaf gwir. Dyma'r gyntaf o ganeuon mawr y mudiad rhamantus yn llenyddiaeth Ewrop.

## V

## TROEDIGAETH LLANC

GAN hynny, 'stori llanc synhwyrus' yw *Theomemphus*, hanes un a aned yn fardd, a chanddo fywiogrwydd dychymyg a rhyferthwy nwydau. Casâi Williams ddynion oer eu gwaed, ac fe ragwelai yr achwynid gan y cyfryw eunuchiaid oblegid nad oedd mater ei gân yn llednais na didramgwydd. Meddai amdanynt mewn dirmyg: "Fe ofyn rhyw efnuch na fu erioed yn ymladd â'r nwydau hyn, na'i demtio ragor i garu dyn nag y ca'dd un o drigolion America i'w demtio i garu Spaniard, pa achos y gosodais hyn yma mor ehelaeth." Nid oedd raid iddo ymddiheurio. Y cryf ei nwydau, y dyn y mae rhyw a chnawd yn danbaid ynddo, hwnnw'n unig a all wybod am brofiadau angerdd. Ebr Sante de Sanctis am un a brofodd droedigaeth gyffelyb i Theomemphus: "Fe garai ac fe gasâi, ac felly yr oedd yn amlwg ynddo'r cyfoeth teimladol hwnnw sy'n un o'r elfennau angenrheidiol i unrhyw gyfnewid hanfodol ym mywyd dyn."[1]

Magwyd Theomemphus yn grefyddol yng nghanol Ymneilltuaeth sir Gaerfyrddin yn y ddeunawfed ganrif, yn sŵn pregethu a diwinyddu. Yr oedd:

> " Athrawon lawer o ddoniau amrywiol ryw
> Yn heidiau yn yr ardal 'roedd Theomemph yn byw."

Byd o syniadau haniaethol oedd ei fyd. Dadlau am byncia a chyfundrefnau diwinyddol oedd prif ddiwydiant y byd hwnnw:

> " Terfysgwyd pennau'r bobl, fe rannwyd yma a thraw,
> Dau biniwn mewn un eglwys, ac weithiau wyth neu naw;
> Cyhoeddwyd cymanfaoedd o'r de i'r dwyrain dir
> I chwilio gwraidd opiniwn, a gwneud y pwngc yn glir."

Cynrychiolydd cyflawn y byd hwn yw Orthocephalus:

> " Hwn ydoedd wedi ei ddysgu yn ddyrus ddoniog ddyn,
> Fe haerodd nad gwirionedd gan neb ond gantho ei hun,
> Ac mae gwybodaeth ydoedd mam crefydd bur trwy'r byd,
> Ac ar wybodaeth ydoedd ei hadeiladu hi gyd."

[1] Sante de Sanctis: *La Conversione Religiosa, studio Biopsicologico*, tud. 73. Athro ym mhrifysgol Rhufain yw de Sanctis. O'i lyfr ef a llyfr Thouless, *Introduction to the Psychology of Religion*, y cefais i'r cyfarwyddyd mwyaf ar ochr eneidegol y gwaith hwn.

Ni chafodd Cymru gampusach dychanfardd na Phantycelyn. Saif ar ei ben ei hun. Dull y dychanu traddodiadol yn Gymraeg yw tynnu llun anferth, anhygoel o'r gwrthrych a phentyrru arno enwau ac ansoddeiriau dirmyg. Ceir enghraifft o hynny yn narlun Lewis Morris gan Oronwy Owen yng *Nghywydd y Diawl*. Perthyn dychanu Williams yn agosach i'r traddodiad Ffrengig ac i ddull Dryden, disgybl y Ffrancod, yn Saesneg. Y mae'r darlun, ar y cychwyn, yn gredadwy, yn hawdd ei adnabod. Braidd nad yw'n garedig i'r gwrthrych, yn cydnabod pob rhinwedd a fedd, yn dyner fel palf cath. Ond yn ddisymwth daw'r ewin o'r balf a phob trawiad yn tynnu gwaed. Y mae casineb Williams yn greulon, ac yn ei bortread o'r dadleuwyr diwinyddol diau y dialodd flynyddoedd o ddioddef ganddynt. Disgrifia effaith pregethu Orthocephalus ar un o'i wrandawyr:

> "Dygodd ef i'r eglwys, nis dygodd ef i'r Ne'"

ond cyn ei ladd â'r epigram olaf hwn, rhydd inni ei bregeth, sy'n gynllun o barodi mewn barddoniaeth. Ni themtir y bardd unwaith i ormodedd, ond crynhoir holl wendidau'r gwrthrych ynghyd, ac o linell i linell fe dyf y darlun yn feistraidd mewn malais a gwawd:

> " Chytunai ddim a Baxter sy'n rhannu'r cyfiawnhad,

Na Chrisp sy'n dodi'r gyfraith yn hollol tan ei draed,
Na Zinzendorf a'i drefn, 'dwi'n llyngcu un o'r tri,
Ac ni bydd Athanasius yn feistr ffydd i mi.
Ni chaiff articlau Lloegr eu credu genni'n lân,
Na rhai wnawd yn Genefa rhyw flwyddau maith o'r bla'n;
Er pured eglwys Scotland, nid purdeb yw hi gyd;
Ni phinnai ddim o'm crefydd ar lawes neb o'r byd."

Dyna Anghydffurfiaeth yn ei grym. Nid rhyfedd i Theomemphus flino ar ddiffeithdra ei fyd. Fe'i terfid ganddo, a chrino hoywder ei ieuenctid. Aeth crefydd yn gonfensiwn cecrus, a'r Beibl, maes y dadleuon oll, yn grastir sathr. Nid oedd ynddo ddim a ddenai serch bachgen ag egni gwanwyn yn ei waed:

"Can's erddo ryw amserau i ddarllen Bibl llawn
Ryw weithiau amryw trosto mewn ieithoedd lawer iawn,
Yr hanes oedd e'n gofio, 'roedd hynny wrtho ynglŷn,
Ond hanes oedd i arall, nid hanes iddo ei hun;
Os Lladin, Groeg, neu Hebrew, neu Siriac hen ynghyd,
Nid oedd i Theomemphus ond swn a thyna i gyd."

Heblaw hynny, yr oedd byd arall yn dechrau galw arno â swyn a dyfai beunydd, byd o ddiangfa, dieithr, disathr, rhyfeddol, byd ei lencyndod a'i ddychymyg a'i nwydau iraidd a'i ddyheadau. Terfid ef gan y byd y tu allan iddo. Tyfodd llais y byd mewnol yn gryfach, gryfach:

"Ei nwydau afreolus mor nwyfus oedd eu rhoch."

Yr oedd yma addewid am beryglon ac anturiaethau a holl freuddwydion llanc. Popeth a gasâi yn y byd o'i gwmpas, fe'u methrid yn orawenus yma. Hwn oedd Afallon yr ieuanc, a chanu genethod yn bêr ar ei awelon. Troes Theomemphus ei gefn ar y byd crin allanol. Cyflawnwyd mewnblygiad ei feddwl. Ymroddodd i fyw ym myd ei ddychymyg.

Ceir dau ddisgrifiad o'r byd mewnol hwn, un yn y bennod gyntaf o'r gân, a'r llall yn niwedd y drydedd bennod yn union ar ôl ail bregeth Boanerges. Darluniau yw'r ddau o fywyd Theomemphus cyn ei droedigaeth, ond bod gwahaniaeth pwysig rhyngddynt. Ymson Theomemphus ei hun yn adolygu ei fywyd yw'r ail; darlun symbolaidd o'i gyflwr yw'r cyntaf. Ni ellir deall y cyntaf oddieithr yng ngoleuni'r ail, na'i ddeall o gwbl oni chofier mai symbolaidd yw, llun o fywyd ei ddychymyg. Nid ffeithiau hanes a geir ynddo, ond ffansïau penrhydd meddwl mewnblyg wedi eu disgrifio o safbwynt y troedig yn edrych yn ôl mewn dychryn ar a fuasai gynt. Dywed Thouless[1] mai un o nodweddion

[1] op. cit., tud. 216.

sicr troedigaeth llanc yw'r duedd i ormodiaeth eithaf a symbolaidd wrth iddo ddisgrifio'i gyflwr cyn ei droi. Eglura hynny ffieiddiwch y disgrifiad o Theomemphus yn y bennod gyntaf. Yr oedd hyd yn oed ei fod yn ffiaidd ganddo:

> " Aflendid oedd ei ddechreu, cenhedlwyd ef mewn blys,
> Rhwng Hittes ac Amoriad, yn groes i'r ddeddf fe wys."

Cymharer hyn â'r disgrifiad ohono wedi ei droi, ac fe ddeëllir yn derfynol mai darlun symbolaidd o'i gyflwr meddwl sydd yn y bennod gyntaf:

> " O ddedwydd awr i'm ganwyd, yr awr ddedwydda erio'd
> *Oedd honno yr arfaethwyd i Theomemph gael bod.*"

Yn sicr, cyfraniad pwysicaf eneideg ddiweddar i feirniadaeth Gymraeg yw'r esboniad a rydd ar y rhannau hyn o gân fawr Pantycelyn.

Ceisiwn gan hynny ddisgrifio'r byd mewnol hwn. Y mae ei ddeall yn fuddiol er mwyn dilyn y gerdd. A'r ffaith gyntaf amdano yw mai Theomemphus yw ei arwr. Yn y byd allanol, ym mysg y dadleuwyr diwinyddol, nid oedd gyfle i egni teimladol bachgen ifanc. Nid oedd yno faes i'w anturiaethau. Ond ym myd ei ddychymyg, ef ei hun yw'r cawr. Ef sy'n synnu'r tyrfaoedd, yn ennill clod ac enw a'r sylw i gyd:

> " Fe gafodd enw rhyfedd gan luoedd mawrion iawn,
> Pawb oedd yn ei glodfori am ei ryfeddol ddawn;
> Pob ardal bu e'n teithio, fe adawodd ynddynt hwy
> Ryw newydd beth a barai i gofio amdano mwy."

Y mae delfrydau'r llanc hefyd o angenrheidrwydd yn gwbl groes i safonau'r byd allanol; a chan mai rheswm a moesoldeb a ffynna yno, caiff penrhyddid a her ac antur farchogaeth yn fentrus drwy fyd ei ddychymyg:

> " Dwed am ei elfen wibiog yn crwydro o le i le,
> Rhy dda y wlad bresennol yn wastad iddo fe,
> Ac am ei gynnydd tanllyd, ac am ei nwydau hy
> Yn creu pob cymdeithas b'ai ef yn Uffern ddu.
> Ni adawodd un gorchymyn a feddai brenin Nef
> Nas torrwyd hwy'n llythrennol ryw amser gantho ef;
> Ac fe ymffrostiai'n fynych, os einioes gai ymla'n,
> Na chai o'r Bibl sillaf fod heb ei roi yn dân."

Gellir felly herio safonau moesol y byd allanol, ac ymogoneddu mewn mynegiant dirwystr o bob mympwy a chwant. Trwy reolau cymdeithas fe lesteirir rhyddid yr unigolyn, ond gall y meddwl mewnblyg ymroi i 'bechod', a chyflawni mewn breuddwyd a dychymyg y pethau a waherddir gan gymdeithas:

> " Fe wnaeth ffieidd-dra enbyd o fan i fan bu'n byw,
> Fe addolodd Baal a Moloc, gelynion perffaith Duw,
> Fe gludodd arno'i hunan holl feiau maith y byd, . . .
> Pob pechod oedd mewn natur, pob bai sy amdano son."

Prif hudol y byd mewnol hwn yw greddf rhyw. Yn ei lencyndod y dargenfydd bachgen ei fod yn greadur rhywiol, a daw'r ymwybod iddo'n aml yn ddychryn a phoen, ond hefyd—ac yn arbennig pan fo ganddo gyfoeth teimladol Theomemphus—yn gyffro ac yn ddyhead diderfyn. Hyn sy'n ffurfio llencyndod, yn brif gymhellydd holl egni'r cyfnod. Yn y dyn iach a ffodus fe fynegir yr egni hwn, ac felly ei fodloni, drwy ei droi'n fabol gampau o bob math, yn waith, yn anturiaethau, yn ddarganfyddiadau, oni ddelo'r adeg y sianelir ef yng nghyplysiad priodas a ffrwythlondeb plant. Ond nid yw'r peth mor hawdd ag yr awgryma'r frawddeg yna. Camp arbennig, ffrwyth amgylchiadau caredig a ffrwyth ni wyddys faint o ofid a brwydro, yw iechyd meddwl. Concwest yw; ac mewn llencyndod y mae afiechyd meddwl yn fwy normal. Cais y canol oed wadu hynny a'i anghofio, ond fe ddangosodd Freud ystyr ac amcan eu hanghofio hwy. Nid meddwl iach sy gan Theomemphus, eithr meddwl gorfewnblyg, y mwyaf enbydus o'r cwbl yng nghyfnod llanc. Cais ddiwallu ei nwydau rhywiol yn ffansïau ei ddychymyg ac mewn ymhalogiad, fel y cyfeddyf ei hun:

> "Na wna odineb eilwaith, 'does neb ŵyr tan y Nef
> P'sawl gwaith, sawl ffordd, sawl ystyr y torrodd Theo ef.
> Mi torrais ef a'm llygaid, mi torrais ef a'm llaw,
> Mi torrais ef a'm meddwl ymhell oddiyma draw.
> Ni feddai un cymydog un dim o tan y ne
> Na chwantai Theomemphus fod hwnnw gantho fe,
> A'i wraig yn fwy na'r cwbl, ffyddlonaf, hawddgar, lân,
> Pan aeth yn wraig chwenychwn, nis carwn hi o'r bla'n."

Cam bychan sydd o hynny i ŵyrdroad y nwyd rhywiol a melltith annaturioldeb. Craffer ar y disgrifiad symbolaidd yn y bennod gyntaf. Sonnir yno am amryw bechodau, ond y mae'r pwyslais yn amlwg iawn ar arferion rhywiol annaturiol,— y meddwl wedi ei blygu o gwmpas y peth hwn. Enwir yno sodomiaeth ddwywaith, a nifer o ŵyrdroadau eraill a hyd yn oed gorwedd gydag anifeiliaid y maes. Ystyr y cwbl yw gormesu o ryw ar ddychymyg Theomemphus, y chwant rhywiol yn dyheu am wrthrych a mynegiant, ac oblegid nas caiff yn gorfforol, yn clymu ar bob math o wrthrych yn ei ffansïau, nes gyrru'r llanc bron yn wallgof. Gwyddai Williams o'r gorau am beryglon y gwallgofrwydd hwn. Diolchai oherwydd marw ei ferch, Maria Sophia, cyn eu gwybod:

> " Hi aeth i'r lan
> Heb wybod beth yw hiraeth ar ôl dyn,
> Na gwybod beth yw cariad, gefnfor mawr,
> Sy'n chwalu'r muriau mwyaf cryf o'i flaen
> Ac yn gwneud Bedlam faith yn hanner llawn
> O hen ac ieuainc."

Felly fe garcharwyd Theomemphus ynddo'i hunan, a'i feddwl mewnblyg yn ymbleseru mewn dychmygion a lluniau enbydus. Ceir gan James Joyce yn ei nofel, *A Portrait of the Artist as a young Man*, bortread sy'n dilyn yr unrhyw linellau.

Ond dechreuodd Theomemphus anesmwytho yn ei fyd. Gwyddai'n burion ei fod yn gyflwr anfoesol ac yn groes i bopeth a ddysgasai. Ni allai ddileu argraff ei addysg fore:

> " Ond eto trwy bob pleser yn eitha ei rwysg a'i rod
> Fe ofnai fe rai prydiau am amser oedd i ddod;
> Roedd angeu du dychrynllyd a barnwr mawr y ne'
> O'i anfodd yn ymlusgo i mewn i'w feddwl e'.
> Roedd fflamau poeth diwaelod y pydew dwfn mawr
> I'w gof yn dirgel redeg bryd arall ac yn awr,
> Ond nis caent aros yno, fe gyrrai hwynt i ma's."

Felly fe godai gwrthryfel yn ei feddwl. Ceisiai yntau setlo'r frwydr drwy atal ei ofnau, eu hanghofio, eu gyrru o'r ymwybod i'r diymwybod a'u troi'n atalnwyd, a'r atalnwyd hwnnw'n 'dirgel redeg' yn ôl i'r ymwybod a chreu yno derfysg. Dinistriwyd ei heddwch. Troes byd ei ddychymyg yn garchar a'i nwydau'n rheibus fel cŵn, ond yn methu ganddynt eu diwallu, a'i ofnau o hyd yn codi i'w condemnio. *Marwnad Maria Sophia* yw'r *locus classicus* ar y gwrthryfel hwn:

> " Diengaist ti ar nwydau cig a gwaed,
> Yr uffern fawr o fewn i fynwes dyn
> Sy'n fflamio i'r lan heb ddarfod iddi byth,
> Pob nwyd heb derfyn, a phob nwyd heb gael
> O oes i oes y ganfed ran o'i chwant,
> Yn bloeddio am gael rhagor iddynt byth,—
> Can mil yn rhagor nid yw ronyn mwy. . . .
> Un tro bydd ofn, tro arall y bydd chwant
> Yn groes i'w gilydd, mil o nwydau'n llyn
> Yn lladd, yn codi, ac yn nychu'r dyn,
> Yn gwneuthur Uffern eang bob yr awr,
> Ac yn gwneud myrddiwn maith i waeddi maes,
> Y bedd, y bedd!"

Dyna gyflwr Theomemphus. Yr oedd yn addfed felly i gyfnewid. Ac mor gywir yw eneideg Williams. Gofala ddangos nad peth sydyn, dibaratoad yw troedigaeth ei arwr. Nid oes un cam sydyn, diachos drwy gydol ei yrfa. Ni bu erioed wyddonydd a chanddo sicrach gafael na

Williams ar y syniad bod deddfau natur yn gwbl gyson ym mywyd dyn. Nid yn sydyn y daeth i Theomemphus genadwri Boanerges. Fe'i disgwyliai a'i ofni:

> " Mi glywais son amdano ryw amser cyn ei ddod,
> Bum cant o weithiau a rhagor melltithiais ef erio'd.
> Mi lleddais ef, mi mwrddrais uwchben y cwpan gwin,
> Mi geblais fel ynfydrwydd ei eiriau mawr eu rhin;
> Nawr ofnau sy'n fy nghalon, ac ofnau sydd yn gwau
> Trwy bob gwythïen imi, rwy' bron a llwfrhau."

Hyn oll cyn llefaru o'r pregethwr air. Dengys eneidegwyr heddiw mai dyna'r cam cyntaf ym mhob troedigaeth, ac eglurodd Jung fod hyd yn oed troedigaeth yr apostol Paul yn dilyn yr un cynllun. Ebr ef: 'Buasai Paul yn Gristion er ys talm ond heb iddo'i wybod. Oblegid hynny yr erlidiodd ef y Cristnogion mor benboeth, canys yn gyffredin arwydd o amheuon cuddiedig yw penboethni.'[1] Felly yntau Theomemphus. Nid oedd pregeth Boanerges ond ei atalnwyd ei hun, a yrrwyd ganddo droion o'i ymwybod, yn dychwelyd yno â'r nerth anorchfygol a gasglasai yn y diymwybod. Dywed gwyddonwyr mai'r hyn a ddigwydd yn y

[1] Gweler Thouless: op. cit., tud. 189.

diymwybod sy'n gryfaf ei effaith ar fywyd dyn, ac ni flinodd Williams ar ddangos hynny. Ef yw darganfyddwr mawr y diymwybod, mangre'r nwydau, ac ef yw bardd cyntaf gwyddoniaeth a'r meddwl modern yn Ewrop.

Felly, pan gychwynnodd drama bywyd Theomemphus, yr oedd y cwbl wedi ei baratoi. Ni wnaeth pregeth gyntaf Boanerges ond dwyn yn llwyr i gylch yr ymwybod y frwydr a fuasai gynt rhwng y nwydau penrhydd a'i ofnau ataliedig. Gwybod drwy gyngreddf gref mai hynny a fyddai a barodd ei ddig yn erbyn Boanerges. 'Mi lleddais ef', meddai. Gwnaeth a allai i ddianc rhag wynebu'r ing ymwybod. Ond nis medrodd. Mewn un pennill mynegodd Boanerges y cwbl a ofnai:

"Os aur neu arian rhwdlyd neu ryw drysorau'r byd,
Neu faesydd mawrion helaeth sydd yn lledratta'ch bryd,
Neu falais, neu genfigen, neu serch at ferch *ynghudd*
Sy a mil o demtasiynau yn hongian ar ei grudd,
Yn awr rho ffarwel iddynt."

'Argyhoeddiad' yw'r hen enw Cymraeg ar hyn, ac y mae'n derm da. Canys *cyhoeddi'r* gwrthryfel a fuasai'n gudd a wna, ei ddwyn i angerdd ymwybod a'i droi'n ymdrech ddirdynnol. Dealla Theomemphus yn awr nad oes gymrodedd yn bosibl rhwng ei ddau fyd, a'r deall hwn a'i trecha:

> "Gwae fi, gwae fi i'm geni, mi wela'n awr i gyd
> Bob ffiaidd beth a wnaethum er pan y de's i'r byd;
> Mae 'mhechod yn fy wyneb, ac yn fy ngwasgu lawr
> Saith drymach na mynyddau i waelod Uffern fawr."

'Mae 'mhechod yn fy wyneb'. Y cam cyntaf tuag at ei droedigaeth yw ei ddwyn i wybod ei gyflwr, cam mewn eneideg; a'r gwybod hwn yw achos ei holl ing a'r rhwyg yn ei feddwl. Ni all aros fel yna mewn cymaint dirdra:

> "Nid llai na thrugain noswaith, nosweithiau maith eu hyd
> Bu Theomemph mewn cyfwng gan ei feddyliau 'nghyd,
> Anobaith weithiau yn ennill, ac weithiau gobaith gwan."

Un cynllun yn unig a genfydd a ddichon setlo'r terfysg, sef chwildroad llwyr. A hynny a ddigwydd. Yr ofnau a'r greddfau cymdeithasol sy'n tueddu at foesoldeb, fe'u derbyn hwynt i'r ymwybod a'u ffurfio'n 'gymeriad' iddo. Yr un pryd fe wthia'r chwantau rhywiol i'r diymwybod. Gellid rhagweld mai hynny a ddigwyddai drwy'r pennill sy'n disgrifio ymweld hen gyfeillion ag ef pan oedd waethaf ei gyfwng:

> " Daeth ato ef Hilarius yn llawen sydd o hyd,
> Ridiculus a Risus, un cwmpni'ch tri ynghyd;
> Hen Philogunus aflan a benyw gydag ef—
> *Fe saethodd Theo hwnnw ag un o eiriau'r nef.*"

Ofn enbyd sydd yma, y penboethni y soniai Jung amdano. Ni ddylai neb ddigio'n fawr wrth ragrithwyr. Rhagrith yw unig a thruenus loches y gwan a'r di-arf. Mynn Theomemphus yrru ei nwyd i'r diymwybod, hynny yw ei anghofio, canys fe ddangoswyd eisioes mai dyna'n fynych ystyr anghofio. Rhyfedd yw craffter eneidegol y llinellau a ddisgrifia hynny:

> " A Theomemphus yntau a hunodd gyda hwy,
> Daeth llen dros ei olygon, *fe anghofiodd faint ei glwy.*"

Ond sylwer: er y chwildroad hwn, ni newidiodd ei gyflwr ddim. Eto, fel o'r blaen, y mae ynddo ddwy duedd groes i'w gilydd, un yn gymeriad, y llall yn atalnwyd. Gwelsom mai arfer atalnwyd yw dianc yn ddiddisgwyl yn ôl i'r ymwybod mewn breuddwyd neu demtasiwn, a chreu yno eto derfysg. Felly unwaith yn rhagor er pob cais anghofio:

> " Ond yntau Theomemphus tan gysgu, ambell bryd
> Oedd a tharanau Sinai fel breuddwyd yn ei fryd.
> Er hepian 'roedd euogrwydd rai prydiau yn dod i'w go."

Y mae ei heddwch mor beryglus ag erioed, a gellir unrhyw funud ail godi'r gwrthryfel a'r ing. Mewn un peth, yn wir, y mae ei gyflwr presennol yn waeth na chynt. O'r blaen, pan reolid ef gan ei nwyd, bu ganddo egni a hoywder dychymyg. Ymogoneddai ym mywiogrwydd ei ieuenctid. Bellach, llywyddir ei feddwl gan foesoldeb a syniadau byd gwrthrychol nad oes ganddo wir gydymdeimlad ag ef. Canlyniad hynny yw llethu ei egni a llyffetheirio'i ddychymyg a tharfu pob gweithgarwch. Troir ei nwyfiant yn barlys marw:

> " Fe eisteddodd yn yr anial, heb wybod iddo'i hun,
> Fe dreuliodd amser heibio fwy nag a ddeall dyn. . . .
> Fe roi ryw un ochenaid yn awr ac yn y man,
> Ac er ei holl ochneidiau ni chodai fyth i'r lan,
> Tra fu amrywiol eraill o rai a gafodd ras
> Yn teithio 'mlaen tan ganu tua'r etifeddiaeth fras."

Dyna effaith ataliaeth ar feddwl mewnblyg, a dyna berygl ataliaeth. Ni ddadrys gadwynau ac ni ddwg iechyd i neb. Unwaith yn rhagor fe ragflaenodd Williams ar un o ddarganfyddiadau pwysig Freud, a rhoes yng ngenau Seducus y feirniadaeth ddofn hon ar bregeth Boanerges:

> " Fe fuasai'n tynnu'n synnwyr cyn iddo blanu gras."

Byrdwn ail bregeth Boanerges ei hun yw bod ymatal yn anfuddiol. I Theomemphus, a gais gladdu ei nwydau a llechu mewn syrthni, y mae'r genadwri hon yn greulon:

> "Mae ysbryd sy'n trywanu trwy'r holl orchmynion hyn,
> Trywanu mewn i'r gewyn, y mêr a'r asgwrn gwyn,
> *Yn chwilio'r dirgel fwriad, yn ffeindio'r aflan fryd,*
> Yn barnu'r holl ddibenion a'u tuedd cynta 'nghyd.
> Er iti gadw'th hunan yn lân fel papur gwyn.
> Rhag gweithred o odineb o'r dechreu hyd yn hyn,
> Os edrychaist draw ar forwyn â llygaid cnawd o bell,
> Dy enw yw puteiniwr, ni chai di enw gwell."

Dyma dynnu cig marw oddiar glwyf. Taflodd olau llachar ar gyflwr y truan, a gwelodd Theomemphus mai ei dwyllo'i hun a wnaeth yn ei chwildroad ac na bu un newid sylweddol ynddo. Yn awr y ceir ei ymson fawr, y disgrifiad ohono'i hunan a ddyfynnwyd gennym eisioes yn helaeth. Cydnebydd mwyach mai 'ffaith yw ffaith':

> "A minnau ffiaidd ydwyf i gyd o'm pen i'm traed,
> Yn glwyfau hyd fy nghorun heb nabod dim iachad,

Pob nwyd, pob dawn, pob tymer, pob aelod imi sydd
Yn pechu yn erbyn Nefoedd bob munud fach o'r dydd."

'Ei ladd oedd Boanerges', medd y bardd, 'dim ond chwanegu ei ofid'. Hynny yw, mynnu ei gael i'r ymwybod. Ac ni all bod chwildroad arall i leddfu ei gur. Cenfydd weithian nad oes un achubiaeth iddo'r tu mewn iddo'i hunan. Dyma bwll anobaith y meddwl mewnblyg:

"Nis gwn i'r funud yma pa fodd i ddod yn rhydd."

Ni all mwyach 'anghofio' ofnau a moesoldeb. Hynny sydd yn ei gymeriad. Ond gŵyr hefyd y boen fwyaf y gall dyn ei phrofi, sef diddymdra ewyllys ac aneffeithiolrwydd y cymeriad i dawelu tryblith nwydau. Ac eto, er mor giaidd hynny, yr oedd yn gam angenrheidiol tuag at ei iachau. O hyn ymlaen cynydda'n gyflym ei amgyffred eneidegol o'i anesmwythyd, a cheir ganddo'r diagnosis cywir hwnnw yr haera Williams ei fod bob amser yn arwydd o gynnydd yn yr yrfa ysbrydol. Cytuna gwyddoniaeth ag ef mai gwir hynny, a threfn hyd yn oed meddygon heddiw i waredu neb o'i atalnwydau yw ceisio'n gyntaf eu dwyn i'r ymwybod a'u mynegi, ac yna eu trosglwyddo ar wrthrych newydd. Mwy na hynny, fe ddeall Theomemphus nid yn unig achos ei glafychu, eithr hefyd y modd y deuai iddo ymwared:

> "Nerth, nerth, sydd arna'i eisieu, rhown fyd am hwn pe cawn.
> O yspryd pur nefolaidd, cyn 'elwi lawr i'm bedd
> Trwy ryw athrawiaeth hyfryd gad imi brofi'th hedd;
> Maddeuant! O maddeuant! Maddeuant! Cyfan rhad
> Yw'r cyntaf peth wy'n geisio yr awrhon yn dy wa'd."

Dyma'r tro cyntaf iddo ef ddefnyddio'r gair 'maddeuant', a phwysig yw'r pwyslais sydd arno. Trwyddo fe gred y daw iddo'r heddwch a ddeisyf—a pherthynas rhyngddo a rhywun y tu allan iddo yw maddeuant. A sylwer: yn awr yn gyntaf, dan anobeithio am iechyd o'i fewn, y cais ef ddianc o gadwyn ei hunanoldeb. Yn hytrach nag eistedd eto mewn syrthni, fe fynn roi clust i'r byd o'i gwmpas, fel y gwypo a oes iddo ymwared yno. Â i wrando ar y pregethwyr, ac yma y ceir gan Williams ei ddarlun dychanol o'r dadleuwyr diwinyddol ac o athroniaeth ei oes. Ni roddwyd erioed y clod a ddylid i gynllun a phensaernïaeth *Theomemphus*. Daw pob disgrifiad a phob interliwd yn ei le priodol, gan hyrwyddo'r prif amcan a chyfoethogi'r datblygiad eneidegol sy'n hanfod y gerdd.

Arbitrius Liber yw'r trymaf o'r pregethwyr hyn a phrif gennad meddwl ei ganrif.

Ef yw'r Cartesiad sy'n sylfaenu ei athrawiaeth ar ryddid digystlwn y rheswm a'r ewyllys ym mywyd dyn:

"Nid ydyw dyn heb allu er iddo fynd ar ŵyr,
Mae ei 'wyllys a'i resymau heb eto eu llygru'n llwyr;
Ei ddeall yw ei reswm, fe gadwodd hwn ei le
Pan collodd ei frenhiniaeth o fewn i deyrnas Ne.'
A dyma'm neges innau, cyhoedi i chwi'r gwir,
Nid yw'r efengyl euraid a eilw rhai yn rhad
Ond copi o foesoldeb a phob rhinweddol ddawn,
A ninnau i'w ei chanlyn o foreu hyd brynhawn."

Sail y ddysg hon yw deuoliaeth Descartes, ei syniad ef am annibyniaeth meddwl ar fater. Fel y dywed ei feirniad diweddaraf, ymgnawdoliad angel yw tybiaeth Descartes am ddyn, ysbryd pur yn derbyn gwybodaeth drwy gyngreddf ddigyfrwng, a heb ddibynnu ar synhwyrau, er eu bod hwy mewn dull anesboniadwy yn cydfod ag ef.[1] Tebyg yw beirniadaeth Williams:

"Mae yma ryw athrawiaeth sydd yn dyrchafu dyn. . . .
Nid yw Arbitrius Liber hyd heddyw ddim o'r dyn
Sy'n nabod ei euogrwydd a'i wendid mawr ei hun."

[1] J. Maritain: *Trois Reformateurs, Descartes ou l'incarnation de l'ange* (Paris, 1925). Gweler hefyd ragair y Dr. D. Miall Edwards: op. cit. tud. 13, 14.

Hynny yw, mewn eneideg y mae Cartesiaeth yn wan. Oblegid datguddiad ei brofiad ei hun, fe ddychwel Williams at y meddwl Cristnogol gorau, y syniad a osodwyd yn gadarn yn ei ddiwinyddiaeth gan Sant Thomas o Acwino—bod undeb corff ac enaid yn *hanfodol* mewn dyn, nid yn ddamweiniol nac yn gyfochrol. Nid yw'r enaid ei hunan ond rhan anghyflawn ohono: "*Anima non habet naturalem perfectam nisi secundum quod est corpori unita.*" Gan hynny, y mae'r nwydau'n perthyn i'r enaid yn gymaint ag i'r corff, ac ym marddoniaeth Williams, megis ag yn athroniaeth Sant Thomas, ni ellir yn fanwl gywir sôn am enaid *a* chorff, ond yn unig am gorff-enaid, y bod cymhleth, dyn.[2] Dyna sylfaen athronyddol y gân, *Theomemphus*; rhaid dal wrth y syniad hefyd er mwyn deall datblygiad Williams ei hun, ac yn arbennig ei ganu diweddarach yn *Ffarwel Weledig* a'r hymnau olaf. Hawdd gweled bellach effaith pregethu Arbitrius Liber ar Theomemphus. Gwadai hwn yr hyn a ddysgasai ef mewn ing am ei natur ddynol. Pruddhawyd ef, ac yn ei ddigalondid braidd na roes heibio obaith, a throi oddiwrth y byd yn ôl iddo'i hunan:

> "A Theomemph yn athrist yn rhodio wrtho'i hun."

[2] Gweler E. Gilson: *Etudes de Philosophie Médiévale*, tud. 108–112.

Ni ddaeth Efangelius ond mewn pryd i'w waredu.

Rhennir pregeth Efangelius yn ddwy ran. Esboniadol yw'r rhan gyntaf, ei gyfran ef yn y dadleuon diwinyddol a'i ateb i Arbitrius Liber. Cyn y gallo egluro trefn achub dyn, rhaid iddo ddangos y fath un yw'r hwn a achubir. Fe ddefnyddia'r un termau diwinyddol ag a ddefnyddiai ei ragflaenwyr, maddeuant, ffydd, credu, anghredu, cyfiawnder, santeiddrwydd; ond eu deffinio o newydd a rhoi iddynt gynnwys gwahanol. Termau haniaethol oedd y rhain gan y Cartesiaid, yn perthyn i fyd rheswm, yr unig fyd dynol yn ôl eu dysg hwy. Medd Efangelius:

> " Gelynion yw'th resymau,"

a throsglwydda'r termau oll i fyd dyn, y bod synhwyrus. Prif ergyd y rhan hon o'r bregeth yw cydnabod rhan y nwydau a'r synnwyr yn nhrefn iechydwriaeth, a rhoi iddynt swyddogaeth a chyfle. Nid dull o ymresymu nac offeryn i gymryd lle deall yw credu, ond:

> " Mae caru yn un a chredu . . .
> A gredodd, hwnnw garodd."

Felly nid â'r rheswm y mae credu, ond drwy'r nwydau:

"Pan ddelost ti i *gredu â'th galon* yn y
gwaed."

Yn y ddiwinyddiaeth Gartesiaidd a lywyddid gan reswm ac ewyllys, nid oedd le i Grist ond yn unig

"I roi rhyw reol hyfryd o fywyd nefol ryw."

Eithr yn athrawiaeth Efangelius, sy'n rhoi'r prif bwyslais ar y nwydau, y mae gofyn diwallu'r rhain â gwrthrych dyhead a serch. Carwr yw'r dyn synhwyrus:

"Ond credu yw dy weled yn eisieu oll i gyd,"

a charwr yn unig a'i bodlona. Yn y dadleuon diwinyddol Efangelius yw'r cyntaf i enwi'r geiriau 'caru' a 'serch'. Cyn hynny, nid oeddynt namyn enwau bwganod ym mywyd anllad Theomemphus. Wele hwynt yn awr yn brif dermau yn nhrefn achub, ac yn allwedd i holl eirfa diwinyddiaeth. Beth yw ffydd? Dyn yn mynd allan ohono'i hun mewn dyhead ac yn ymroi i wynfyd serch:

"Hi ddena yn ddirgelaidd i ganol Nef dy
fryd."

Bu santeiddrwydd gynt yn air o arswyd, mwyach y mae'n enw arall ar gredu sy'n gyfystyr â charu:

"Fel credost byddi sanctaidd."

Anghrediniaeth? Rhwystr i fwynhad y nwydau drwy fethu gan y meddwl droi oddiwrtho'i hun at wrthrych y tu allan iddo:

> "Fe rwystra'th anghrediniaeth di lawer o fwynhau . . .
> Mor gynted yr amheuaist tydi a golli'th rym."

Ystyr y cwbl yw nad oes ddeuoliaeth mewn dyn. Nid corff ac enaid ydyw fel y dysgasai holl athronwyr y traddodiad Platonaidd yn Ewrop; eithr corff-enaid, ysbryd synhwyrol, yn ôl dysg y traddodiad Aristotelaidd a Christnogol. Trefn achub dyn yw rhoi iddo garwr fel y dener ef allan o'i Narsisiaeth, a'i droi tuag at wrthrych a fodlona ei holl natur. Ynddo'i hun nid oedd ond ymgnoi a chwant anniwall sy'n dân ysol. Mewn cariad at wrthrych digonol gellir ymryddhad a hedd. A oes gan hynny y fath wrthrych? Yr ateb yw ail ran y bregeth a'r penillion a ŵyr pob Cymro:

> "Bechadur, gwel e'n sefyll yn llonydd ar y groes,
> Clyw'r griddfan sy'n ei enaid tan ddyfnder angeu loes:
> O gwrando ar ei riddfan, mae pob ochenaid ddrud,
> Yn ddigon mawr o haeddiant ei hun i brynu byd.

Gwel ar y croesbren acw gyfiawnder mawr y Ne',
Doethineb a thrugaredd yn gorwedd mewn un lle,
A chariad anfesurol yn awr i gyd yn un
Fel afon fawr lifeiriol yn rhedeg at y dyn.

Grym cariad yn y Duwdod oedd gwisgo natur dyn,
A chariad a ddioddefodd ei loesau bob yr un;
A chariad anorchfygol yn wenfflam gadarn gref
Sy'n anfon pob rhyw roddion i'w ei gariadon ef.

Eich bywyd chwithau bellach, ei sylwedd cariad yw,
Dibenion pob dyledswydd fydd cariad at eich Duw. . . .

O ras didranc, diderfyn, tragwyddol ei barhâd,
Ynghlwyfau'r Oen fu farw yn unig mae iachad,
Iachad oddiwrth euogrwydd, iachad o ofnau'r bedd,
A chariad wedi ei wreiddio ar sail tragwyddol hedd."

Yr ydys yn tynnu at ddiwedd y bennod gyntaf yn hanes Theomemphus. Bu'r bregeth hon yn foddion cwblhau ei amgyffred o'i gyflwr a dangos iddo'n derfynol achos ei wae. Gall bellach edrych yn ôl a gweld o gam i gam fel y codwyd y llenni oddiar stafelloedd dudew ei feddwl, a dyma'r datguddiad diweddaraf:

" Datguddiodd mynydd Sinai ryw fil o chwantau yn un
Y rhai o'r blaen na weles oedd yn fy nghnawd ynglŷn;

A heddyw yw'r diwrnod, truenus yw y nod,
Y gwelais anghrediniaeth o mewn im' gynta erio'd.
Am fod y gwreiddyn yma, sef anghrediniaeth cas,
Mae yma'r holl ganghennau er nad ynt yn torri ma's,
Pob gwŷn, pob chwant, pob trachwant ddiffoddodd Uffern dân,
Sydd yma yn guddiedig oedd ynw' i o'r blaen."

Nid ei ofid yn awr yw bod ynddo nwydau. Dysgodd eu bod hwy yn hanfodol yn ei natur. Ni chais ychwaith na'u trechu na'u newynu. Ei Uffern yw ei anghrediniaeth, sef mewnblygiad ei feddwl, ei anallu i fynd ohono'i hun. Hynny sy'n gwenwyno'i nwydau megis y lladd daear ddrwg lysiau. Ond nid trwy ewyllysio y daw ymwared. Ni all neb ei orfodi ei hun i garu:

"Amhosib imi garu heb imi erioed fwynhau."

Gwybu Efangelius hynny. Ni alwodd ef ar neb i orchfygu pechod nac ymroi o'i fodd i Grist. Ond fe ellir un peth: gellir dal ar gyfle i demtio'r nwydau, eu troi tuagat y gwrthrych:

"Does dim ond edrych yma, mae edrych yn iachau,
Mae edrych yn sancteiddio, *mae edrych yn mwynhau.*"

Dyna'r ateb i gri Theomemphus. Ceir gan Dante yn ei *Baradwys* yr un syniad:

> " E non voglio che dubbi, ma sie certo
> Che ricever la grazia è meritorio,
> Secondo che l'affetto l'è aperto."[1]

Edrych, neu yng ngair Dante, troi'r nwyd tuag at y gwrthrych, dyna'r cwbl trwy ras Duw y mae'n rhaid i'r dyn ei wneud. Try edyrch yn gyffroad, y nwyd yn deffro ac yn ymestyn at fodlondeb na wyddai amdano gynt. 'Amhosib imi garu' medd Theomemphus, ond eisioes fe ddyhea am garu, fe fynn garu. At hynny yr ymdry ei natur megis blodeuyn at yr haul. Rhwystrodd Boanerges iddo garu ei eilunod gynt, rhoes ynddo ofn caru merch a charu annaturiol. Dangosodd Efangelius iddo wrthych delfrydol, Crist y cariad. Er ei holl anghrediniaeth, er blynyddoedd o fewnblygiad meddwl, ni all na ddyhea amdano:

> " Fe waeddodd ar ei liniau fel yma tua'r Ne',
> Ochenaid nol ochenaid yn codi ynddo fe,
> Fel ton nol ton yn dyfod o'i galon drom i'r lan."

A thrwy weddi y daw iddo derfyn a heddwch. Hynny yw, rhydd heibio geisio setlo'i dynged ei hun a theifl y cwbl ar y diymwybod. Yn ei ymwybod, pan feddylio neu

[1] *Paradiso*, XXIX, 64–66: "Ac ni fynnwn iti amau, eithr bid sicr gennyt ei fod yn rhinweddol derbyn gras *drwy agor y nwydau iddo.*"

pan geisio feddwl, fe'i trechir hyd yn oed yn awr gan ei feddwl mewnblyg:

> "Nis gallsai godi i fyny na gronyn fynd o'r man,
> Mor gryf yw anghrediniaeth yn maeddu yspryd gwan."

Ond fe baid â meddwl, fe baid ag ewyllysio ac â phob ymdrechu:

> "Ond pan nas gallsai ddiodde, diodde dim yn hwy,
> Gan wres a phoen digymar ei argyhoeddiadol glwy,
> Danfonwyd gair i wared—"

> "Ha Fab, mae'th holl aflendid 'nawr wedi eu maddeu i gyd.

> . . . Ac yna daeth tawelwch o'i fewn o nefol ryw."

Hynny yw, y mae'r meddwl yn ei agor ei hun i awgrymiadau gweddi, pob ysgogiad a phob ymdrech wedi eu llonyddu, a'r bryd mewn cyflwr o dderbyn, o oddefoldeb llwyr, cyflwr tebyg i hypnosis, a'r genau'n adrodd drosodd a throsodd un frawddeg fer, sy'n dra agos i fformiwla enwog y diweddar Emile Coué:

> "Fe ddaw, fe ddaw 'mhen 'chydig,
> Mhen 'chydig bach fe ddaw,"

ac yna, o'r diwedd, drwy awgrymiadau gweddi, daw'r terfyn anorfod:

"Ac erbyn a llefaru daeth nerthoedd Nefoedd fawr
Fel afon lawn lifeiriol i'w galon ef i lawr."

Yr oedd ei droedigaeth, troedigaeth ei nwyd a'i fryd tuag at Grist, wedi ei chwblhau:

"Fy Nuw! Fy Nhad! Fy Iesu! Boed clod i'th enw byth;
Boed dynion i dy foli fel rhif y borau wlith;
O na bai wellt y ddaear oll yn delynau aur,
I ganu i'r hwn a anwyd ym Methlem gynt o Fair."

Sylwer ar effeithiau hynny. Mewn eiliad fe adferir holl egni a hoywder ei gyfnod pechadurus gynt:

"Ac yna i'r lan fe neidiodd, yn ysgafn oedd ei droed."

Arwydd oedd ei anallu gynneu i godi na symud, o'r parlysu ewyllys sy'n ffrwyth rhwyg yn y meddwl. Bellach y mae'r dyn yn un mewn amcan a dyhead, a dedwyddwch yn crynu ar hyd ei aelodau:

'Dedwyddwch ddaeth o'r diwedd, y fath ddedwyddwch yw
Nas cair mewn un creadur ag sydd tan nefoedd Duw."

A'r ail effaith bwysig yw bod allblygiad ei feddwl yn rhoi iddo am y tro cyntaf flas ar y byd gwrthrychol a diddordeb mewn natur:

> " Y cyfnewidiad gafodd sy'n peri iddo ef
> I garu'r man o'r wybr 'roedd haulwen fawr y Nef,
> Mae'n caru'r gwynt, a'r awel, mae'n caru'r afon ddŵr
> Feddyliodd fod mewn cynnwrf pan clywodd ef y stŵr."

Wele, gwnaethpwyd pob peth yn newydd iddo. Fe'i iachawyd.

## VI

## ALETHIUS

Yn union ar ôl hanes troedigaeth Theomemphus ceir stori dyn arall, sef Abasis. Methodd gan feirniaid weld amcan yr interliwd hon, a dywedwyd ei bod yn dinistrio cyfanrwydd y gwaith. Pell oddiwrth y gwir yw hynny. Nid oes ran o'r llyfr yn fwy pwrpasol. Y mae mor angenrheidiol ag yw'r corau yn nramâu Euripides, ac yn arwydd o sicrwydd celfyddyd Williams pan fo gryfaf ei awen; arwydd hefyd o'i ddawn beirniadol creadigol, elfen anhepgor yng nghynysgaeth bardd. Y mae hanes Abasis yn ddigon tebyg i eiddo Theomemphus, yn debyg iddo cyn ei droedigaeth ac yn debyg iddo wedyn. Fe ddyfnha ein deall nid yn unig o'r rhan gyntaf o yrfa'r arwr, eithr hefyd o'r rhannau dilynol. Abasis yw Theomemphus onibai am un peth. Ef yw Theomemphus fel y gallai hwnnw'n hawdd fod. Pob cam o'i yrfa ef, fe'i troediwyd ac fe'i troedir gan ei frawd, pob cam—oddieithr y cam olaf. Pob temtasiwn a gafodd Abasis, fe'i profir gan Theomemphus; a Phania, gwrthrych olaf a buddugol serch y naill, yw Philomela, temtasiwn olaf y llall, temtasiwn anfuddugol,—ond mor agos y bu i fuddugoliaeth.

Abasis yw'r dyn cyffredin, di-athrylith. Cafodd yntau droedigaeth dan effaith pregethu Efangelius, ond ffenomen a berthynai'n unig i'w lencyndod oedd ei achub ef. Setlwyd felly derfysg y llanc a bu'n feddyginiaeth iddo. Fe daerai meddyg yn wir, er holl watwar Williams, fod ei droedigaeth yn beth cyn iached â throedigaeth Theomemphus. Rhoes iddo'r cwbl a oedd yn angen arno er mwyn meistroli ei helbul a'i droi'n aelod hapus mewn cymdeithas. Wele dystiolaeth y byddai'n falch gan feddyg ei roi i bawb:

> "Heb gael un prawf o ofid, heb gael un prawf o wae,
> Er pan y cafodd gynta o'i fewn i lawenhau,
>
> Nac unrhyw gystudd ysbryd o'r dechreu hyd yn hyn."

Ac o safbwynt cyffredin cymdeithas y mae ei droedigaeth yn berffaith. Canys ni pharhaodd. Nid ataliodd ei ddatblygiad wedyn. Pan aeth heibio'r cyfnod yr oedd troedigaeth yn help ynddo, fe ddarfu hithau. Trowyd ei nwydau i gyfeiriad cymdeithasol. Carodd ferch, priododd, gwnaeth ei ran naturiol mewn bywyd. Y mae'n gwbl fel pawb arall. Dywed Thouless mai un o nodweddion troedigaeth llanc yw na phery'r effeithiau gan amlaf namyn am dymor.

Dangoswyd mai newid gwrthrych ei serch a wnaeth Theomemphus yn ei droedigaeth. Felly Abasis yntau. Ond cenfydd Williams effaith hynny:

> " Os crefydd sydd yn unig mewn nwydau poeth yn llawn,
> I'r cyfryw newid gwrthrych nid yw ef anodd iawn."

Yn raddol fe gollodd y gwrthrych delfrydol, Crist, ei afael ar nwyd Abasis, a throes yntau i fodloni greddf rhyw drwy'r moddion normal, cnawdol:

> " Abasis a sefydlodd ar Phania oll ei fryd,
> Cymerodd hi yn wrthrych yn lle Iachawdwr byd. . . .
> A'i gnawd am gael ei chwantau, ei gnawd am gario'r dydd
> Heb atal, ac heb geisio ei atal nos na dydd . . .
>
> Wrth gael un wraig fe ysgarodd a'r wraig oedd ganddo o'r bla'n,
> Ei grefydd fawr hyderus, ei grefydd lawn o dan . . .
>
> Ac enw gwr ddaeth arno, fe gollodd enw sant."

Cyflawnwyd gwrth-droedigaeth ei nwydau.

Beth yw'r gwahaniaeth rhwng ei hanes ef a hanes Theomemphus? Newid gwrthrych ei nwyd *yn unig* a wnaeth Abasis. Gwelsom fod elfen arall yn nhroedigaeth Theomemphus, sef ymchwil eneidegol i'w gyflwr. Ceisiwyd dangos bod rhan ymholiad yn ei iechydwriaeth yn gyson a grasol a hanfodol. Dacw'r elfen foesol a roddai werth ar ei achub a'i wneud nid yn beth a oddefodd ef—megis pan achuber corff dyn dan operesion llawfeddyg,—ond yn gynnyrch ei holl bersonoliaeth, yn act foesol a rhinwedd ynddi. Dysg Cristnogaeth a dysg Williams yntau yw mai'r peth a ddyd urddas ar ddyn yw ymwybod. Hyn yw bod ar lun a delw Duw. A thrwy ymholiad fe ehengir yr ymwybod, a dyneiddio dyn fwyfwy. Dywedwyd yn y bennod gyntaf fod ymholiad hefyd yn rhan sylfaenol o fethod barddonol Pantycelyn. Heb hynny ni allai fod barddoniaeth. Canys barddoniaeth yw gafael ar brofiad, ei wybod yn drwyadl a'i fynegi'n gwbl. Dull o fyw ydyw, a chael bywyd yn helaethach. Pob cynnydd ysbrydol, pob mynegiant artist, y mae'n gam pellach mewn ymholiad. Dyma i Williams y ffaith ddynol bwysicaf yn y bywyd ysbrydol. Bid sicr, y mae'r diymwybod yn bod, megis cyfandir tywyll a chudd, yn bod yn anhepgor, ond yn bod i'r bardd a'r sant yn unig er mwyn ei ddarganfod a'i ddileu'n raddol, fel yr estynner o hyd derfynau'r ymwybod, pob cân ddilys a phob cywir brofiad yn ehangu ffiniau teyrnas y goleuni. 'Mae sêl nad yw sylweddol,' ebr Alethius, sef yw honno'r sêl nas chwiliwyd, nas dadansoddwyd, ac felly nas meddiannwyd. Nid aeth yn rhan o bersonoliaeth y dyn, Fe yrrodd Williams y truan gân Abasis i uffern, canys fel llawer bardd un anodd ganddo ddioddef ffyliaid oedd Pantycelyn. Fe'i damniodd oblegid nad oedd Abasis ddim yn fardd. Ni fynnai nac ymholiad na mynegiant:

> " Fe deithiodd gyda'r gwyntoedd yn gadarn yn ei rym,
> Nid ofnai rwydau Satan na drwg ei galon ddim. . .
>
> Nis troi ef fyth ei olwg i'w galon ddu i lawr. . .
>
> Heb nabod mohono ei hunan."

Mewn gair, nid aeth i'r Seiat, gwir orsedd beirdd Ynys Prydain. Canys cyfle oedd y Seiat i ddadansoddi profiad, ei oleuo'n llawn a'i droi'n ffaith mor bendant â cherdd.

Felly, ar unwaith ar ôl hanes Abasis cawn Theomemphus yn cyffesu i Alethius ac yn ei holi ganddo. Nid yw ymholiad unig yn ddigon bellach. Rhaid cael cyfarwyddyd stiward y Seiat i chwilio'r profiad i'r gwraidd ac i addysgu Theomemphus yng nghelfyddyd y bywyd ysbrydol, sef ei adnabod ei hun. Hynny'n unig a wna ei droedigaeth yn gyngreddf gyflawn. Try cwestiynau Alethius o gwmpas ei brofiad a'i dra chyfoethogi. Bu'n help cyson, er nas ennwyd, i ddisgrifio digwyddiadau'r bennod o'r blaen. Goleua gwrs ei droedigaeth o'i dechrau, a chwilio ei gwerth, ei sylwedd, a'i heffeithiau moesol. Nid gwir a ddywedwyd mai nodwedd crefydd Theomemphus "ydyw rhyw ymgyflwyniad hollol o holl natur dyn i sicrhau iechydwriaeth bersonol". Diau y bu felly am dro yng nghyfnod ei argyhoeddiad gan Boanerges:

> "Fy ngalar deddfol cynta, fy maich oedd ef o hyd,
> Rhyw ofid trwm hunanol am achub f'enaid drud."

Ond wedi ei droedigaeth, arall yw canolbwynt ei fywyd:

> "Nawr mae yma lygad syml at un peth ddydd a nos,
> Sef gogoneddu'm Iesu fu'n hongian ar y gro's.
> A thyma'r bur egwyddor mewn ymgyrch wastad sy
> A'r ddelw fawr o hunan sy'n llechu ynof i.
> 'Rwi'n gweld fy nghalon gyndyn yn ceisio torri maes
> Fel cronfa dŵr lifeiriol fo'n mynd i'r cefnfor glas;
> Yn mofyn lle i ymffrostio, yn mofyn dyrcha'r dyn,
> A minnau eto yn maeddu trwy ddyrcha'm Duw ei hun;
> A phan y bo hi'n chwyddo yn uchel iawn i'r lan,
> A minnau i wrthsefyll ei ymgyrch hi yn wan,

Rwi'n gwaeddi'n groch yn erbyn ei ymffrost ffiaidd cas,
Y clod fyth a'r gogoniant fo i'th nefol ddwyfol ras.[1]

A thyma'r gelyn mwya wi'n deimlo imi nawr,
*Rhaid yw o fewn fy ngolwg i'w gadw e' bob yr awr,*
Ac nid oes genni goncwest sy'n dwyn fath ysbail faith,
A choncwest arnaf fy hunan un amser ar fy nhaith."

Sylwer ar y llinell a italeiddiwyd: diagnosis cyson ac ymwybod yw diogelwch y bywyd ysbrydol. A phan ddelo temtasiwn yn ei nerth, ymholiad ac ymwybod a gwymp gyntaf o'i blaen, ac unwaith yn rhagor defnyddir y ffigur o lif dyfroedd i ddarlunio'r profiad:

"Mae'n ddigon gwir pryd hynny mewn rhyw derfyscoedd mawr
Bod ofnau o bob natur yn cadw 'mhen i lawr,
Ac na alla'i mewn llifogydd cynddeiriog iawn eu grym

Fe ddefnyddia James Joyce yr unrhyw ffigur o lif dyfroedd i ddisgrifio'r temtasiynau cyntaf ar ôl troedigaeth. Y mae'n werth cymharu ei ddarlun ef ag eiddo Williams: "He seemed to feel a flood slowly advancing towards his naked feet and to be waiting for the first faint timid noiseless wavelet to touch his fevered skin. Then almost at the instant of that touch, almost at the verge of sinful consent, he found himself standing far away from the flood upon a dry shore, saved by a sudden act of the will or a sudden ejaculation; and seeing the silver line of the flood far away and beginning again its slow advance towards his feet, a new thrill of power and satisfaction shook his soul to know that he had not yielded nor undone all." (*Portrait of the Artist as a Young Man*, tud. 176.)

I 'nabod mo'm synhwyrau na'm grasau braint i ddim.
Mae ton 'nol ton yn dyfod, yn codi o hyd i'r lan,
Yn drysu pob rhinweddau ro'w'd yn fy enaid gwan;
Rwi'n methu chwilio fy hunan, rwi'n methu gwybod ble
Rwi'n mynd, neu beth wi'n wneuthur, neu sut mae yn y Ne.
O tan fath ofnau mawrion yn pwyso arna'i yn un,
Nid addas wyf i farnu, 'dwi'n nabod dim o'm hun;
Mae grym terfyscoedd pechod fel dyfroedd mawr ynghyd
Yn drysu fy synhwyrau ac yn eu twyllo i gyd."

Trwy'r holl ddisgrifiadau cywrain hyn o brofiadau cyntaf llanc troedig fe glywir acen ryw synwyrusrwydd cyfoethog, ehofndra ac ofn, sicrwydd wedi amau, yn llanw ac yn treio dros ei galon. Cyfeiriais at James Joyce a'i baragraffau cyffelyb. Fe ragflaenodd Williams ar y pethau rhyfeddaf yn nofel Joyce, a hyd yn oed ei ffigurau a'i arddull. Y peth syn yng nghelfyddyd Pantycelyn yw ei ddawn i gyfleu'r cyffro nerfus, y trai a'r llanw, yr iasau sydd weithiau'n 'wenwyn melys' fel y dywed un o'i frawddegau treiddiol, ac weithiau'n

" reddf o faith barhad
Sy tan bob temtasiynau ynghadw i fore a hwyr "

ac felly, heb yn wybod i'r llanc, yn magu ynddo ryw gryndod o falchter pêr, peryglus.

Deallodd Alethius y perygl:

> "Mae ynot ti ynghudd
> Elynion heb eu concro er iti gario'r dydd.
> Mae hunan-dyb a rhyfyg yn cydymnyddu 'nghudd
> Fel dafedd anweledig â holl ganghennau ffydd."

Dywedwyd mai'r beiau yn y cymeriad a oedd yn brif broblem y Seiat, a'r rheini yw testun rhybuddion Alethius. Gwelodd ef y cerddai Theomemphus ar yr unrhyw lwybr ag Abasis, o falchter i ddifaterwch ac o hynny i fydolrwydd. Medd Sante de Sanctis: "Ni ddaw'r gwir droedig (*il vero convertito*) fyth hyd at wrth-droedigaeth; ond hynny yw ei unig fraint."[1]

Graddol yw ei gwymp. Cymer dair blynedd i'w gwblhau. Y gofal hwn i ddangos rhan amser mewn profiadau yw un o nodweddion amlwg y gerdd. A gorfoledd yw'r cam cyntaf tuag at ei faglu. Haerwyd gynneu mai un yn byw ac yn ymnewid yw Theomemphus. Ond ni chyll ef ychwaith gysondeb ei natur. Llanc yw ef eto er ei droi. Megis mai ef oedd arwr ei fywyd o'r blaen, felly'n awr ef yw pen campwr ei fyd newydd:

> "Mae mil yn dy ryfeddu, 'does fawr yn dy gashau,
> Mae myrdd yn gweld dy rinwedd 'does neb yn gweld dy fai."

[1] De Sanctis: op. cit., tud. 170.

Ni wn i am un rhan o waith Pantycelyn sy'n newyddach mewn llenyddiaeth Gymraeg na'r penillion a ddisgrifia wrthgiliad Theomemphus a chyflymder cynyddol ei lithro. Dywedodd yr awdur: " Y mae'r cwbl yn ddieithr yn y llyfr hwn "; ond gan nad oedd ei wybodaeth ef o lên Cymru yn ddofn, o fraidd y deallodd ef ei hun lwyred y dieithrwch. Diau bod y cyfan yn ddihafal; ond eisioes yn y *Cysegrlan Fuchedd* ac mewn llithoedd eraill o'r *Llyfr Ancr* a sgrifennwyd yn y bedwaredd ganrif ar ddeg, cafwyd traethodau rhyddiaith a bwyntiai o leiaf i gyfeiriad y rhan gyntaf a'r drydedd ran o *Theomemphus*, sef y rhannau a drin garwriaeth Duw a dyn. Ond cael geiriau i fynegi ymnyddiad cymhleth gras a natur mewn enaid, dangos, hyd yn oed yn oriau heulwen ddihalog, rith haen halogrwydd yn ymledu'n anweledig denau dros wybren gwynfyd, a'r niwlen honno'n llechwrus raddol yn duo a dyfnhau, oni ddelo'n y diwedd, heb eu hamau ddim, fwrllwch a chaddug a storm, dyna gamp ail ran y gerdd. Yma'n arbennig yr elwodd Williams ar y pedair blynedd ar hugain y bu'n cadw Seiat ac yn holi profiadau. Gwyddor y Seiat, *Drws y Society Profiad*, a esbonia sicrwydd yr afael ar wibiadau troellog meddwl dyn. Dyma ddawn y 'stiward', yn 'adnabod dirgel ffyrdd temtasiynau' megis yr adnebydd y 'ffowler leoedd y petris'—Williams ar ei eithaf gorau ac yn gwbl mewn cyfrwysedd a grym. Y mae'r penillion cyntaf a ddengys Theomemphus

> "Yn hedeg ar adenydd ysgafnaf adain ffydd,"

eisioes yn llawn arwyddion perygl ei brofedigaethau:

> "Hwy'n llechu yn ei galon mewn dirgel fannau ynghudd
> Ynghonglau bach adenydd ei gariad ef a'i ffydd."

A cheir yn y terfyn un o'r penillion mwyaf ystormus mewn Cymraeg:

> "Ond ambell waedd gynddeiriog fel temestl o fwg
> O ganol pair cauedig yn berwi o chwantau drwg
> A ro'i, o rym euogrwydd yn screch ystormus fawr;
> Ac eilwaith hi gai ei chauad tan rwymau fyth i lawr."

Pe gofynnid imi ddethol pennill a fyddai'n enghraifft o angerdd arddull Pantycelyn, o'i ddawn priodol ef nas ceir gan neb bardd arall, dyma'n dra thebyg y pennill a ddewiswn.

Y bardd eneidegol sy'n ddigymar yn y penodau hyn, bardd greddf a nwyd a synnwyr a'u drysni hwynt. Ac os rhagflaenodd Williams yn hanes troedigaeth

Theomemphus ar ddarganfodau gwyddoniaeth ddiweddar, yn y rhan hon fe'i amlyga'i hun yn etifedd gwyddoniaeth ymholiad y cyfrinwyr Catholig. Rhoes y rheini bwys ar yr hyn y gellir ei alw'n 'gyfundrefn y nwydau', syniad nid annhebyg i eiddo Jung am y libido, sef y crynswth o ddyheadau ac egnïon dyn. Gwelsom y sylw a roes Williams i wrthryfel y nwydau a'r atalnwydau, a'r fel y dinistria hynny unoliaeth amcan bywyd. Fe'i dinistria oherwydd mai cyfundrefn organig yw'r nwydau, nid nifer o rannau annibynnol yn y meddwl y gellir eu bodloni bob un ar ei ben ei hun. Felly tuedd dyn yw tawelu terfysg drwy droi'r nwydau oll i un cyfeiriad, neu o leiaf eu troi tuag at wrthrychau a fo'n gydnaws â'i gilydd, y naill nwyd yn dilyn y llall megis ton ar ôl ton o'r un môr, yn llanw oll i'r unrhyw lan, ond yn torri ar amryw draethau mewn amryfal gilfachau. Felly pan ddechreuodd Theomemphus ymfalchïo yng ngorfoledd ei droedigaeth ni bu'n ohir nad enynnodd balchter ryfyg, a rhyfyg hyder cnawdol, a hyder ragrith, a rhagrith ddifrawder, a difrawder fydolrwydd ac anlladrwydd:

" Nes daeth rhyw genllif ddiluw o nwydau megis tân
Y rhai nas cas e'w profi ers amser hir o'r bla'n ;
Y cnawd, y byd, y cythraul, yn gydsain gang gytun. . . .

Blys bwydydd, blys diodydd, segurdod a phob chwant.
Cas nwydau a thrachwantau trwy hyder gnawdol le
Yn yr ewyllys hyfryd y trigodd Brenin ne' . . .

A chwmwl du ar gwmwl rhwng Theomemph a Duw."

Ond rhaid darllen y penodau ar eu hyd er mwyn deall mor gyfrwys raddol a chyson y tyf y cymylau hyn, ac mor gampus yw dadansoddiad y bardd. A'r peth dramatig yn yr holl olygfa hon, y peth a deimlir megis presenoldeb, yw absenoldeb Alethius. Trwy'r cwbl nis enwir ef, ef sy'n anhepgor i'r bywyd ysbrydol, athro celfyddyd ymwybod. Ers tro bellach fe wingodd Theomemphus yn erbyn swmbwl y Seiat. Ni allai balchter mo'i oddef:

" Dy fath paham cwestiwnir? Ti wyddost lawer mwy,
Ti brofaist ac a welaist laweroedd fwy na hwy."

Ac yn naturiol, y cam nesaf wedi ymwrthod â chyffes yw ymwrthod ag ymholiad:

" Fe ffodd hunan ymholiad cyweiria maes o'i le
Yr hwn oedd yn cyfrwyddo pob cam o lwybrau'r Ne."

Mwyach ymbalfala yn niwl diymwybod, a hwnnw'n tresbasu'n eofn ar ffiniau cyfoeth y goleuni. Trwy ei holl waith fe rygna Williams yn ddiflin ar yr egwyddor hon.

Pechu yn ei athrawiaeth ef yw colli angerdd ymwybod, rhodio yn nhywyllwch ac anhrefn natur yn hytrach nag yng ngoleuni celfyddyd gras. Teyrnas y tywyllwch yw cylchoedd cyffredin cymdeithas, y byd, a bywyd y dyn cyffredin a difarddoniaeth. Ymrydd Theomemphus i'r bywyd hwnnw. Cais olud a chysur a mwyniant arferol dynion. Yn ei dro, megis Abasis yntau, cais wraig, ond gwraig ag arian ganddi. A dyma'r unig adeg y mae ef yn gwbl ddirmygus. Cofier mai llanc yw, ac un naturiol nwydus. Bod un fel ef yn troi'n Mr. Bydol-Ddoethyn a llywodraethu nwyd rhyw er mwyn amcanion call ac oerllyd, dyna yw ei isaf cwymp. Y peth hyllaf mewn bywyd yw llanc call a bydol ac yn feistr ar ei nwydau.

Ond daw iddo siom ac aflwyddiant yn ei yrfa fydol. Dwg siom yn ei thro anesmwythyd, a'i daflu'n ôl yn sydyn i olygu ei weithredoedd a'i gyflwr. Paham y methodd yn ei gynlluniau? Paham y dilynai methiant ef megis tynged? Felly, yn ddiarwybod iddo, a thrwy fyr amynedd llanc, daw'n ôl iddo ymholiad, ymholiad sy'n oleuni Duw:

"Goleuni sydd yn gyrru'r tywyllwch du i ffoi,
Goleuni sydd yn rhannu cymylau'r nos yn ddau. . . .
Fe oleuodd pob rhyw gornel, fe chwiliodd pob rhyw gell."

Dyna gychwyn adferiad. Gwelodd golli ohono nid llwyddiant bydol yn unig, ond ei afael yn Nuw. Brawychodd. Mewn munud fe ysgubodd ei bleserau lawer o'i gof, a throi i chwilio am ei wir Gariad. A cheir yma enghraifft arbennig o'r dawn dramatig sydd yn *Theomemphus* a hefyd o sicrwydd treiddiol eneideg y bardd. Canys yn awr adferiad y llanc, yn adeg ei ail-droi at Dduw a dwyn yn ôl eto ei wynfyd, mynn Williams ddangos bod hyd yn oed dull ei droi, method gras yn ei edfryd, yn sicrhau y daw iddo drachefn ar ôl hyn dramgwydd gwrthgiliadau. Canys er ffoi ei demtasiynau:

" Hwy ffoisant gan mor danbaid oedd y goleuni pur
I ryw gornelau tywyll, fel gallent cyn bo hir
Pan gwelent le cyfaddas, neb yn eu disgwyl hwy,
I ddod i maes drachefn a gwneuthur anrhaith mwy."

Yma y ceir ail ymson fawr Theomemphus. Daw un ymson o'r fath ym mhob rhan o'r gân, yn ganolbwynt pob act o ddrama'i einioes. Darllenasom y gyntaf yn adeg ei argyhoeddiad ar ôl ail bregeth Boanerges. Dyma'r ail. Yn y bennod nesaf cawn ddarllen y drydedd hithau yn awr y cyfyngder gwaethaf. Nid difwriad mo hyn. Rhan hanfodol yw o gynllun artistig y gwaith, yn arwydd o bwysigrwydd ymholiad nid yn unig ym mywyd dyn ond ym method barddonol Pantycelyn. Cân yn ymrwymo'n organig o gwmpas tair act drylwyr o holi enaid yw *Theomemphus*. Dyna hefyd yw rhythm bywyd artist yn ôl Pantycelyn. Oherwydd hynny y mae *Theomemphus* yn gymaint campwaith, gan fod ffurf y gân yn gystal â'i thestun yn codi allan o ddyfnaf amgyffred y bardd ei hun.

Ond i'r gwrthgiliwr nid yw ymholiad yn ddiberygl. Yn rhy eglur fe ddeall Theomemphus iddo golli cymundeb â Duw. Poerodd ar burdeb ei ddyweddïad. Halogodd lendid ei serch. Pa obaith a all fod iddo am faddeuant? Nid oes ond cymylau dudew rhyngddo a Duw. Yn ddiau, melltith sydd arno ac ar y dydd y ganed ef

> "Na thywynned arno oleu haul, lloer, na ser y nen,
> Ac na foed un discleirdeb mewn awyr las uwchben;
> Yn fellt boed, yn daranau, yn wban trwyddo o'r bron,
> Am yrru gŵr heb obaith pryd hynny i'r ddaear hon."

Gŵr heb obaith? Anobaith yw ffos olaf balchter dyn. Yno yn unig y try cariad o'r diwedd yn atgasedd ac yn her. Yn angerdd erchyll ei hiraeth a'i unigrwydd troes Theomemphus i ddamnio Duw:

> " A chabledd ar ol cabledd yn dirwyn yn ei hynt,
> Taranau, mellt, a chenllysg, a stormydd poeth o wynt.
> Nes prin y gallai atal rhag gwaeddi yn groch i ma's
> Ryw screch yn erbyn Iesu, ryw screch yn erbyn gras;
> Ei law rodd ar ei enau, fe attaliodd dweud yn awr
> Y gair mwya cableddus tu yma i uffern fawr."

Balchter sydd yma wedi ei glwyfo i'r byw, yn clywed ei Ddyweddi ei hun yn ei gondemnio, ac yntau am hynny yn ei herio. Llethwyd Theomemphus. Ciliodd i unigedd coedwig. Clywai bob dim a grewyd fel bytheiaid y nef yn ymlid ar ei ôl:

> " Y ddaear yn ei erlid, y nef yn pallu ei llaw,
> Llu uffern yn ei gornio tu yma a thu draw."

Ac yna fe'i diarfogwyd ac fe'i noethwyd. Hyder, ehofndra, balchter llanc, tynnwyd hwynt bob yn un ac un oddi amdano. Lloriwyd ei enaid llamsachus. Gwthiwyd ef hyd yn oed o ffos anobaith, a'i adael i grïo fel plentyn am ei dad:

> " O Dduw yn lle ffieiddio, ble bynnag byddo'r lle,
> Rho ryw funudau o garu Gwaredwr mawr y Ne."

Ac felly yr adferwyd Theomemphus. Fe ymwaghaodd:

> " Na 'ffrostia f'enaid bellach, na 'ymddiried yn dy rym,
> 'Dyw gras ohono'i hunan dy ddal yn abl ddim."

Yn y creisis hwn y terfynwyd ei lencyndod. Yn y bennod nesaf y dyn cyflawn ei faintioli a geir. Ei ddiogelwch mwyach am dymor a fydd ei ymwybod effro:

> " Mae ei ras, mae ei gydwybod, a'i nwydau, 'nawr yn fyw."

Ni all uffern mo'i demtio ag unrhyw wrthrych. Ei braw nesaf fydd llonyddwch.

## VII

## AMOR SPONSI

AETH angerdd llencyndod heibio. Llaesodd y synwyrusrwydd crynedig, poeth a'r brwydrau. Wedi ei fwrw'n ddihangol o'r diwedd dros y rhaeadrau cynnar, llithrodd cwch einioes i afon ddyfnach, lonyddach blynyddoedd gŵr. Y mae'r afael ar y llyw yn llacach yn awr, ni raid ofni'r cerrynt. Gellir gorffwys beth a gadael y cludo i'r afon:

> " Ei gwsc ddaeth yn ddiwybod, dim ond wrth ddiofalhau;
> Daw hepian o segurdod, daw cyscu o drymhau;
> Pan y darfyddo gofid ac ymdrech maith y dydd
> Y farwaidd nos yn arwain i gwsc ddidrafferth sydd."

Dyna gwrs cyffredin bywyd pan elo llanc i oed gŵr, ac ysfa'r troedig yn ymdoddi'n gymedroldeb. Amser yw unig orchfygwr ieuenctid. Dyd lwydni ar ei wrid a phyla'i danbeidrwydd. Gwelsom eisioes y rhan effeithiol sydd iddo yn syniadau Williams. Y tro hwn, er mwyn cyfleu'r syniad am dreigl blynyddoedd, ceir interliwd go faith a Miltonaidd yn disgrifio senedd uffern ac ymddiddan y cythreuliaid ynghylch dyfodol Theomemphus, interliwd sy'n enghraifft arall o fedrusrwydd cynllun y gerdd.

Ond y llanc yw tad y dyn. I'r neb a brofodd fywyd nid ffarwelio ag ieuenctid sy'n chwerw, eithr gorfod dwyn baich llencyndod tra pharhao einioes. Nid oes newid gwreiddiol ar nemor neb wedi iddo basio llencyndod, ond trwy gydol ei ddyddiau erys profiadau'r llanc yn iau anorfod. Dysgodd Theomemphus hynny. Ei ymwneud ef â Duw a fu'n brif gyfranc ei lencyndod; ac yn awr yn oed gŵr, wedi dyfod yr adeg iddo briodi a chodi teulu, daeth rhyngddo a chyflawni'r gorchwyl naturiol hwnnw yr hen godymu â chariad rhyfeddach. Tra chiliai ei lencyndod a thymheru ei sêl dduwiol, daeth yn ôl iddo ddyheadau cynhenid ei fod:

> " Roedd caru wyneb siriol a charu gruddiau glân
> Heb eto eu diwreiddio o'i galon ef yn lân."

Merch o'r enw Philomela a ddug ei galon. Carodd hi nid â gorffwylledd sydyn llanc, ond ag araf a disigl ddyhead gŵr:

> " Mewn ffordd ledradaidd ryfedd ennynodd ynddo'r tân,—
> Nid felly concrodd cariad e' brydiau rai o'r bla'n."

Peth rhannol yw serch llanc, nwyd rhyw yn syml. Cynnyrch ei holl bersonoliaeth yw serch gŵr, holl nwydau ei natur yn ymglymu wrth y gwrthrych:

> " Fy chwaer, 'be Theomemphus, anwylaf yn y byd
> Sydd yn fy llwyr fodloni yr awron trwyddi gyd;
> Nid cig a gwaed wi'n garu, ond fel mae cig a gwaed
> Oddeutu'r enaid hwnnw sydd annwyl gan fy Nhad."

Ni wad ef garu ohono gig a gwaed, ond gyda'i chorff hi fe gâr hefyd ei meddwl a'i hysbryd. Dyna'r serch a gyfyd yn awr i ornest olaf â chariad Duw, ac felly i benderfynu am byth ffawd Theomemphus.

Y mae yma ddau beth i'w dilyn, dau beth sy'n un yn y gerdd, ond y mae'n rhaid i feirniadaeth er mwyn eu deall eu trin ar wahân. Y rheini yw athrawiaeth Pantycelyn am briodas, a drama bywyd Theomemphus. Cyn ymosod arnynt dylid dweud gair yn gyntaf i amddiffyn cymeriad Williams ei hun rhag y beirniaid hynny a'i cyhuddodd o ddiffyg dynoliaeth.[1] Amlwg yw na allai awdur y rhan gyntaf o *Theomemphus* fod yn ddyn oerllyd, dideimlad. Ni ddywedaf mai Williams yw Theomemphus. Ond yn ei galon ei hun y dargenfydd pob bardd hadau a phosibilrwydd ei greadigaethau,

[1] Cytuna W. J. Gruffydd â Gwilym Hiraethog i gondemnio'r rhan hon o *Theomemphus*, ac am resymau cyffelyb.

ac yn sicr fe geir yn y gerdd hon ddisgrifiad o nodweddion a oedd yn rhan o gymeriad Williams. Digon o braw o hynny yw manyldeb ei eneideg. Gwelsom eisioes ei ddirmyg o eunuchiaid. Yn bendant nid eunuch mohono ef. "Ei dymherau oeddynt yn o boethlyd" meddai Charles o'r Bala. Llefarwn yn blaenach na hynny: yr oedd yn gnawdol dros ben y cyffredin o ddynion. I'r dyn claear ei nwydau, *l'homme moyen sensuel,* tlysni wyneb merch a'i ffurf osgeiddig yw ei swyn. Pan sonio Williams am harddwch corff benyw, ar gyflawnder mynwes a phertrwydd troed y dotia ef, ac un a wybu dynfa'r rheini a sgrifennodd mewn dwyster siom:

> " Fe wywa ei mynwes gyflawn, fe baid rhygyngfa
> ei thro'd."

O throes Theomemphus yn y diwedd oddiwrth ferched, nid oblegid Piwritaniaeth annynol y bu hynny. Cawn weld paham ymhen ychydig. Digon yw dweud yma fod Williams yn ŵr priod pan sgrifennodd ef y gân. Bu iddo bump o blant a bu ei fywyd teuluol hyd y gellir gwybod yn ddidramgwydd. I fardd fel ef nid bechan o gamp oedd hynny. Y mae'n ddadl dros wrando ohonom ar ei ddysgeidiaeth.

Ni ellir ychwaith ddeall y rhan hon o *Theomemphus* ar ei phen ei hun. Gyda hi rhaid darllen y *Gerdd Newydd am Briodas*

(1762) ac yn arbennig y *Ductor Nuptiarum neu Gyfarwyddwr Priodas* (1777), sef un arall o nofelau byrion Williams ar ffurf dialog. Yn y llyfr rhyddiaith hwn y ceir ei ddysg ef am natur ac amcanion priodas, ac arwr y llyfr, y carwr cywir a'r priod dedwydd, yw'r un un ag a rwystrodd briodi Theomemphus a Philomela yn *Theomemphus*, sef yr Alethius "a oedd yn gweddïo yn y cynulleidfaoedd, yn holi ac yn cateceisio." Gwelir felly mor agos yw perthynas y llyfr i gân *Theomemphus*.

Egwyddor gyntaf Williams yw'r athrawiaeth eglur Gristnogol fod gwyryfdod yn uwch cyflwr na phriodas. Ond i'r ychydig y perthyn gwyryfdod. Y mae priodas hithau'n sagrafen, hithau'n alwedigaeth. Ei hamcanion yw geni plant, diddanwch teuluaidd, a gochelyd rhag godineb y rhai ni chawsant "ddawn diweirdeb". Ystyr gochelyd rhag godineb yw troi nwyd rhyw i sianel foesol a'i ddyrchafu. Ffurf ar odineb yw priodi er mwyn serch. Er codi teulu, magu plant, sylfaenu aelwyd, a thrwy hynny droi byw yn gymundeb, y dylid priodi. Yn stori Martha yn y *Ductor Nuptiarum* ceir helynt gwraig a briododd er mwyn serch. Prin y mae'n rhyfedd syrthio nofelau Williams i gymaint angof, ni sgrifennwyd erioed mewn Cymraeg ddim mor chwerw onest â hwy. Disgrifia Martha y dull y swynwyd hi gyntaf gan ei gŵr a'r modd y dug ef ei chalon:

> "Y pryd hyny efe oedd blodeuyn pob cwmpeini; arno yr oedd llygaid holl ferched pen-weinion y wlad; a minnau'n eiddigeddu rhag iddo garu neb ond myfi. . . . A phan treuliem ni ddiwrnod neu ddau heb weled ein gilydd, ni a fyddem yn ennyn yn danllwyth o chwant i ddyfod ynghyd drachefn; ac mi feddyliais mai felly y parhai hi byth; ac nad oedd priodas ddim arall ond dau ddyn yn ymrwymo i ymgofleidio ac ymfawrhau ac yfed trachwantau natur."

Y peth tra gwerthfawr yn yr hanes hwn a hefyd yn hanes caru Theomemphus a Philomela yw mai ynddynt y ceir am y tro cyntaf mewn llenyddiaeth nid portread yn unig eithr dadansoddiad beirniadol a deffiniad o serch rhamantus. A hyn sy'n rhyfedd, bod y bardd rhamantus cyntaf hwn yn gwybod am holl swyn serch rhamantus, yn cydymdeimlo'n ddigon ag ef i fedru ei ddisgrifio yn ei angerdd, ac felly'n rhoi bod i fath newydd o ganu mewn Cymraeg, ac er hynny oll ei fod hefyd, oblegid ei athrylith grefyddol a'i afael ar Gristnogaeth, yn gorffen gan gondemnio'r serch rhamantus yn gyfangwbl, a'i gondemnio ym mysg rhesymau eraill oblegid mai gwrthgymdeithasol yw:

> "Ti oeraist at yr Eglwys pan dwymaist ati hi."

Dywedwyd eisioes mai Alethius yw'r cymeriad mwyaf eglwysig a greodd Pantycelyn.

Y mae'n dra awgrymiadol mai wrth drin serch rhamantus yr enwir *eglwys* gyntaf yn *Theomemphus,* ac yng ngenau Alethius y rhoddwyd y gair.

Hanfod serch rhamantus yw'r syniad bod gwerth serch ynddo'i hun. Nid yw priodas namyn cydnabod y gwerth hwnnw a'i reoleiddio:

> "Pwy bellach luddias modrwy i natur fynd ymla'n?"

Diau bod gwahaniaeth rhwng caru Theomemphus a charu Martha yn y *Ductor Nuptiarum.* Disgrifir caru Theomemphus yn ei wres a'i afiaith. Gwedi ei didwyllo y dadansodda Martha ei serch hi. Ymfalchïa Theomemphus ym mharchusrwydd ei serch, a'r ymfalchïo hwn yw gwir arwydd ei anlladrwydd:

> "Mi cerais megis gwyryf ddiweiriaf un yn fyw. .
> Ond gwyryf mi a'i gadewais, ni cheisiais mo'i mwynhau."

Y mae Martha yn ei didwylliad yn greulon onest tuag ati ei hun ac yn iachach ei meddwl na Theomemphus:

> "*Mary:* A gadwasoch rhag myned yn waradwyddus yn y fath amgylchiadau anllad?
>
> *Martha:* I olwg y byd dall felly, o'r braidd; y rhai nad yw yn edrych ar bechod nes byddo mewn gweithred; ond nid dim gwell oeddem ni o flaen Duw na'r rhai fuasai euog i radd waethaf; canys yr oeddem yn berwi cymaint i fyny mewn chwant fel nas gwn i hyd y dydd hwn pa fodd na buasai ffrwyth ein hamcanion yn ymddangos i'r byd."

Y peth gwych yn eneideg Williams yw ei weledigaeth diffael. Dengys, er pob gwahaniaeth ar yr wyneb, mai unrhyw yw serch Martha a Theomemphus. Neidiodd hithau megis yntau, a megis Abasis gynt, "o gariad yr Arglwydd i garu cig a gwaed". Cnawdol yw'r serch rhamantus. Dywedwyd mai ei hanfod yw'r syniad bod ei werth ynddo'i hun. Nid yw'n gymdeithasol na moesol. Nid yw'n amodol. Yn hytrach y mae'n ddiamod, yn wynfyd digonol, annibynnol, a'i gyfiawnhad ynddo'i hun. A dyna feirniadaeth Williams arno. Yr unig serch diamod sy'n ddiogel, yr unig serch y galler ymroddi iddo er ei fwyn ei hun, yw serch at Dduw.

"Mae yma ddelw-addoliad"

ebr Williams. Hynny yw, y mae yma droi profiad meidrol, amodol, yn brofiad nas bernir wrth ei effeithiau. Trwy egni nwyd rhyw y cenhedlir plant a pharhau bywyd. Peth da ydyw. Ond pan anghofier yr amod hwn, a throi *mynegiant* greddf yn brif amcan bywyd, yna fe dry'r reddf yn berygl:

"Nad i ddirgelaidd deimlad a rowd yn natur dyn
Tuag at genhedlu miloedd 'r un natur ag ei hun,
Fod it yn bleser *mwyaf*; fe roddwyd hwn erioed
I bob rhyw fath greadur sy'n trigo is y Rhod."[1]

[1] Dylid cydnabod bod ar Alethius ddyled drom am ei syniadau i'r angel yn *Paradise Lost*, pennod VIII, llinellau

Dengys hanes Martha beth yw peryglon serch diamod. Fe'i hŷs ei hun a'i ddifa:

"A thyma yr uffern o briodas wyf fi yr awr hon yn fwynhau. Fel hyn yr ydym heddyw yn byw yn anserchog, yn oer ac yn sych. . . . O dân uffernol cariad natur! Pa sawl myrdd o ferched glân fel finnau sydd yn wylo'r dagrau chwerwon am ddilyn eu chwant eu hunain yn lle meddwl Duw a'u rhieni. O ganlyniadau echryslawn sydd yn dyfod o briodi o wŷn natur, o serch at lendid . . . casineb, cynnenau, tor-priodasau, ac o bosibl mwrddrad yn y diwedd."

Onid hyn sy'n wir? Onid didwylliad yw terfyn sicr y serch rhamantus? Mewn bywyd, yr enghraifft enwog yw carwriaeth George Sand ac Alfred de Musset a fu'n destun dadansoddiad craff o ramantiaeth gan Charles Maurras.[2] Enghraifft mewn drama yw *Romeo and Juliet*. Dangosodd llawer beirniad nad trychineb i dosturio wrtho yw diwedd y trasiedi hwnnw, ond mai caredig ydyw. Y rheswm am hynny yw mai serch diamod a'i ddiben ynddo'i hun yw rhwymyn Romeo a Juliet. Trwy eu galanas gynnar cadwyd y serch hwnnw yn berffaith, yn ddisiom, mor bur a thragywydd â'r nef ei hun. Nid oes iddo

---

560–653. Gweler hefyd *Paradise Lost*, IX, 1161–1170, a X, 888–908. Yn ôl Milton, gwir bechod Adda oedd caru Efa'n ormod, ac am hynny, nid am dorri rheol yr afal, y gofidia Adda. Trasiedi serch yw 'Coll Gwynfa'.

[2] *Les Amants de Venise* gan C. Maurras.

berthynas â bywyd o'i gwmpas, na llyffethair cyfrifoldeb. Mewn llenyddiaeth rhaid i serch rhamantus droi naill ai'n drasiedi neu'n ddychan. Odid y ceir mewn barddoniaeth gân serch a gymharo am dynerwch â'r bumed bennod o *Inferno* Dante, ond yn uffern y dyd y bardd Francesca a Phaolo:—

> "Amor condusse noi ad una morte,"—

praw, os oes rhaid, fod stori Theomemphus a Philomela yn nhraddodiad y canu Cristnogol. Yn ôl Williams, nid ar serch y dylid sylfaenu priodas, ond ar gariad sy'n gymdeithasol, yn fagwrfa cyfrifoldeb ac yn ffrwyth ymwybod:

> "Rhwng nef a dae'r nid rhagor gwahân na rhwng
> y ddau."

Disgrifia Mary yn y *Ductor Nuptiarum* garwriaeth Alethius:

> "Fe roddodd imi amryw arwyddion o bur gariad, cariad syml, cariad diragrith, mor hyfryd nad oedd un o nwydau cig a gwaed yn cael lle i gynhesu, ac eto yr oedd person dyn yn caru person dyn i'r radd eithaf, caru dyn o egwyddorion ardderchocach nag am ei fod yn gyfoethog ac yn anrhydeddus. O Martha, Martha, dyma'r tro cyntaf y teimlais gariad Duw a chariad dyn yn cyd-fflamio ar un waith i fyny, heb un ohonynt yn diffodd y naill y llall."

Ac ebr Alethuis ei hun:

> "Mae caru yn dda ac addas, ond tanllyd serch
> nid yw."

Canys cynneddf ar serch yw na rydd ef gyfle i ymholiad. Cyffro a phendro yw, a chred ei ddeiliaid fod yn nryswch y teimladau y pryd hynny, yn ecstasi'r tywyllwch tanllyd, ryw ddatguddiad o ddwyfoldeb angerddol bywyd na ellir mo'i ddadansoddi na'i fynegi, ond sy'n sylwedd bod:

> " Mae'n cloi dy holl synhwyrau, ac yn eu clymu'n un
> A chadwyn adamantaidd, ddirgelaidd wrthi ei hun."

Beirniadaeth Alethius ar hynny yw mai bwystfilaidd ydyw:

> " Pob bwystfil, pob anifail, pob hediad yn gytun
> Yn hynny sy'n cael pleser yn gymwys megis dyn."

Canys gogoniant dyn ac egwyddor bywyd bardd yw ymwybod ac ymholi. Gwrthod y rheini yw darostwng dyn i'w bedwar troed, chwedl Voltaire am rai o syniadau Rousseau. Meddwdod y synhwyrau oedd hudoliaeth y sarff yng nghân *Lamia* gan Keats. Ond nodwedd gwir gariad yw trefn meddwl a ddwg ddeall

> " A hunan glos ymholiad drachefn i'w eu lle."

Diau nad yw'r caru hwn na hawdd na chyffredin, ond ni ddywedodd Pantycelyn erioed mai peth hawdd yw cyrraedd llawnder personoliaeth dyn:

> " Rhaid it, os hi yw'r cydmar, ro'dd Iesu iti fyw,
> Rhaid it roi iddi gariad yn natur dyn nad yw."

Beth gan hynny a ddaw o serch cnawd a nwyd rhyw? A raid eu lladd a'u diwreiddio o'n natur? Gwyddom ateb yr eneidegwyr: nis gellir. Eu gwrthod yw eu troi'n atalnwyd yn y diymwybod, a magu hadau gwallgofrwydd a drwg. Unfryd â hynny yw ateb Pantycelyn:

> " Hi aeth yn rhy ddiweddar, ni gymysgasom fwy
> Nag ellir fyth ein dadrys heb roi i'n synhwyrau glwy."

Dewr yn wir yw dull Williams o setlo'r broblem hon. Fe ddywed yr eneidgwyr, oni aller bodloni nwyd mewn modd naturiol, gellir weithiau ei droi i sianel arall a'i drosglwyddo ar wrthrych delfrydol, a thrwy hynny ddwyn iechyd i'r meddwl. Y term technegol am hynny yw dyrchafiad. Barn Williams yw mai dyrchafu nwyd rhyw a ddylid, a'i ganolbwyntio ar Dduw ei hun. Y nwyd anifeilaidd hwn, prif swmbwl bywyd dyn, ei chwant direol a lywia ei feddwl boed gwsg boed effro, mewn breuddwyd neu fyfyrdod, hwn, medd Pantycelyn, yw'r cyfrwng a ddwg ddyn at Dduw. Tra ddylid caru gwraig â'r un cariad ag y carodd Crist y byd, rhaid caru Duw â'r un serch ag y câr y gwryw fenyw, a hynny a ddwg iechyd i ddyn:

> " Ti fynni'r cnawd a'r esgyrn a'r galon yn gytun."

Drwg Theomemphus oedd iddo garu Philomela â serch na ddylai ond Duw fod yn wrthrych iddo:

> " Rhoi'r cariad hynny i lances berthynai oll i'm
> Duw."

Nid yn y rhan yma o *Theomemphus* yn unig y ceir gan Williams yr athrawiaeth hon. Yr oedd yn gwbl eglur yn hanes Abasis, a bydd iddi le amlwg yn ei hymnau diweddarach, fel y dangosir yn y bennod nesaf. Rhaid cofio hefyd fod y ddysg hon, er ei dieithred ar yr olwg gyntaf, yn gyson â syniadau'r hen ddiwinyddion oll. Fe'i ceir gan Awstin; ac ebr Bonafentur am Ffransis mewn geiriau mor feiddgar â dim ym Mhantycelyn: "*Franciscus castravit se et eunuchizavit propter regnum coelorum*". Ac o safbwynt y gwyddonydd nid yw'n amhosibl y gellir cyfiawnhau'r athrawiaeth, a dangos ei bod yn diogelu bywyd rhywiol ac yn arbed iechyd corff.

Dychwelwn at Theomemphus. Dangosodd Alethius iddo mai cnawdol oedd ei serch at Philomela. Ni fynnai ef dderbyn hynny. Aeth ar ei ben ei hun o'r Seiat, a chododd brwydr yn ei feddwl rhwng ei serch a'r datguddiad cynhyrfus hwn. Troes ei ing yn gân, a'r gân hon yw'r gân serch ramantus gyntaf mewn Cymraeg. Mynych y sonnir am Ddafydd ap Gwilym yn fardd serch. Ond artist oedd Dafydd, ac yn artist y cân ef am ei gariadon. Nid ei deimladau sy'n bwysig ganddo, ond ei gywyddau. Diau na bu ganu iachach nag a ganodd ef. Nid oes ynddo na thywyllwch nwydau na phenbleth rhyw. Y mae ynddo angerdd, eithr angerdd y crefftwr, nid drysni synhwyrau:

> " Pan ddêl y Pasg a'r glasgoedd
> Bun a ddaw beunydd i oed.
> Yno y daw in y dydd
> A'i lonaid o lawenydd . . .
> Wybr eglur a môr briglas
> A llen gêl yn y llwyn glas,
> A lle anial a llannerch
> A changen feinwen o ferch,
> A gorffen cwbl o'm penyd
> A threio bâr a throi byd."

Nid oes yma ddim morbidrwydd, na dim namyn enaid llon. Diau nad bardd crefyddol yw Dafydd. Ond yn sicr bardd yw a fu byw yng nghanol traddodiadau cedyrn Cristnogaeth, fel nad oedd berygl iddo erioed *gymysgu* serch a chrefydd megis y gwna Theomemphus a beirdd ar ei ôl. Ebr Dafydd:

> " Dy grefydd, deg oreuferch,
> Y sydd wrthwyneb i serch."

Dyna paham nad oes llygredd yng nghywyddau Dafydd ap Gwilym, er cymaint ei fawl i bleser corff. Nid oes ynddo dwyll. Gallai ddewis serch cnawdol yn hytrach na serch dwyfol—onid yw Crist yn drugarog?—ond ni allai am funud feddwl bod serch at ferch yn alwad Duw. Gallai ganmol 'crefydd y gwŷdd a'r gog' mewn termau sy'n barodi digabledd o wasanaeth yr offeren:

> " Afrlladen o ddeilen dda . . .
> A charegl nwyf a chariad."

Ond ni ddychmyga ef fod caregl nwyf yn garegl gwaed Crist. Y didwylliad hwn, y gwelediad clir, rhinweddau bardd mewn cyfnod Cristnogol ydynt. Y rheswm bod canu Dafydd yn iach yw ei fod, er nad yn fardd crefyddol, eto'n fardd Cristnogol.

Troer at gân Theomemphus. Yr ydys mewn byd arall, byd sonedau mwyaf ystormus Shakespeare neu *Modern Love* George Meredith, byd y chwantau briwedig sy'n destunau llenyddiaeth heddiw:

> " Och fi, rwi'n methu madael a'r dawel deg ei phryd,
> Mae'n hawsach imi mado a'r cwbl yn y byd;
> Hi aeth yn rhy ddiweddar, ni gymysgasom fwy
> Nag ellir fyth ein dadrys heb roi i'n synhwyrau glwy;
> Dau ddyn yn ddiau gollir wrth ddiffodd y fath dân,

Neu nid oes dim ond muriau a'n ceidw ar wahân.
'Feddyliais i cyn heddyw fod cariad y fath dân,
Ond tybiais fod pleserau oedd lawer pell o'i fla'n;
Tân yw, mi wela' heddyw, o fewn i natur dyn
Nad oes ymhlith y nwydau gyffelyb iddo ei hun.
Eiddigedd sy'n ei gwmpni fel Duwies fawr ei grym,
Sy'n difa ei pherchennog heb adael iddo ddim;
O na boed un gorchymyn yn fy erbyn i'w mwynhau!
Amhosib imi ddiffodd fath fflamau o dân didrai!
Ai cyfraith Duw neu ddynion, d'wed imi f'enaid, p'un
Sy'n atal cymdeithasu rhwng c'lonnau fyddo'n un?"

Ni ellir amau pwysigrwydd hyn. Acen y canu eneidegol diweddar a glywir. Nid peth tlws a sentimental megis ym mugeilgerddi Ceiriog yw'r serch hwn, ond un o bwerau natur, gwasgfa ar synnwyr ac ymennydd, angerdd dirdynnol rhyw. Y mae'n beth cwbl newydd mewn llenyddiaeth Gymraeg, a hyd at ein hoes ni yn beth ar ei ben ei hun.

Ond y mae'r canu hwn a'r caru hwn yn gwbl naturiol, yn ddi-Dduw. Nid oes ynddo le i Dduw, canys y mae serch ei hun yn Dduw yma. Y mae Williams, fe welir, o'r un farn a Freud am flaenoriaeth nwyd rhyw ar bob nwyd arall. Dyna a eglura feirniadaeth finiog Alethius. Ni ddeall Theomemphus ei gyflwr ei hun. Fe gred, gan gryfed ei serch, mai galwad ddwyfol yw. Y rhagrith difwriad hwn yw dichell natur yn mynnu ei ffordd, a chelfyddyd y Seiat yn unig a fedr ddatguddio'r brad. Gwedi ei ddadrithio y mae'r ffordd yn agored i ddatblygiad yr act olaf yn nrama Theomemphus.

Rhennir yr act olaf hon yn dair rhan, a phob rhan yn gam angenrheidiol yng ngyrfa'r arwr. Yn y rhan gyntaf cais wrthod datguddiad Alethius. Er mwyn heddwch ei feddwl fe fynn ei wrthod:

> " Nis mynn, nis gall, ni anturia er seraph nac er sant,
> Er colli nef a daear, roi Philomel i bant.
> 'Nawr wedi adeiladu rhyw dŵr o gariad mawr
> Mae'n gant trueni eilwaith i dynnu hwnnw i lawr."

Ond oherwydd amlygu natur ei serch iddo, ni all yntau ei gadw o'i ymwybod. Nid yw ceisio'i wrthod na dadlau yn ei erbyn ond yn ei selio fwyfwy ar ei feddwl ac yn arwain i'r ail gam, sef argyhoeddiad. Ystyr argyhoeddiad, fe welsom o'r blaen, yw dwyn ymdrech meddwl yn llwyr i'r ymwybod a thrwy hynny ddwyshau'r ing. Eithr y tro hwn nid brwydr rhwng nwydau croes i'w gilydd a geir, ond brwydr rhwng mynegiant naturiol nwyd drwy gariad at Philomela a'i fynegiant dyrchafedig drwy ymserchu yn Nuw. Gyda dyfod argyhoeddiad daw'n ôl hefyd ymholiad.

Ymrydd Theomemphus eto i'r hen gelfyddyd lem o ddiagnosis ysbrydol, a chawn ei drydedd fyfyrdraeth fawr.

Sentimentalwch yw lloches serch cnawdol, ac mewn sentimentalwch fe nytha twyll:

> " Mwy twyll mewn serch mae'n debig sy pan fo
> mwya' ei rym."

Lleddir sentimentalwch gan ymholiad. Gynneu ceisiodd Theomemphus ddadlau siomiant Philomela o blaid parhad ei serch:

> " Dau ddyn yn ddiau gollir wrth ddiffod y fath
> dân."

Bellach fe ŵyr ei dwyll, a'r unig gam â Philomela yw'r cam a wnaethpwyd eisioes:

> " Mi fwrddrais, ac a leddais a gerais fwya erio'd;
> Yn lle ei hadeiladu, ei swcro a'i chryfhau,
> Ni wnaethum ond ei denu i waered a'i gwanhau."

Rhyfedd yw ei lymder yn awr yn torri ei ddelwau. O'r blaen fe ymffrostiai yn ei ddiweirdeb:

> " Ond gwyryf mi a'i gadewais, ni cheisiais mo'i
> mwynhau."

Weithian y mae'r ddelw honno hefyd yn yfflon:

> " Puteindra sy yma hefyd ffieiddia erioed ei
> ryw."

Fe wêl yn eglur nad cariad yn mynd allan ohono'i hun a'i symbylodd erioed, ond nwyd yn deisyf ei flys:

> " A dwyn ei gras a'i synnwyr a'i doniau maith yn un,
> A chanolbwynt ohonynt fy ngwneuthur i fy hun."

Ni ddinoethodd hyd yn oed Bernard Shaw ffugion serch rhamantus mor llwyr nac mor arw â hyn.

Ond, o thaflodd ymholiad ei olau oer i ganol caddug tymhestlog ei serch, dieithrach na hynny y golau a gafwyd ar gariad Duw. Y Duw a adnabu Theomemphus yn nhroedigaeth ei lencyndod, un ydoedd yn arllwys llawenydd i'w galon feidrol ac ysig ef, Duw yn llawn haelioni a thiriondeb, a'i gariad yn torri ar y llanc yn frwd ac yn afradlon fel cariad llances:

> " Yn llifo yn anherfynol at wael syrthiedig ddyn."

Ond yn awr ac yn ddisymwth, yn ateb i osgo Theomemphus tuag at Philomela, fe ddangoswyd iddo gariad Duw yn dra gwahanol, wedi newid, addfedu, caledu ac ystyfnigo fel cariad priod. Magodd cariad hawl, a hawl eiddigedd, ac eiddigedd angerdd a oedd greulon yn ei raib:

> "Ti fynni'r cnawd a'r esgyrn a'r galon yn gytun,
> Rhaid iti gael y cyfan neu ynteu ddim o'r dyn;
> 'Does dim fod is yr wyben mewn cariad ac mewn bri
> O fewn i'r serch neu'r galon i daflo â thydi."

Daeth dychryn ar Theomemphus, braw syn ac aruthr. Gweld y cariad a fuasai gynt fel afon lonydd y gellid chwarae ynddi ac ar ei glennydd, yn troi'n sydyn yn llif ymchwyddog, yn llydanu, yn cyflymu, yn ysgubo, yn gafael yng nghwch brau ei fywyd a'i ddwyn mewn rhuthr a chryndod a chorwynt i ffwrdd oddiwrth bob glan, ymhell o gyrraedd a golwg pob hen gynefin, ymaith i fôr di-draeth unigrwydd ofnadwy, anfesuradwy calon y Duwdod ei hun. Nid rhyfedd iddo ofni na chrynu, tynnu â'i holl gyhyrau yn erbyn y don anfeidrol a oedd ar fedr ei gipio. Nid i bawb, ebr y Santes Teresa, y daw'r alwad hon yn y bywyd hwn. Ac ychydig flynyddoedd yn ôl, wedi iddo ddarllen gweithiau Teresa, gweddiodd llenor ifanc yn Ffrainc â thaerni arswyd: "Fy Nuw, cadw fi rhag temtasiwn santeiddrwydd. Ni pherthyn hynny i mi. Bydd fodlon ar y bywyd amyneddgar, dihalog y ceisiaf ei fyw. Na ddwg oddiwrthyf y pleserau tyner a adwaen, a gerais gymaint. Yr wyf i'n briod, yn dad, ac yn llenor. Na themtia fi â phethau amhosibl.

Nac arwain fi i ormod gwasgfa."[1] Yr un yn awr yw dychryn Theomemphus. Canys ni ellir mwyach gamddeall yr alwad a ddaeth iddo, yr alwad enbyd i fod yn sant, i redeg gyrfa'r cyfrinydd. Canys hynny, medd gwyddonwyr, yw troedigaeth gyfriniol, nid dyrchafiad nwyd rhyw yn unig megis yn nhroedigaeth llanc, ond troi'r libido cyfan, crynswth y greddfau, a'u trosglwyddo hwynt yn derfynol ar Dduw.[2] Un a ddiddyfnwyd yn gwbl oddiwrth holl flysiau a phleserau byd yw'r cyfrinydd. Yn ei droedigaeth ef nwyd rhyw yn ddiau yw canolfan yr ymdrech, ond gyda'r nwyd hwnnw fe ddyrchefir holl egnïon ei natur. I Dduw yn unig y bydd byw mwyach.

Deallodd Theomemphus. Gwelodd fod ar fin diflannu oddiwrtho bob mwyniant dynol, pob diddanwch hawddgar. O'r braidd na thorrodd ei galon. Cofiwn y fath un ydoedd, y bardd yr oedd pethau synhwyrus yn gymaint maeth iddo. Rhai felly yn unig yw'r cyfrinwyr mawr, rhai o gryfach nwydau a chyfoethocach synhwyrau na'r rhelyw o ddynion, rhai a wir fedr garu cnawd a phethau daear yn angerddol. Ac eisioes fe glyw Theomemphus y cwbl hyn yn llithro oddiwrtho.

[1] Jacques Rivière. Dyfynnwyd gan F. Mauriac yn ei lyfr, *Le Tourment de Jacques Rivière*, 1926, tud. 126.

[2] Thouless, op. cit., tud. 212.

Brysia i ganu'n iach, a chwerwder hiraeth yn ei lais:

"Ffarwel anwylaf faesydd, rhaid i chwi 'mado gid,
Mi'ch cerais, mi'ch hwsmonais, mi'ch trefnais yn fy mryd;
Mi gollais wrth eich trefnu, a'ch cymryd yn fy nghôl,
Fwy nag ddwg llongau'r India hyd ddiwedd byd yn ôl.
Ffarwel danteithion melys a'r gloyw hyfryd win,
Yn nyddiau fy ngwrthgiliad rois ormod wrth fy min;
Ffarwel y palas hyfryd a'r gerddi teg eu lliw,
Gwaharddwyd im bleseru mewn dim is nen ond Duw.
Mi golla wrth 'mado a Philo fy holl bleserau o'u bron,
Aed ffwrdd bob pleser arall os rhaid anghofio hon;
Bydd ynw'i wagle wedyn, ac nid oes tan y Nef
Ond hoeliwyd ar y groesbren ei hun a'i lleinw ef."

A hyd yn oed yn awr nid yw'r ymdrech ar ben. Ni all ef eto *ewyllysio* ffarwelio. Y mae'n ormod iddo. Eisoes yn y diymwybod fe setlwyd y frwydr. Y mae Duw wedi ennill. Ond ni ŵyr Theomemphus hynny. Ni fedr oddef y peth yn ei ymwybod. Nid aeth ef at Philomela i ganu'n iach. Rhaid wrth ryw swmbwl ychwaneg cyn y daw hynny. A daw hynny iddo yn y diwedd yn ei gwsg, wedi blino ohono ar bob brwydro. Breuddwydiodd iddo glywed llais:

"Yr Arglwydd dy Dduw a geri, 'be allu mawr
y Nef,"

ac ar unwaith wedi clywed y geiriau fe ddeffroes a chael y dewis wedi ei gyflawni, ac yntau ar gefn y don, ymhell oddiwrth bob chwant cnawd.[1]

Ni ddaeth iddo eto lawenydd y cyfrinydd. Daw hynny maes o law. Nid oes yn awr ond blinder a thristwch gŵr a ddioddefodd ac a lethwyd gan ei ing. Y mae'n farw bellach i'r ddaear. Nid oes ond lliw tranc yn gysgod ar bob byw:

"Tyred bellach Philomela. . . .
Rho dy law a thyred allan,
Rhodiwn yn ddiniwed iawn
Rhwng y beddau tan fyfyrio
O foreuddydd hyd brynhawn.

Ni wna'th degwch mwy im' niwed
Os oes tegwch yn dy wedd;
Rwyf yn portreadu'th wyneb
Fel bydd obry yn y bedd.
Bydd di briod, bydd di weddw,
Bydd yn briod yn y man,
A boed saith o wŷr 'n olynol
Gael dy degwch bryd i'w rhan;
Mi ni fydda'i yn un ohonynt,
Ni fydd arna'i chwant i fod
Tan awdurdod y fath bleser
Tra fo seren ar y rhod."

[1] Cymharer yn fanwl ddadansoddiad Thouless o ddiwedd troedigaeth Awstin Sant, op. cit., tud. 200.

Ar derfyn y gân hon fe sgrifennodd Williams:

"Diwedd y Gân Ymadewiad."

Ond dyma'n wir ddiwedd *Theomemphus*. Canys yn y gân ffarwel fe aeth profiad Theomemphus yn un â phrofiad Williams Pantycelyn, a pharheir y gân ffarwel, a pharheir *Theomemphus*, yn llyfr nesaf y bardd, sy'n dangos yn ei deitl y cyswllt agos sy rhyngddynt: *Ffarwel Weledig, Groesaw Anweledig Bethau.*

# VIII

## FFORDD YR UNO

FEL y digwyddodd hi, fe gyhoeddwyd rhan gyntaf *Ffarwel Weledig* ychydig fisoedd cyn Theomemphus. Canys wedi iddo sgrifennu'r *Gan Ymadewiad* fe gyfansoddodd Williams res o emynau â chyflymder ac â thanbeidrwydd telynegol y tu hwnt i ddim a wybuasai ef gynt yn ei fyw. Ynddynt hwy y cwblheir hanes Theomemphus, sy mwyach yn un â hanes Pantycelyn ei hun. Buasai'n dda pe deallasai'r bardd hynny, a therfynu *Theomemphus* cyn andwyo cyfanrwydd ei waith. Ond amcanasai ar y cychwyn olrhain gyrfa ei arwr i'r pen, heb iawn ddeall ple'r oedd y pen; felly fe ymlwybrodd ymlaen er iddo drosglwyddo'i awch i'r emynau newydd,—enghraifft o'i ddiffyg beirniadaeth. Ni ddylai hynny guddio oddiwrthym y gamp a gyflawnwyd yn *Theomemphus*. Hyd at derfyn y *Gan Ymadewiad* y mae'n ddifwlch a chrwn. Nid oes ynddo un rhan afraid nac un interliwd na newid cywair nad yw'n hanfod yn y cynllun ac yn cyfoethogi'n hamgyffred ni o berson Theomemphus. Un mefl sy'n bennaf arno, sef cymeriad Duw. Esiampl Milton, ond odid, a hudodd Williams i roi Duw yn berson yn ei gân. Truan o Dduw ydyw, cynnyrch Calfiniaeth fasaf y Piwritaniaid Seisnig. Eto, nid hynny yw ei fai barddonol. Nid yw hynny o safbwynt barddoniaeth yn fai o gwbl. Bu duwiau gwael yn symbylau barddoniaeth wych, ac nid bai ar gerdd yw heresi. Y bai barddonol yw bod y Duw a draetha'i feddwl ei hun yn *Theomemphus*, fel *dramatis persona*, yn gwbl anghyson â'r Duw a ddatguddir gan Efangelius a chan Theomemphus yn ei brofiadau. Nid Duw Pantycelyn mohono, ac yn y rhannau y llefair Duw ynddynt fe gollir am dro unoliaeth fewnol y gerdd; a hynny oherwydd bod diwinyddiaeth ffurfiol Williams, a amlygir yn y rhannau hyn, yn llwyr groes i dybiaethau ei eneideg a'i brofiad, ac yntau heb wynebu'r anghysondeb. Y Duw a lefair ei hun yn *Theomemphus*, un ydyw sy'n gwbl y tu allan i'w greadigaeth, yn ei symud heb symud ynddi. Nid dyna Dduw profiad Theomemphus na Duw *Ffarwel Weledig*. Wrth iddo edrych i'w galon ei hun, unig faes ei gyfarwyddyd, traethodd Williams wirioneddau am Dduw a oedd gysonach â phroses troedigaethau Theomemphus. Diau mai yn emynau'r cyfnod olaf y deuwn atynt yn awr y datguddir inni'n llawn ac yn deilwng syniad Pantycelyn am Dduw.

Mewn cyfresi neu secwensiau y cyfansoddwyd emynau *Ffarwel Weledig* a *Gloria in Excelsis*, a rhaid derbyn pob secwens yn un gerdd, nid yn nifer o hymnau annibynnol. Hawdd dosbarthu'r cyfresi, gan fod newid mesur fel rheol yn arwydd dechrau rhes newydd a meddwl newydd. Ceir bod yn y ddau lyfr nid ychydig o ail-adrodd syniadau a rhygnu ar yr unrhyw ffigurau ac yn aml ar yr unrhyw linellau. Ond pan gofier bod ynddynt dros bedwar cant o emynau, y peth syn yw eu bod o'r cyntaf i'r olaf yn dal eu gafael ynom ac yn mynnu eu darllen lawer gwaith. Ni ellir esgeuluso dim. Sgrifennai Williams yn wyllt ac ag amhwylledd ysbrydoliaeth ddihysbydd. Rhaid ei astudio'n fanwl araf, o achos bod yn ei delynegion ystôr o ddatguddiadau profiad a phelydr golau treiddiol i natur dyn. Diogel yw ei le ym mysg y beirdd hynny a ddarllenodd yn ddwfn yn nirgelion calon. Eglurir cuddiad ei gryfder a chyfoeth ei awen yn y pennill hwn:

"Chwilia, f'enaid, gyrau'th galon,
Chwilia'r llwybrau maith o'u bron,
Chwilia bob rhyw stafell ddirgel
Sydd o fewn i gonglau hon."

Dyna ei gri ar hyd ei waith, ac fel bardd fe gafodd ei wobr; gellir ei ddarllen i'r pen.

Canu cyfriniol a geir yn *Ffarwel Weledig* a *Gloria in Excelsis*, gwaith un a gychwynnodd ar ffordd yr uno— "ac ynddi y derbynnir y Priodfab". Epithalamion eglur y briodas ysbrydol yw'r cyfresi cyntaf yn *Ffarwel Weledig*. Edrych y bardd yn ôl ar y brwydrau olaf cyn ei droedigaeth gyfriniol, a chyfeddyf:

> " Mi ge's goncwest heb ddymuno" . . .
>
> " O fy anfodd
> Dest a'm beiau tan fy nhraed. . . ."

Daeth terfyn ar garu gwrthrych daear er bod

> " Ei gruddiau fel rhosynau a'i bronnau'n lliain main."

Canys

> " Wyneb dyn sydd yn salwino,
> Ynfyd yw a gâr ei wedd."

Ceir llawer atsain o'r *Gan Ymadewiad:*

> " Ffarwel, ffarwel oll wi'n weled,
> Oll sydd ar y ddae'r yn fyw . . .
> Rhof ffarwel i'r holl greadigaeth,
> Ffarwel faesydd gwych eu rhyw,
> Ffarwel deiau teg yr olwg,
> Ffarwel ddynion gorau'n fyw." . . .

Ond y dyhead a droesai gynt at wyneb dyn, at ryw Philomela yn ei brofiad ei hun, fe'i trosglwyddodd Williams yn awr ar briod arall, a gweld ar ruddiau hwnnw, yn anfarwol mwy, y rhosynnau a wywasai yng ngwedd pob cariad cnawd:

> "Gwyn a gwridog yw fy Arglwydd,
> Gwyn a gwridog yw ei wedd,
> Brenin y brenhinoedd ydyw
> Yma a thu draw i'r bedd;
> Mae dy degwch
> Wedi'm hennill ar dy ôl. . . .
>
> Y mae gwedd dy wyneb grasol
> Yn rhagori lawer iawn
> Ar bob peth a welodd llygad
> Ar hyd wyneb daear lawn;
> Rhosyn Saron,
> Ti yw tegwch nef y nef."

Yng ngwynfyd llesmair ei serch, a chan gofio nesed y bu'r fodrwy i fys Philomela, fe ddywed y bardd:

> "Tydi wi'n briodi; dy gael di dy hun
> Wna'm holl ddymuniadau i yn gyflawn bob un."

Hyfryd yn awr yw'r ymollwng i freichiau'r Anwylyd:

> "Yn ei fynwes
> Mae fy naear i a'm nef."

Yn y penillion tra rhyfedd hyn clywir acen profiad sy mor gyfrin eofn fel y clywaf i wrth ei ddilyn ryw swildod fel pe bawn yn tresbasu ar dir rhyfeddod. Bu mynych siarad gan rai am a elwir yn 'emynau cnawdol' Pantycelyn. Yr ateb i'r rheini yw: *honi soit qui mal y pense.* I rai na phrofasant a brofodd Williams, na wybuant erioed na'i uffern ef na'i nef, na'i ymdrechion ingol na'i wobr anhraethadwy, diau mai cnawdol a goreofn yr ymddengys y penillion hyn. Diau hefyd mai cnawdolrwydd a bair eu canu gan ddynion na ddeallasant y llymder a oedd y tu ôl iddynt na'u lle ym mywyd Pantycelyn. Ond i'r ychydig a ŵyr ddilyn yn barchus o hirbell anturiaethau dewraf dynion, a ŵyr yn anad dim i ba ddibenion anhygoel y lluniwyd ein cnawd, fe berthyn emynau olaf Williams, ei 'emynau cnawdol', i'r un dosbarth â hymnau Jacopone da Todi a'r Sant Ieuan y Groes, sef dosbarth clasuron barddoniaeth gyfriniol.

Canys dyma awr meddwdod Williams. Daw oriau eraill ac yn ebrwydd. Dyma orig ei wynfyd, ei ail droedigaeth nad oes sôn amdani ond yn ei ganeuon ei hun. Ni threthwyd ei awen erioed o'r blaen gan ddim tebyg i lewyg ysbrydol yr awr hon, yr ectasi a fu'n wobr ei ymwacâd terfynol. Daeth arno'n ddisyfyd:

> " Fe'm llyncwyd i fyny mewn syndod i gyd,"

ac â'i wynt yn ei ddwrn y bloesg orfoledda:

> " D'ardderchowgrwydd
> Barodd im' ddod ar dy ôl. . . .
> Mae'n ardderchog,
> Eto annwyl yw i mi."

Wedi'r datguddio hwn aeth ffarwelio â chnawd a byd yn chwerthinllyd hawdd, a chlywir tinc dirmyg diamynedd yn ei gyfeiriadau atynt:

"Swn a siarad
Yw'r gogoniant tan yr haul."

Nid hynny'n unig; aeth haul a daear eu hunain yn ddifater ganddo, a gallai'n dawel wylio eu tranc:

"Aed y greadigaeth faith i'w bedd,
Mae'n well i mi na cholli'th hedd."

Bellach cafodd serch ei briod wrthrych, serch diamod a diberthynas y gellir ymroddi iddo o lwyrfryd bodd, ymgolli, ymsuddo:

"Gyrrwch fi i eitha tywyllwch
Tu hwnt i derfyn oll sy'n bod,
I ryw wagle dudew anial
Na fu creadur ynddo erio'd;
Hapus, hapus
Fydda'i yno gyda thi."

Ymddiddan poeth, difyfyr y dyweddi nwydwyllt sydd yn y penillion hyn. Hoff ganddo hyd yn oed gyfaddef ei hen anffyddlondebau, oherwydd yn awr yr ymuno daw atgof am ysgariad i felysu'n rhyfedd yr ymlonni brwd:

"Ti'm cofleidiaist yn dy freichiau,
Minnau es at eilunod cas."

Ond aeth y serch dwyfol yn rhy gryf iddo. Tynnodd ef â rhaff dair cainc:

> " 'Rwyt ti'n drech na'm calon galed,
> 'Rwyt ti'n drech na'm pechod cas;
> Ti wnai i'm hannwyl chwant a minnau
> Pryd y mynnost gwympo maes."

Un cariad sicr a fydd iddo mwy; ni all Duw ei hunan wadu ei sadrwydd:

> " 'Rwy'n dy garu, ti a'i gwyddost."

Od oes diffyg o gwbl ar ei serch, nid diffyg ymroddiad mohono. Mentra herio holl wybodaeth Duw i brofi hynny, a beiddgar iawn yw ei sialens:

> " Os nad wi'n dy garu'n gywir
> F'anwybodaeth yw i gyd;
> Chwilia gonglau maith fy nghalon,
> Pa le arall mae fy mryd?
> 'Rwi'n apelio
> I'th wybodaeth fawr dy hun."

Ni ddihysbyddir cyfoeth ei brofiad gan y dialog hwn. Rhaid ei feddiannu'n llwyrach ym mhob gwedd arno, a thry Williams nid yn unig i'w fwynhau, eithr ei ddeall hefyd, ei ddal yn ei agweddau deallol ac eneidegol, a thrwy hynny ei brofi'n ddwysach. Edrych yn ôl ar ei yrfa, ei holl wibio a'i wingo, ac ebr ef:

> " Rhyw anifail wyf, heb ddeall."

Sylla eilwaith i'w galon ac adnebydd yno drylwyred ei gnawdolrwydd a'i ddaearoldeb:

" Llwch wyf fi, o'r llwch y daethum,
Pryf yw 'mrawd, y ddae'r yw 'mam;
Etto 'rwyf fi'n 'mofyn teyrnas
Ddisigledig, bur, ddi-nam;
Pryf y ddaear,
A ddaw hwnnw mewn i'r nef? "

Ei ateb yw darfod llunio'r nwydau sydd ynddo, ei reddfau cnawd, i'w bodloni gan serch dwyfol. Ys gwir mai cnawdol ydynt, a'u tuedd naturiol yw ymdroi at gnawd a ddaear:

" Aml yw gwrthrychau teimlad,
Agos ynt i'm natur wan."

Ond ni all gwrthrychau teimlad eu gwir ddiwallu. Creant chwant mwy o hyd, ac am hynny bythol a newynllyd ddyheu mewn anwadalwch ac oriogrwydd fyddai eu tynged naturiol, uffern ddibaidd y cnawd. Daw dyrchafiad y nwydau at Dduw i'w gwaredu oddiwrth eu hingau anniwall:

" Mi grwydraswn
Rhwng gwag ddelwau on' bai ti."

Dyna'r arwydd fod y llwch y perthyn dyn iddo yn llwch tyngedfenedig:

" Ni wnaed yr enaid hwn erioed
I garu llwch y llawr " . . .

"Fe row'd imi ddymuniadau
Nad oes dim o fewn y byd
Yn y dwyrain a'r gorllewin
Ag all hanner lanw 'mryd;
Tragwyddoldeb,
Yno llenwir fi yn llawn."

Neidia'i ddychymyg yn hyderus i'w uno â'r Duwdod nid yn unig mewn cymundeb, ond mewn anian a hawl:

"Rhan o'th natur
Yw wi'n deimlo ynw'i fy hun."

Am hynny diogel yw ei dynged, a darlunnir ei apotheosis yn y pennill mwyaf Platonaidd a gyfansoddodd Pantycelyn:

"Anian nef a dyr trwy rwystrau,
Anian nef a dyr trwy'r tân;
Ceidw ei gyrfa trwy'r creadur
At ei gwreiddyn pur ymla'n,
Heibio i degwch
At y tegwch pur ei hun."

Anaml y ceisiodd Williams gyffredinoli ei brofiadau na'u mynegi mewn termau athroniaeth; ond yn awr, yn ei droedigaeth gyfriniol, fe ddaw hynny'n gyfrodedd â'i benillion mwy teimladol, gan eu tymheru a'u diogelu, a throi'r cyfan yn farddoniaeth ddilwgr ac iach. Yn wir, yn y cyfnod hwn, y peth newyddaf yn ei arddull yw'r elfen athronyddol hon, a'i swyddogaeth hi yw puro fwyfwy ei gariad, rhoi iddo weledigaeth a fo'n fwyfwy dwyfol, troi ei fywyd ei hun yn symbol o bosibilrwydd y natur ddynol.[1] Canys cyrraedd ei gariad at Dduw, ei nod uchaf, mi dybiaf, pan droer ef yn llawenydd esthetig, nid mwyach oblegid ei berthynas ef â Duw na'i wynfyd ynddo, ond yn syml oherwydd bod Duw, a'i fodolaeth yn annibynnol ac ymddigonol, yn rhydd a chyflawn ynddo'i hun:

> " Llawen wyf i fod dy hanfod
>   Fawr, yn ddedwydd ynddo'i hun,
> Ac na raid iti ymddiried
>   Mewn creadur un rhyw lun " . . .
>
> " Dy hanfod berffaith yw'm hapuswydd."

Dyna lawenydd esthetig: llawenydd a ddeillia o gyngreddf seml, gweledigaeth bur heb ddyhead yn aflonyddu arni, y cyflwr meddwl uchaf y gall person ymgyrraedd ato.

Eithr mewn gwyddoniaeth yn hytrach nag athroniaeth yr ymhyfrydai Pantycelyn; a defnyddia dermau eneideg yn rhwyddach na thermau metaffyseg i ddisgrifio'i droedigaeth gyfriniol.

Dyrchafiad yr holl nwydau at Dduw, eu perchenogi ganddo a'u llwyr feddiannu,

[1] Gwelir felly y cam a wneir â Williams drwy ei farnu yn ôl detholiadau llyfrau emynau, sy'n dewis yr emynau teimlad gan eu tynnu allan o'u lle a'u cyfres. I farnu Williams, rhaid ei drin fel beirdd eraill a darllen y cwbl ohono.

hynny yw, eu santeiddio, dyna destun ei ddadansoddiad:

" Perchnogodd ef a'i ddwyfol ras
  Fy holl serchiadau'n un;
Na chaed o fewn i'm hysbryd fod
  Neb ond fy Iesu ei hun.

O, cymmer fy serchiadau i'n glau,
  Fy Iesu, bob yr un,
A gwna hwy yn eisteddfod bur
  Sancteiddiaf it' dy hun.

A gwna bob meddwl a phob chwant
  I dynnu fyny fry
Nas gwthio holl derfysgau'r byd
  Fi maes o'th gariad cu.

A doed deniadau'r byd yn lli
  O'r dwyrain faith a'r de,
Ni thry fy serch i fyth yn ôl
  Er neb o ganol ne'."

Diddorol yw sylwi ar duedd Williams, bob tro y daw rhaid arno ddadansoddi ei brofiad yn fanwl ofalus, i ddychwelyd at y mesur syml a thawel hwn. Y peth campus yn y penillion hyn yw bod geirfa dechnegol eneideg y bardd yn gyfrwng mor hyfedr i fynegi dwyster ei brofiad. Ni ellid hynny onibai mai cynneddf ar feddwl Williams, dull cyson ei ymwybod a'i ddeall, yw ymholiad eneidegol. Bardd gwyddonol yw ef hyd yn oed yng nghanol ecstasi'r sant. A'r hyn a rydd fri arbennig arno fel dysgawdr a doethor, a'i dyd ef yn ymyl

Goethe fel athro ysbryd, yw bod ei gyfriniaeth, pa arwed bynnag y bo,—ac ni wadaf i ei llymder na'i harswyd—eto'n dwyn nodau'r parch llwyraf i gyfanrwydd personoliaeth dyn. Ni eilw ef ar neb pwy bynnag i ymwadu â rhan o'i natur, i ladd y cnawd er mwyn mawrhau'r ysbryd, na mynd i ryw nefoedd anafedig drwy newynu'r greddfau. Galwad am gyfanrwydd yw galwad Pantycelyn. Rhaid i'r cnawd hefyd wrth ei hawliau a'r nwydau oll eu bodloni yn Nuw:

> " Fy nymuniadau i gyd
> Sy'n cael atebiad llawn,
> A'm holl serchiadau i 'nghyd
> Hyfrydwch nefol iawn."

Ac er mai seirff yw'r nwydau ac yn ddieflig atgas:

> " Seirph, gwiberod glas gwenwynig
> Yw fy nwydau aml ri,"

eto, ganddynt hwy y mae allweddau teyrnas nefoedd:

> " Rho fy nwydau fel cantorion
> Oll yn chwareu eu bysedd cun
> Ar y delyn sydd yn seinio
> Enw Iesu mawr ei hun."

Ond sylwer: eisoes dacw'r hyn a ddigwyddodd, a brofwyd yn nhroedigaeth y cyfrinydd, wedi troi'n destun gweddi ac yn beth i ymbil amdano:

> "O, sancteiddia f'enaid, Arglwydd,
> Ym mhob nwyd ac ym mhob dawn."

Felly y mae hi. Nid yw'r profiad cyfriniol yn agor drws ar lwybr dibryder a sicr. Rhaid wrth wyliadwriaeth ac egni dibaid i gadw'r bryd ar Dduw. Concwest ddyddiol yw bywyd y cyfrinydd:

> "Ddoe mi syrthiais, 'nawr 'rwy'n syrthio,
> Syrthiaf eto yn y man . . ."

> "'Does gyflwr fyth bw'i ynddo'n byw
> Na fedra'i ddiangc ar fy Nuw."

Efallai mai yn y cyfnod hwn, a chariad at Dduw yn ddisigl yn y cymeriad, ei ewyllys yn ymwthio'n ddibetrus tuag at Dduw, y dargenfydd Williams ac y datguddir ganddo'n llawn ddyfnder naturiaeth dyn a'r gamp yw gyrfa ysbrydol. Canys croes i natur yw troi byw yn yrfa, croes i natur yw rhoi disgyblaeth ac unoliaeth celfyddyd yn iau ar oriogrwydd cynhenid cig a gwaed.

> "Cwbl groes i natur
> Yw fy llwybur yn y byd,"

meddai Ann Griffiths, ac ebr Williams yntau:

> "Pob egwyddor yn fy enaid
> Beunydd sydd am fynd ymhell . . .

Tueddiadau drwg fy natur
 Sy'n rhoi i fy ofnau rym,
*On' bai'r twyll sydd yn fy ewyllys*
 Ni wnai'm ofnau imi ddim."

Twyll yn yr ewyllys! Hyd yn oed yn yr ewyllys a unwyd gyda Duw. Nid rhyfedd iddo weddio o hyd am sefydlogrwydd, am barhad, un o destunau cyson y cyfnod hwn. Nefoedd iddo ef yn awr yw'r cyflwr y pery ymroddiad yn ddiŵyro ynddo a'r ewyllys yn ddidwyll, nid gorffwysfa ond egni anwasgaredig. A gwych yw gweld Williams yn awr, yng nghanol ei ddyddiau, yn gymaint campwr ag y bu erioed, yn ymddisgyblu, yn ei arfer ei hun, yn ymroi o newydd i burdan y sant ac yn cychwyn ar gwrs newydd yn ei yrfa.

Canys hynny sydd yma. Gan Sant Catrin o Genofa yr eglurwyd swyddogaeth Purdan mewn diwinyddiaeth Gristnogol yn ddeniadol.[1] Yn ôl Catrin parhad yw'r Purdan y tu draw i'r bedd o'r ysgol buredigaeth a gychwynnwyd yn y bywyd hwn. Nid cosb mohono na dioddefaint y condemnir enaid iddo. Yn hytrach yr enaid ei hun o lwyrfryd calon, yn awr y weledigaeth a ganiateir iddo yn angau, o ddeall maint santeiddrwydd y Dwyfol a'i dynged yntau, a ymdeifl yn orawenus i boenau Purdan.

[1] Von Hügel: *The Mystical Element of Religion.* Yn arbennig I, tud. 283–294, a II, tud. 230–246.

Y llawenydd tebycaf i lawenydd y nef, ebr Catrin, yw llawenydd eneidiau ym mhurdan, a thry poen yno'n llawenydd oblegid mai act gwirfodd enaid cadwedig ydyw, o gariad at ddihalogrwydd Duw yn ei goethi ei hun oni lanhaer pob nwyd a llenwi'r cwbl gan serch dwyfol. Dyna gnewyllyn dysgeidiaeth Catrin. Yn anffodus magwyd Pantycelyn mewn diwinyddiaeth a grebachwyd ac a gollasai lawer o briodoleddau Cristnogaeth gyflawn, a'r gred ym Mhurdan yn eu plith. I'w lle daeth syniad ofergoelus am doriad sydyn, gwyrthiol ar ddatblygiad dyn yn angau. Ni chollwyd y gred ym Mhurdan yn gwbl. Y mae hi o leiaf yn gynwysedig yn bendant yn athrawiaeth Morgan Llwyd a'i syniad ef nad yw enaid drwy angau ond yn mynd "ymhellach i'w wlad", ac felly'n parhau'r bywyd a'r ymburo a gychwynnwyd yn y byd hwn. Ond yn ei oes ef yng Nghymru eithriad oedd Morgan Llwyd, ac nid oes brawf ddarllen o Williams Pantycelyn *Lyfr y Tri Aderyn*.

Daeth athrylith grefyddol Williams i gyflenwi'r diffyg yn ei etifeddiaeth, a datguddio iddo nid holl gyfoeth syniadau Catrin, ond o leiaf sylwedd y ddysgeidiaeth am Burdan ac amgenach meddwl am angau nag a ffynnai'n gyffredin ymysg ei gyfoedion ac yn ei gyfnod. Rhoes i buredigaeth le hanfodol yn ei athrawiaeth grefyddol, a dileodd y syniad gwaradwyddus am boen yn anffawd neu'n ddamwain y mae'n rhaid i'r Cristion ei oddef. Sail ei ddysg yw'r ymwybod sicr o dwyll ei natur, gwydnwch ei ymlyniad wrth wrthrychau cnawd:

> "Myfi fy hunan yw fy mhla,
> Fy nghalon yw fy nghlwy,
> Ac yma mae llochesau drwg
> Cuddiedig fwy na mwy."

Dyna fyrdwn degau o benillion yn *Ffarwel Weledig*. Mor wahanol ydyw i acen yr *Aleluia* cynnar, ffrwyth ei droedigaeth llanc. Yn *Aleluia* dyheasai am farw, am etifeddu'r nefoedd yr oedd ganddo hawl mor ddiffuant iddo. Bellach, fe ŵyr yn amgen, ac yn herwydd ei wybod dyfnach fe ddiolch am hir ddyddiau a phoen einioes. Gwelsom yn *Theomemphus* fod y syniad am werth amser yn un o'i egwyddorion eglur. Yn *Ffarwel Weledig* datblygir yr ystyriaeth hon yn helaeth:

> "Os rhaid imi gael blynyddau
> O'r cystuddiau gwaetha eu rhyw. . . .
>
> Mi fodlona doed a ddelo
> Os ca'i weld yr hapus awr
> Trwy ryw foddion crai neu chwerw
> I fy mhechod fynd i lawr;
> Digon boddlon
> Congro bai trwy ddwyn y groes."

Gan hynny fe ewyllysia mwyach aros yn y bywyd hwn a'i wae:

"Yn y rhyfel mi arosa,
Yn y rhyfel mae fy lle,"

a bydd hyd yn oed hen ddyddiau a blino yn gyfryngau ymburo:

"Mi gaf deimlo chwant yn colli
Cyn yr elo'm haul i lawr,
Mi gaf flino ar fy mhechod
Cyn y codo'r foreu wawr;
'Rwyf yn foddlon
Rhwng y saethau nes dêl dydd."

Dygymydd weithian â gŵyriadau ei nwydau:

"Gwaith y nefoedd yw dyoddef
Ynw'i nwydau croes eu rhyw. . . .
Goruchafiaeth
Fydd yn hyfryd pan y dêl."

Yn yr ysbryd hwn yr edrych ef ymlaen at henaint a dihoeni, a gwêl y medrir troi hynny oll a'i chwerwder yn rhan o'i ymddisgyblu. Dyma'r penillion tebycaf o'r cwbl i syniadau Catrin am natur Purdan:

"Os daw gwradwydd, os daw gofid,
Trwy ragluniaeth bur fy Nuw,
Hynny fyth ni ladd fy enaid,
Cadw 'nghalon wna fe'n friw;
Bydd ei fflangell
Yn y diwedd fel y gwin.

Os ar wely rhaid fy rhoddi
Rywbryd yn y dyddiau ddaw
I gystuddiau nes bo'm brodyr
Goreu oll yn cilio draw
Mi ddof allan
Fel yr aur y seithfed tro."

Ffrwyth y cwbl yw ei fod yn magu fel hyn gymeriad cyfan, personoliaeth nis gwasgerir gan oriogrwydd amcanion megis y dileir personoliaeth y cyffredin o ddynion. Mwyach tyf ei fywyd yn unedig a chrwn a gall honni'n ddiymhongar:

" Ail natur heddiw im'
Yw ymladd grym y don."

Y dull y megir y cymeriad hwn, proses ei buredigaeth, yw trwy ehangu ymwybod a datguddio fwyfwy ddirgelion ei natur, ac felly gwblhau ymholiad:

" Mae fy nghroesau a'm cystuddiau
Oll yn chwilio maes fy mai . . ."

" Mi ga' weld dichellion lawer,
Mi ga' weld uffernol dân
Mewn llochesau yn fy nghalon
Na chydnabum i o'r bla'n."

Santeiddrwydd yn ôl Williams yw cyflawnder ymwybod, y diymwybod wedi ei ddileu'n llwyr a'r cymeriad bellach

" *Fel drych goleu* i dderbyn delw
Holl santeiddrwydd pur fy Nuw."

Os cywir syniad yr eneidegwyr mai'r atalnwydau a gedwir o'r ymwybod yw achosion drysni ac ymraniad personoliaeth, yna odid nad yw disgrifiad Williams o santeiddrwydd nid yn unig yn gywir, eithr hefyd yn troi santeiddrwydd yn arbennig yn gyflwr o iechyd moesol a meddyliol. Santeiddrwydd perffaith yw bod yn rhydd o bob nefrosis ac atalnwyd; bod yn ddibechod yn syml iawn yw bod yn iach, camp uchaf meddwl dyn.

Troes Williams angau yn rhan o'r proses puredigaeth hwn. Peidiodd marw â bod iddo ef yn beth anghyffelyb i bob dim arall, yn torri yn ddiddisgwyl a dilywodraeth ar draws einioes gan chwalu bwriadau bywyd. Felly y buasai iddo gynt, yn arswyd dihafal ac unig, y gelyn olaf yn llechu mewn tywyllwch ac yn deyrn ar ddynoliaeth. Hyd yn oed yn rhan gyntaf *Ffarwel Weledig* (1763) yr oedd ofn marw, neu'n hytrach ofn marwolaeth, yn fyw iawn ynddo. Ceir llawer gweddi am nerth i'w wynebu:

> " Nid wi'n ofni tir y bywyd
> Hwnnw, 'nghartre hyfryd yw;
> Ond 'rwi'n ofni yr agendor
> Fawr sydd rhwng y marw a'r byw."

Ond fel y datblygodd ei amgyffred o burdan profiad cafodd angau yntau le yn ei fwriad. Troes yn rhan o'i buredigaeth:

"Mae'r corff o aflan wedd,
Mae'r cnawd yn ffiaidd iawn,
Ar frys rhaid iddo fedd
I'w sancteiddio'n llawn."

Yn lle bod marw yn rhywbeth i'w oddef a heb iddo ran o gwbl yng nghynllun dyn, fe'i meistrolir a'i orfodi i gydffurfio â holl amcan bywyd:

"Caiff angeu ei hunan i'm gwneuthur i'n rhydd."

A'i weddi bellach yw nid am gael dianc drwy angau yn sydyn a chyflym ac mor anymwybodol ohono ag y galler, eithr yn hytrach am gael ei brofi'n llwyr ac yn llawn, sugno pob maeth a fedrer ohono, ei leoli'n sefydlog yn system ei brofiadau:

"Edrych angeu yn ei wyneb,
Ymhyfrydu yn y bedd."

Felly, gan fod marw yn rhan o boenau purdan enaid, try hefyd yn rhan o lawenydd purdan, yn destun gorfoledd:

"Fel y mêl gwnest groesau diried,
Angeu haerllig dewr a'r bedd" . . .

"Ac mi gwela i'm yn bleser
I gael gorwedd yn y bedd" . . .

"Pan bo angeu'n gorfoleddu
Ac yn chwerthin ar y bedd."

Dyna ei fuddugoliaeth ar fywyd bellach yn gyflawn. Y mae'r cwbl, holl anhrefn ac achlysuroldeb profiad, damweiniau einioes a marwolaeth, oll dan iau amcan a chynllun, a'r bardd yn meddiannu ei fyd, ei feddiannu a'i ddefnyddio i gyfoethogi ei bersonoliaeth ei hun:

> " Mae'r byd a'r bedd, mae'r ddae'r a'r nen
> Yn tynnu'n siwrnai fach i ben."

O hyn ymlaen fe wêl berffeithrwydd einioes fwyfwy drwy'r ffigur o oleuni'n tyfu mewn tawelwch ac ehangder ac addfedrwydd, cysondeb diddamwain yn ei arwain ymlaen gan roddi iddo urddas unoliaeth gron:

> " O na welwn ddydd yn gwawrio,
> Boreu hyfryd tawel iawn,
> Haul yn codi heb un cwmmwl,
> Felly'n machlud y prydnawn:
> Un diwrnod
> Goleu eglur boed fy oes."

Na farned y darllenydd imi anghofio swydd efrydydd llên a thresbasu ar faes gwahanol y diwinyddion. Yma yr ydys yn trin pwnc hanfodol i feirniadaeth lenyddol bur. Gwelsom mai un o nodweddion rhamantiaeth Pantycelyn yn ei gyfnod cynnar oedd ei unigoliaeth lwyr. Nid oedd i gymdeithas swyddogaeth o gwbl nac yn ei fywyd nac yn ei emynau. Bardd y profiad unig, diberthynas ydoedd.

Nid oedd gan y byd hwn ddim i gyfrannu i'w bersonoliaeth. Anialwch oedd y byd a gorau po gyntaf y croesid ef. Ar y manna nefol, achlysurol, goruwch-naturiol yr ymborthai'r pererin. Ni châi unrhyw faeth o'r anialwch diffrwyth a'i cwmpasai. Dyna nodwedd amlwg hymnau *Aleluia*. Yn *Ffarwel Weledig* a *Gloria in Excelsis*,—hon yw'r ffaith nodedig,—goresgynnodd Williams ei ramantiaeth a daeth yn bur agos i'r egwyddor glasurol Cymreig, ac fel y caf awgrymu'n llawnach yn y bennod olaf, fe ddangosodd un dull o leiaf y gellir eto ymgyrraedd at safbwynt glasurol fyw mewn llenyddiaeth. Y mae sylfaen clasuraeth newydd, ffrwythlon a dofn yn y cwpled a ddyfynnwyd:

> " Mae'r byd a'r bedd, mae'r ddae'r a'r nen
> Yn tynnu'm siwrnai fach i ben."

Y mae yma synthesis newydd. Rhydd i gymdeithas ac i ffeithiau ac amgylchiadau dynol orchwyl newydd ym mywyd y bardd. Gardd yw'r anialwch weithian, sy'n maethu personoliaeth yr unigolyn ac yn angenrheidiol i'w dwf. Dyna bwysigrwydd dysg Williams am buredigaeth. Aeth y cyfan o fywyd iddo yn beth perthnasol, moesol. Os 'ail natur heddiw im' yw ymladd grym y don', yna bu i'r don hithau, sef amgylchiadau a phrofiadau'r tu allan iddo, ran yn ffurfio'r natur honno. Y mae gwerth ynddynt, a gwerth gwrthrychol. Peidiodd y bardd a'i brofiadau goruwch-naturiol â bod yn unig sylweddau, ac aethant yn rhan o system o sylweddau yn perthyn bob un i'w gilydd ac yn ennill eu gwerth a chyflawnder eu bod oddiwrth ei gilydd ac oddiwrth eu perthynas i Dduw:

"Ofer imi weld y ddaear
Yn egino ei hegin grawn,
Ofer imi weld yr heulwen
Fawr yn estyn ei phrydnawn,
Ofer imi weld y blodau
Yn datguddio eu haneirif liw
Tra fo neb rhyw un creadur
Yn cysgodi gwedd fy Nuw.

Ofer imi gael cwmpeini
Hyfryd, llawen, addas, gwiw,
Ieuengctyd yn eu rhwysg a'u nwyfiant
Fel y blodau teca eu lliw:
Ni wna hyn ond torri 'nghalon
A fy nodi'n fwyfwy briw
Tra fo bryniau maith a dyrus
Rhyngof fi a hedd fy Nuw."

Dyna amgyffred perthynas ym mysg gwrthrychau sy'n nes na dim a gafwyd gynt gan Williams i egwyddorion beirniaid yr Oesoedd Canol yng Nghymru. Gwiw yw sylwi ar yr elfen o werthfawrogi sy'n y penillion hyn. Ac onid yw'n arwyddocaol ac yn cefnogi'r syniad hwn mai yn 1766 y dechreua Pantycelyn sgrifennu *Marwnadau?* Nid oes ond Marwnad Griffith Jones

Llanddowror yn gynharach. Trwy droi profiad yn buredigaeth fe feddiannodd y byd gwrthrychol.

Trwy'r datblygiadau hyn ni laesa unwaith fwriad y cyfrinydd. Ei uno'i hun â Duw, ymroddi iddo'n llwyrach beunydd heb geisio "heddiw hawddfyd o un rhyw", dyna yw ysgogiad meddwl Pantycelyn fwyfwy'n awr. Wrth inni ddarllen drwy'r rhannau olaf o *Ffarwel Weledig* a thrwy *Gloria in Excelsis* fe glywn dyfu o'n cwmpas ddistawrwydd dwfn a dwys. Paid 'y swn a'r siarad'. Â lleisiau'r byd o un i un yn fud. Yr ydym yn clustfeinio i wrando ar yr anhraethadwy:

" Gwna ddistawrwydd ar ganiadau
  Cras afrywiog hen y byd,
Diffodd dân cynddeiriog natur
  Sydd yn difa gras o hyd,
    Fel y gallwyf
  Glywed pur ganiadau'r nef.

Ac yn y distawrwydd try'r enaid at ei Anwylyd:

O, distewch gynddeiriog donnau
  Tra fwy'n gwrando llais y nef;
Swn mwy hoff a swn mwy nefol
  Glywir yn ei eiriau ef:
    F'enaid, gwrando
  Lais tangnefedd pur a hedd."

" O llefara, addfwyn Iesu!
  Mae dy eiriau fel y gwin
Oll yn dwyn i mewn dangnefedd
  Ag sy o anfeidrol rin;
Mae holl leisiau'r greadigaeth,
  Holl ddeniadau cnawd a byd,
Wrth dy lais hyfrydaf tawel
  Yn distewi, a mynd yn fud."

Weithiau â'r gyfrinach mor ddofn a mewnol oni bo'r ffigur o lais tawel yn rhy gras. Ni cheir na llais na gair na sibrwd, na dim sydd o'r tu allan, ond yn unig uniad mewnol bryd a dyhead ym mywyd Duw:

" O na chawn ddifyru 'nyddiau
  Llwythog tan dy ddwyfol gro's,
A phob meddwl wedi ei glymu
  Wrth dy Berson ddydd a nos " . . .
    " Cael ymborthi
  Fyth ar sylwedd pur y Nef."

Aeth y distawrwydd megis gwaelod y môr, a rhydd fawredd anghyffwrdd ac ymchwydd i arddull llawer pennill:

" Mwy na therfysger f'enaid drud
Gan rwysg a dwndwr gwag y byd;
Ond llyncir fi yn ddistaw iawn
  Yn y llawenydd sy'n parhau
  'N dragywydd heb na meth na thrai
Fel diluw cryf neu foroedd llawn."

Neu mewn ffigur gwahanol:

    " Mi ymguddiaf
  Yn ogfeydd tawela'r nef."

Tua'r diwedd daw'r gair 'tawelwch' yn fynych iawn yn yr emynau, a dwg ar gof inni rai o frawddegau dyfnion Morgan Llwyd o Wynedd. Dyfnder yw nodwedd yr hymnau hyn, a thawelwch nad yw'n oddefwch ond yn egni puraf, yn ewyllysio diysgog. A dyfnder neu ddwyster yw nodwedd arddull yr emynau. Perffeithiwyd meistrolaeth y bardd ar ei offeryn. Trwy ei ymgodymu hir ag iaith a mydr a chrefft y pennill rhydd, enillodd ystwythder digymar mewn geirfa a ffigurau. Nid oes fesur na fedro roi delw ei feddwl a'i brofiad yn gwbl arno. Cymer ffigur neu drosiad (a defnyddio gair Syr J. Morris Jones am fetaffor) a'i droi'n symbol beichiog o'i ddyhead a'i rwymo mewn mesur mor gymwys a chyfan oni ddygo'r pennill ei hun y ffigur i'w derfyn anorfod:

"O na roi'r winwydden hyfryd
  Beth o'i ffrwythau i lawenhau
Enaid flinodd gan och'neidio,
  Enaid flinodd gan dristau:
    Deued bellach,
  Deued blodau, deued haf."

Dyma'n ddiau un o nodweddion technegol arbenicaf yr emynau diweddaraf, sef y ddawn a ddangosir ynddynt mor fynych i gyflawni meddwl mewn pennill, cyfuno'r syniad a fynegir a'r ffurf a ddewisir mor gwbl oni'n hargyhoedder ni mai un ydynt, na ormeswyd ar y naill na'r llall, ond eu cnydio'n gymhesur yng nghroth ysbrydoliaeth:

> " Mae meddwl am yr oriau pur
> Ca'i rodio'r baradwysaidd dir
> Ac yfed pleser sy'n parhau
>   Mewn gwlad heb lewyrch haul na lloer
>   Na therfysg tir na thwrf y môr
> Yn fy rhoi'n awr i lawenhau."

Sylwn ar un peth arall: cyfoeth y trosiadau neu'r metafforau. Nid trosiadau rhetoregol ydynt, eithr symbolau yn addfedu mewn myfyrdod ac yn casglu o'u cwmpas bentwr o ystyron ac awgrymiadau. Manylir arnynt, a thyfant. Yn aml ceir un ffigur yn llenwi emyn cyfan, megis yn y gân enwog:

> 'Pererin wyf mewn anial dir',

neu yn y penillion a ganlyn:

> " Mi bellach goda ma's
>   Ar foreu glas y wawr
> I weld y blodau hardd
>   Sy 'ngardd fy Iesu mawr:
> Amrywiol ryw rasusau pur
> A ffrwythau'r baradwysaidd dir.
>
> O anghyffelyb flas!
>   O amrywioldeb liw!
> Hyfryda erioed a gad
>   Ar erddi gwlad fy Nuw!
> Hi Gilead fwyn a'i 'rhoglau pur
> Bereiddiodd awel Ganaan dir.

Mae'r pomgranadau pur,
  Mae'r peraroglau rhad,
Yn magu hiraeth cry
  Am hyfryd dŷ fy Nhad;
O Salem bur! O Sion wiw!
Fy nghartre i a chartre'm Duw."

Dyna un o funudau ysgeifn Pantycelyn, munud o ffansi bêr yng nghanol angerdd ei arddull ddiweddaraf. Ceir yr un method yn fynych yn ei ganiadau dwysach, a thanbeidrwydd ei feddwl yn crynhoi o gwmpas y ffigur bob gallu a chyfoeth ystyr:

" Nad fi adeiladu'n ysgafn
  Ar un sylfaen is y ne,
Na chymeryd craig i orffwys
  Tu yma i angeu yn dy le;
Ti fy Nuw, tra fw'i byw
Gaiff fod fy ngorffwysfa wiw.

Dyma'r maen syd dyn y gongl,
  Dyma'r garreg werthfawr bur
*Gloddiwyd allan yn y bryniau,*
  *Bryniau tragwyddoldeb dir;*
Nid oes le is y ne
I'w adeiladu ond efe."

Ni wn i am well enghraifft o egni creadigol mewn barddoniaeth na'r ddwy linell a italeiddiwyd: y meddwl drwy ddwys fyfyrio ar y ffigur cyntaf o 'faen', yn sydyn yn treiddio i holl gysylltiadau posibl y syniad, a darganfod y 'bryniau'. A cheir hyn yn fynych gan Williams.[1] Y mae olion dwyster a grym ar holl waith y cyfnod olaf. Ni laesodd unwaith angerdd ei droedigaeth gyfriniol. Tyfodd yn hytrach mewn nerth. Od aeth yn dawelach, aeth yn gryfach a rhoes y tawelwch symlrwydd mawr, yn ogystal ag amrywiaeth a chyfoeth ffigurau, i lawer emyn. Unwaith eto cyn tewi troes Pantycelyn at y mesur symlaf er mwyn mynegi ei brofiad terfynol, a hynny mewn iaith gytbwys, araf, feichiog, cynnyrch oes hir o ymarfer barddonol:

"Rwy'n edrych dros y bryniau pell
  Am danat bob yr awr;
Tyrd, fy anwylyd, mae'n hwyrhau
  A'm haul bron mynd i lawr.

Trodd fy nghariadau i oll i gyd
  'Nawr yn anffyddlon im',
Ond yr wyf finnau'n hyfryd glaf
  O gariad mwy ei rym.

Cariad na 'nabu plant y llawr
  Mo'i rinwedd nac o'i ras,
Ag sydd yn sugno'm serch a'm bryd
  O'r creadur oll i ma's.

[1] Enghraifft arall yw'r ail linell yma:

"Marchog, Iesu, yn llwyddiannus,
Gwisg dy gleddau yng ngwasg dy glun."

Y mae 'r ail linell yn llwyr sylweddoli 'r holl awgrymiadau yn y gair cyntaf—*marchog*.

Tyn fy serchiadau'n gryno iawn
  Oddiwrth wrthrychau gau
At yr un gwrthrych ag sydd fyth
  Yn ffyddlon yn parhau."

*  *  *  *  *

" Melusach nag yw'r diliau mêl
  Yw munud o'th fwynhau,
Ac nid oes gennyf bleser sydd
  Ond hynny yn parhau.

A phan y syrthio ser y nen
  Fel ffigys îr i'r llawr
Bydd fy niddanwch heb ddim trai
  Oll yn fy Arglwydd mawr."

## IX

# ARDDULL

DYWEDWYD gynneu mai teipiau oedd testunau beirdd y Cyfnod Clasurol yng Nghymru. I ddeall paham y dewiswyd teip yn hytrach nag unigolyn yn wrthrych barddoniaeth rhaid gwybod am egwyddorion athroniaeth yr Oesoedd Canol, yn arbennig yn y ddeuddegfed ganrif, a datblygiad Neo-Platoniaeth a Realiaeth yn ysgolion Ewrop. Canys ar sylfeini athronyddol yr adeiladwyd beirniadaeth lenyddol a barddoniaeth Gymraeg, a dyna'u gogoniant hwynt.[2] Digon yn awr yw dweud bod teipiau i'r beirdd Cymreig yn wrthrychau sylweddol, eu bod yn bod. Sylweddau, nid pethau diflan, oedd deunydd barddoniaeth. Pethau tragywydd, nid pethau amser. Dyna'r allwedd i'r traddodiad llenyddol. Colled bob amser yw astudio llên cyfnod heb sylwi hefyd ar athroniaeth a syniadau cyffredin y cyfnod. Yn yr Oesoedd Canol, oesoedd meddwl

[2] Dyna'r ddamcaniaeth y gobeithiaf ei hegluro yn ail gyfrol y gyfres.

synthetig, yr oedd y berthynas rhyngddynt yn agos iawn. Y sefydlog, y digyfnewid, oedd testunau'r traddodiad llenyddol. Mynd i fod ac am fod y mae popeth daear. Nid ydynt yn bod, canys bod yw parhau heb newid, parhau yn ddiamser. Peidio â bod yw newid a datblygu, priodoleddau byd y symud. Nid y symudol ond y tragywydd oedd testunau prydyddiaeth Gymraeg.

Meithrinwyd cerdd dafod i drin y gwrthrychau hyn, bodau syml pur digymysg, teipiau perffaith byd yr ideâu Platonaidd a'r dogmâu Cristnogol. Ac am eu bod yn syml a thragywydd, ffurfiwyd iaith a chelfyddyd araf, urddasol yn fynegiant iddynt. Ni allesid codi cynghanedd ond ar sail athroniaeth a syniadau beirniadol yr Oesoedd Canol. Y mae arafu ymadrodd yn hanfodol mewn cynghanedd, cydio brawddegau a geiriau yn ei gilydd gan ffrwyno'u carlam a'u hieuo oll ynghyd. Felly hefyd arferion eraill cerdd dafod, y cymeriadau, y gostegion, yr awdlau unodl. Nid symud ymlaen tuag at feddyliau newydd yw dull canu'r beirdd clasurol Cymraeg, ond troi mewn cylch,—cylch perffeithrwydd y planedau—a gorffen yn y fan a'r gair y cychwynnwyd, celfyddyd y bardd yn arwyddo natur dragywydd ei destun. Dyna gynllun cyson awdlau Dafydd Nanmor. Yr un modd y gystrawen a'r iaith. Cystrawen synthetig, wasgedig, yn glynu wrth hen ddulliau a phriod-ddulliau, nerth ac urddas ar ffurf gryno'r brawddegau ac ar drefn y geiriau. Yr eirfa'n oludog, ac yn y cywyddau serch yn ysgafn a phêr, ond bob amser yn bwyllog, yn rhwysgfawr, ac yn y marwnadau a'r awdlau yn llawn hen eiriau ansathredig a geiriau cyfansodd sy'n aml yn glogyrnaidd. Iaith i ddeffinio syniadau haniaethol ac egwyddorion athroniaeth, iaith gymwys i gyfraith, i gyfieithwyr y Beibl ac i Forgan Llwyd o Wynedd. Iaith y diwylliant Lladin yn Ewrop a'i holl ddiddordebau.

Ond yr oedd un peth na bu erioed raid ar y traddodiad llenyddol Cymraeg na'r iaith Gymraeg eu haddasu eu hunain iddo, peth a esgeuluswyd yn ormod yn yr Oesoedd Canol: sef gwyddoniaeth. Yn yr ail ganrif ar bymtheg y daeth gwyddoniaeth i'w chyfoeth yn Ewrop, ac erbyn hynny darfuasai ysgolion y beirdd Cymraeg. A gwyddoniaeth yw gwybod arbennig yr Oesoedd Modern. Nid ym myd rheswm a bod yr ymddiddora, eithr ym myd ffaith a symud, byd ffenomenau a'r synhwyrau. Dyna'r newid mawr. Yr oedd yr Oesoedd Canol yn ddifater am wyddoniaeth, oblegid iddynt hwy nid oedd byd y synhwyrau ond arwydd ac alegori o fyd y sylweddau diysgog. I'r meddwl modern, a brofo'r synhwyrau sydd sicraf, a'r cyfrwng i adnabod sylweddau yw gwyddoniaeth. Nid achosion pethau na'u perthynas rhesymegol a'i gilydd yw materion gwyddoniaeth. Yn hytrach y modd yr ymddengys pethau, a swydd gwyddonydd yw disgrifio ymddangosiadau yn gyflawn fanwl.

Bardd Cymraeg cyntaf y meddwl modern hwn yw Pantycelyn. Sylwyd droeon yn y penodau blaenorol ar ei amddifadrwydd o feddwl metaffysegol a synthetig. O'r tu arall dangoswyd ei fod yn hyddysg mewn seryddiaeth, yn gyfarwydd â syniadau gwyddonol ei oes mewn bywydeg a meddygiaeth, ac yn fwy na'r cwbl yn arloesydd disglair yr wyddoniaeth ieuangaf, sef eneideg. Prif ddawn gwyddonydd yw sylwgarwch a dychymyg mewn dadansoddi. Dyna ddawn Pantycelyn. Ni bu fardd erioed mewn unrhyw wlad yn berchen athrylith wyddonol lwyrach nag ef. Hynny a gyfrif am ryfeddod eneidegol *Theomemphus*, y testun pwysicaf a gyflwynodd llenyddiaeth hyd yn hyn i wyddoniaeth.

Deallwn newydded hyn. Yr oedd yn chwildro llwyr ar farddoniaeth. Nid gwrthrychau rheswm na bodau gwastad yw testunau'r bardd hwn, ond y pethau mwyaf anwastad, y pethau sy'n newid, yn symud, yn goddef effeithio arnynt, yn derbyn elfennau newydd, yn peidio â bod ac yn mynd i fod, meddyliau a theimladau ac ysgogiadau natur dyn:

> "Lleng 'nol lleng, olynol ganlyn,
> Ynw'i o feddyliau gau,
> Heddyw yn newid, ddoe yn drysu,
> Ddoe a heddiw yn parhau."

I fynegi'r byd hwn mewn barddoniaeth yr oedd iaith a dulliau cerdd dafod yn llwyr anfedrus. Nid i hyn y lluniwyd hwynt. Disgyblaeth hanfodol wahanol a gawsant erioed. Yn y byd dieithr hwn troai arafwch urddasol a chynlluniau cymalog miwsig cynghanedd, ei goddefiadau a'i chymeriadau a'i mesurau, yn hualau clogyrnaidd megis pais arfau mewn rhyfel heddiw. Ni allai geirfa'r awdlau a'r cywyddau, yr enwau henaidd a'r ansoddeiriau cyfansodd, drin o gwbl gyfrwystra aflonydd tymherau oriog. Annichon i gystrawen synthetig y beirdd a'r cyfieithwyr ddadansoddi profiadau, 'adnabod dirgel ffyrdd temtasiynau, chwilio allan walau tywyll cnawd a chwant', a chreu mewn iaith symbol o gymhlethdod dyrys personau byw. Yr oedd yr iaith lenyddol fel y daeth hi i Williams, drwy'r Beibl a'r cyfieithwyr ac Ellis Wynne a Theophilus Evans, yn sialens enbyd i'w fedr. Perthynai i'r hen fyd, byd yr oesoedd cyn Galileo a Newton. Plentyn y byd newydd oedd yntau. Beth a allai ef o'r fath iaith?

Ger ei law fodd bynnag yr oedd iaith arall. Cymraeg tafodiaith, gwytnach na'i chwaer yr iaith lenyddol. Ni bu hon erioed mewn ysgol na than driniaeth pencerdd. Nis addurnwyd ychwaith ag urddas y diwylliant pendefigaidd. Nis priodwyd hi erioed â moliant beirdd. Ond yn iawn am ei dinodedd a'i magiad diddysg, yr oedd hi'n ablach i wynebu caledi na'r iarlles lên. Aethai'r stormydd dros y tir, bu erlid ar ei heurchwaer, difrod ar ei llannau a'i phlasau, a hithau'r dafodiaith, yn ei bratiau cartref ac wrth ei gwaith, yn ei chymwyso'i hun i bob tro ar fyd. O leiaf, yr oedd hi'n fyw ac iach, ac yn fyw am ei bod yn ddifalch ac yn ystwyth. Byw yn wir oedd ei champ arbennig hi, byw a'i haddasu ei hun i bob tywydd. Anghenion bywyd pob dydd a luniodd ei gwisgoedd hi, ei chystrawen, ei thalfyriadau, ei dull llithrig o drin geiriau, a'i harfer sylwgar, manwl, analytig o ddisgrifio popeth. I fyd y symud a'r synhwyrau, byd ffeithiau caled, ymarferol, y perthynai hi'n gyfangwbl. Ei phraw hi ar air oedd ei hangen amdano, nid ei dras na'i drwsiad. Benthygiai eiriau estron yn wyneb-galed a rhugl onid oedd ganddi air cymwys ei hun.

Er hynny oll, nid bardd tafodiaith yw Pantycelyn, ac nid gwir mai camp ei athrylith oedd cymryd tafodiaith a'i throi'n offeryn llenyddiaeth. Nid felly o gwbl.

Canys er ei holl ddoniau yr oedd gan dafodiaith anfanteision dybryd. Cyfyng oedd cylch ei llafur; tlawd oedd ei geirfa. Iaith ddefnyddiol oedd hi, nid iaith meddwl na chelfyddyd. Ni allasai Williams ymwrthod â golud yr iaith lenyddol na'i disgyblaeth hi. Y peth a wnaeth ef oedd cymysgu'r ddwy iaith a'u defnyddio'n gyfrodedd â'i gilydd, a thrwy hynny greu iaith lenyddol newydd a phriodol iddo'i hun. Gwnaethpwyd peth tebyg o'i flaen ef gan Ellis Wynne yn y *Bardd Cwsc*,[1] a diau na bu'r esiampl honno ddim heb ei heffaith ar Williams. Ond yr oedd Pantycelyn yn awdur mwy toreithiog nag Ellis Wynne. Yr oedd hefyd yn llai beirniadol, hynny yw yn llai artist. Gwaith artist traddodiadol yn y bôn yw'r *Bardd Cwsc*, a'r darnau tafodiaith yn y llyfr wedi eu dethol yn ôl bwriad artistig. Gweu dulliau ac ymadroddion llafar gwlad i mewn i frethyn yr iaith lenyddol a wnaeth Ellis Wynne, a thrwy hynny gychwyn traddodiad mewn rhyddiaeth Gymraeg a erys hyd heddiw, tyst o straeon byr Miss Kate Roberts sydd yn ei olyniaeth ef. Peth gwahanol a wnaethpwyd gan Bantycelyn. Yn gyntaf, ymwrthododd â holl *olion* cerdd dafod. Megis y cymerth ef ei fesurau oddiwrth emynwyr Saesneg, felly y cymerth hefyd yn gyflawn gelfyddyd y canu rhydd, a rhoi pen ar

[1] Gweler *Y Llenor*, cyf. II (1923), tud. 159–169.

gymrodedd hanner caeth a hanner rhydd baledwyr a charolwyr yr ail ganrif ar bymtheg. Rhoes i'r canu rhydd annibyniaeth lawn a'i grefft briodol ei hun. Yr oedd Williams yn feistr mawr ar dechneg canu rhydd, a gwiw yw dweud hynny oherwydd barnu o ddegau o'i feirniaid a'i olygyddion ei fod yn afreolus, a mynd ati'n anwybodusion i gywiro a rheoleiddio'i linellau ef gan gyfrif eu sillafau. Ys gwir bod beirdd a beirniaid hyd heddiw yng Nghymru, a rhai ohonynt yn wŷr o bwysau, yn cyfrif sillafau mewn canu rhydd.[1] Ni all y rheini ddeall crefft Bantycelyn, na gwerthfawrogi priodolrwydd technegol llinellau fel:

> " Ofer imi weld y blodau
> Yn datguddio eu haneirif liw."

neu eto:

> " Marchog, Iesu, yn llwyddiannus,
> Gwisg dy gleddau yng ngwasg dy glun."

Gwyddys y modd y dinistriwyd holl werth y llinell olaf hon gan olygyddion a'i cywirodd

> " Gwisg dy gleddyf ar dy glun."

A hynny er bod Williams ei hun yn ddigon sicr o'r llinell i'w defnyddio ddwywaith,

[1] Ar egwyddorion canu rhydd gweler *The Principles of English Prosody* gan Lascelles Abercrombie.

a'r pennill lleiaf enwog o'r ddau yw'r gorau fel barddoniaeth:

"Marchog yn dy freiniol allu,
Gwisg dy gleddau yng ngwasg dy glun,
Estyn fraich a thorr elynion,
  Achub wael druenus ddyn;
Gelyn llym, ni saif ddim
Fyth o flaen dy anfeidrol rym."

Dyweder eto: nid oes gan Williams ddim i'w ddysgu am grefft y canu rhydd gan neb a'i dilynodd. Gellir dysgu egwyddorion y mesurau rhyddion yn unig o astudio ei waith ef.[1]

Dengys y pennill uchod nad mewn tafodiaith y sgrifennai Williams ychwaith, er bod ynddo odlau tafodieithol sy'n arwydd o gymhlethdod iaith lên ac iaith fro yn ei emynau. Yma, ac mewn ugeiniau o linellau eraill, fe ddefnyddiodd gystrawen gynnil yr iaith lenyddol:

"Ni chollodd a'i meddodd y llwybr erio'd."

Yn aml hefyd fe ddefnyddiai iaith lên a ffurfiau tafod yn blith draphlith â'i gilydd mewn ffrâm o gystrawen dafodieithol, megis yn y cwpled hwn:

"Mae yma rywbeth sydd yn mogi
  Goleuadau pur y Ne."

[1] Na ddisgwylier imi drin celfyddyd *emyn* yn y bennod hon, megis petai'n fath arbennig o ganu. Nid oes i'r emyn unrhyw egwyddorion *artistig* ond y sy'n gyffredin i bob math arall o farddoniaeth rydd.

Yr oedd geirfa Williams yn dra goludog, ac ni fyddai raid iddo ofni ei chymharu hi â geirfaoedd y beirdd clasurol. Ond bwriodd heibio un o ddulliau iaith y beirdd, sef y gair cyfansodd, a chymerth i'w le arfer yr iaith lafar o dalfyrru geiriau a brawddegau er mwyn llithrigo ymadrodd:

" 'Rwy'n dy garu, 'dd'weda'i 'chwaneg " . . .
" Pan 'row'n i yn eitha gwan " . . .
" Tir dymunol yw 'nhifeddiaeth " . . .

Mewn cystrawen hefyd torrodd â'r iaith lên o'i flaen. Dyna a ddisgwyliem, canys tebyg yw gwasanaeth cystawen lên yn ystyr llinell i waith cynghanedd yn sain llinell. Rhwyma gerddediad y meddwl mewn gwe resymeg. Cadwyn gref ydyw. Rhaid oedd i Williams ddryllio'r hualau hynny, a throes yn union at arfer iaith lafar. Cymerth ei dulliau llac, troellog hi a'r ffurfiau llafar ar ferfau. Sylwer mai'n arbennig mewn penillion a fo'n disgrifio cyflyrau meddwl ac yn y rhannau eneidegol o *Theomemphus* y ceir cystrawen dafodiaith ganddo'n amlaf. Er enghraifft:

" Nawr 'rwy'n gweld y mae'n ehedeg
Mewn i'm calon ac i ma's
Fil o bethau sydd wrthwyneb
I egwyddor dwyfol ras;
Uffern lid ynt i gyd
Sydd yn erbyn f'enaid drud."

Onid yw'r pennill drwyddo'n dilyn yn agos ac yn fanwl y peth a ddisgrifir? Deil y digwyddiad, nid fel peth cyflawn, hynny yw ar ôl iddo fod, megis pe dywedyd:—'Gwelaf ehedeg'; nac ychwaith fel peth a ddeëllir a'i leoli felly ym myd rheswm ac mewn cyfundrefn, megis pe dywedyd:—'Gwn am ehediad pethau gwrthwyneb,' ond yn hytrach dal y cwbl, hyd yn oed yr act o ymwybod ei hun, yn y funud y digwyddo, a'i droi oll yn gyfamser, gafael ar fywyd yn ei symud:

> "Nawr 'rwy'n gweld y mae'n ehedeg."

Dyna briodoledd arddull Pantycelyn. Rhoes i'r Gymraeg ddisgyblaeth a phrofiad newydd. Creodd iaith lenyddol gymysg y gellir ynddi drin bywyd unigolion a dilyn troeon chwimaf y meddwl. Gwnaeth iaith fodern, offeryn i wyddoniaeth a nofelwyr fynegi drysni cymhleth y profiadau cyfrwysaf, ingoedd chwant a dyhead, trai a llanw teimladau nerfus. Gwelsom y gamp honno yn *Theomemphus* ac yn ei nofelau rhyddiaith. Ar ei ôl ef yr oedd nofelau Daniel Owen yn bosibl, a chofier mai un a fagwyd yn ei gyfundeb ef ac yn sŵn ei emynau oedd Daniel Owen. Iaith Pantycelyn yw cyfrwng y farddoniaeth hynotaf a sgrifennir heddiw, a mawr yw dyled y ddrama iddi. Diau bod meflau arni, beiau cystrawen sy'n llawer gwaeth na beiau orgraff, aflerwch diesgus yn aml a diofalwch dybryd am sain ac odl. Rhaid dygymod â hynny. Y mae'n cydfynd â rhinweddau Williams. Drylliodd anystwythder barddoniaeth. Cyn ei ddyfod yr oedd hi'n urddasol, ond yn stiff fel haearn bwrw. Toddwyd hi yng ngwres ei brofiad. Llifodd fel metel tawdd drwy ffwrneisiau ei emynau. Yn ei ganu diweddaraf yn arbennig, aeth ei arddull yn fwyfwy gwasgedig a chyflym. Gwelir datblygiad mawr yn emynau olaf *Ffarwel Weledig* a *Gloria in Excelsis*. Ceisiai'r bardd roi mwy mewn llinell nag a allai geiriau ei ddal. Sigwyd hwynt weithiau hyd at eu llurgunio. Dryswyd cystrawen o fwriad; ac er mwyn dal y meddwl rhaid anghofio gramadeg a gadael i ddychymyg gipio'r ystyr:

"Hyn yw'm meddwl, hyn yw'm hawddfyd,
Yn nhymhestloedd oer y byd,
*Caf fi 'nal fynd tros y bryniau*
*Stormus weld dy wyneb-pryd;*
Fe â heibio
Swn y dymhestl a'r gwynt."

Ceir amryw byd o'r penillion hyn sy'n rhy lwythog i gystrawen ddal y pwysau:

"Pa fath uwchder rhed fy nghariad?
Pa fath syndod y pryd hyn

Pan y gwelw'i dy ogoniant
Perffaith llawn ar Sion fryn?
Anfeidroldeb
O bob tegwch maith yn un."

Digrif yw gweld yma 'gymeriad' cerdd dafod yn llithro i mewn i'w waith, a digrif hefyd yw sylwi iddo ddarganfod yn ei gyfnod olaf, ac yn ei ymdrech am feichiogrwydd, werth newydd yng nghynildeb cystrawen synthetig yr iaith lenyddol. Defnyddia hi yn rymus ddigon yn ei thro:

"F'enaid egwan, paid ag ofni;
'Dyw dy elynion bob yr un
Ond rhai eisioes wedi eu congcro
Gan a wisgodd natur dyn."

Ond troer y dail ychydig a cheir ef eto'n bwrw ymaith bob cymal gramadeg ac yn neidio'n rhydd a diresymeg o syniad i syniad:

"Os am bechod y'th w'radwyddwyd
Ac trywanwyd gwaywffon
Nes gwneud archoll na anghofir
Tra fo nefoedd, tan fy mron:
Gad i mi gael ffrwyth dy glwyfau
Gad i mi gael rhin dy wa'd,
Maddeu 'mhechod, gweld dy wyneb
Ti fy Mhrynwr a fy Nhad."

Nid rhyfedd iddo ofyn yn yr un emyn:

"P'odd y galla'i ddweud sydd ynw'i?"

na rhyfedd ychwaith iddo anobeithio am allu ystwytho iaith i draethu ei feddwl, a throi mewn dychymyg at gyfrwng arall yn fynegiant iddo:

"Rwy'n dy garu, 'ddweda'i 'chwaneg;
Uwch pob geiriau i ddodi ma's
Yw dy gariad, yw dy heddwch,
Yw dy anfeidrol ddwyfol ras;
Yn nhafodiaith nefoedd oleu
Caf fi draethu ym mhlith y llu
Gyda blas na ellir ddeall
Hen ddirgelion nefoedd fry."

Anobaith Pantycelyn yw gobaith y Gymraeg. Cyn ei gollwng o'i law rhoes iddi egni dihysbydd a hoywder i wynebu galwadau bywyd. Profodd ei bod yn gyfrwng gwiw i draethu popeth ond yr anhraethadwy. Rhoes ei enaid ynddi. Gellir ei ddal weithiau'n ymgodymu gyda hi, yn ei phrofi unwaith a methu ganddo ddweud a fynnai:

"Am hynny, f'enaid, dos yn mla'n,
'Does ar dy ffordd na dŵr na thân,
Nac unrhyw rwystr nad ai trwy."

Dyna'r methu. Yn yr emyn nesaf un ceisiodd eilwaith, a llwyddo'n wych:

"Wel, f'enaid, dos yn mlaen
'Dyw'r bryniau sydd gerllaw
Un gronyn uwch, un gronyn mwy
Na hwy a gwrddaist draw."

Ceir hynny ganddo'n aml. Ebr ef unwaith:

> " Mae'i ddyfodiad fel yr heulwen."

Da ddigon. Ond nid oes ynddo'r sioc o lawenydd creadigol a oedd ym meddwl y bardd, ac ymhen ychydig ddyddiau dychwelodd yn ardderchog at y syniad:

> " Yn nyfnder tywyllwch nos
> Mi bwysa' ar dy ras,
> O'r tywyllwch mwya' tew
> Fe ddwg oleuni ma's:
> Os gwg, os llid, mi af i'w gôl,
> *Mae'r wawr yn cerdded ar ei ôl.*"

Dyna'r ysbrydoliaeth wedi ei chreu'n gyfan, a'r pwyslais ddwywaith ar y gair 'tywyllwch' yn paratoi'n ddeheuig firagl y llinell olaf. Ceir yr unrhyw syndod yn aml yn gwbl ddibaratoad, a rhyw uniongyrchedd chwyrn yn tywallt allan yn y llinell gyntaf o emyn. Egyr degau o'r hymnau â chyfarchiad sydyn fel gwaniad saeth:

> " Anweledig, 'rwy'n dy garu " . . .

> " Iesu, nid oes terfyn arnat " . . .

> " Golwg, Arglwydd, ar dy wyneb
> Sydd yn codi'r marw o'r bedd."

Dirifedi yw'r agoriadau dramatig hyn. Trown i orffen at y penillion llonyddach a geir ganddo hefyd. Codwyd llawer ohonynt eisioes yn y penodau blaenorol. Ynddynt hwy y clywir sicrwydd dwfn ei ffydd a damcaniaeth fawr ei fywyd. Soniais am ei ddiddordeb byw mewn gwyddoniaeth. Nid heb arswyd yr astudir seryddiaeth a darganfod cwrs anesgor y planedau. Ond troes Williams hyd yn oed dybiaethau arswydus gwyddonwyr am dranc heuliau a bydoedd ac am yr oeri araf, sicr ar wres cynhaliol y cosmos, yn destun hyder tawel a diysgog, a hynny mewn telyneg sydd yn ei rhwysg yn enghraifft wych o'i allu i gyfuno syniadau gwyddonol ac angerdd y cyfrinydd:

" Mae haul a ser y rhod
  Yn darfod o fy mla'n,
 Mae tywyllwch dudew yn dod
  Ar bob peth hyfryd glân:
Fy Nuw ei hun sy'n hardd, sy'n fawr,
Ac oll yn oll mewn nef a llawr."

Onid oes mawredd pur yn y pennill yna, ni wn i ym mhle y ceir.

# X

## RHAMANTIAETH

GWELSOM mai'n fardd unigedd y cychwynnodd Pantycelyn ar ei yrfa. Tua'r un cyfnod fe gychwynnodd bardd arall, sef Goronwy Owen, ar ei waith yntau. Mewn unigrwydd ysbryd y treuliodd ef hefyd y rhan fwyaf o'i oes lenyddol, ac ymdeimlo a'i unigedd a fenodd fwyaf ar ei lafur. Bu fyw ym mlynyddoedd ei egni barddonol mwyaf allan o Gymru a heb gwmni Cymreig, yng Nghroes Oswallt ac yn Walton gerllaw Lerpwl ac yn Northolt. Magesid ef yng Ngogledd Cymru, a'i addysgu yn Sir Fôn a Sir Gaernarfon, na chollesid ynddynt yn llwyr olion yr hen draddodiad llenyddol. Cadwyd o leiaf ddigon ohono i greu hiraeth a hyder ym mynwes llanc llengar. Ond yn ei alltudiaeth amddifadwyd Goronwy hyd yn oed o'r tipyn hynny. Yr oedd ar ei ben ei hun ymhlith estroniaid, a'i freuddwydion am a fu yn unig gysur iddo. Curad oedd ac athro ysgol. Casâi ei waith, casâi ei feistriaid, ei dlodi a'i gaethiwed. Ganesid ef yn annhymig. Aflonyddai fyth a beunydd, chwilio o hyd am waith newydd, crefu am newid lle a chwannog i grwydro. Hynny o'r diwedd a'i gyrrodd i'r America. Ar ambell gyfrif yr oedd ei yrfa fydol yn rhyfedd o debyg i yrfa Arthur Rimbaud, y bardd Ffrangeg, a phes ganesid ef yn Ffrainc diau y troesid ei hanes yn symbol o'r diwreiddio a fu ar ei wlad a'i gyfnod. Y mae yna beth i wanu calon yn y llythyr olaf a'r awdl olaf a anfonodd ef yn ôl o'r America cyn diflannu ohono i'r niwl, gan droi am y tro diwethaf i gofio'i ddyheadau gynt ac i fynegi eto hiraeth a oedd yn anesgor:

> "Soniais, sygenais gŵynion—do ganwaith
> Am deg Wynedd wendon."

Canys dyna oedd ei farddoniaeth i Oronwy Owen: noddfa oddiwrth drueni ei fywyd a'i amgylchiadau. Syrffedid ef gan bob dim o'i gwmpas, hyd yn oed gan faledau 'beirdd bol clawdd,' gwehilion y gogoniant gynt. Troes yntau i fyw oriau gorau ei einioes mewn myfyrdod am y gorffennol ac ymdrech i'w sylweddoli'n greadigol. Rhoes ei holl nerth i ddysgu crefft yr hen benceirddiaid, i feddiannu eu cerdd a'u hiaith, i gyfansoddi awdlau a chywyddau ac i freuddwydio am epig Gymraeg, hoff uchelgais y Dadeni yn Ewrop yn yr unfed ganrif ar bymtheg. Canys plentyn y Dadeni oedd Goronwy Owen, a aned yn hwyr. Cododd iddo'i hun dŵr o farddoniaeth y gallai ymgysuro ynddo. Troes cerdd dafod yn iawn iddo am holl anffodion ei oes. Gwasnaethai celfyddyd iddo ef yn union fel y gwelsom wasnaethu o'r Nefoedd i Bantycelyn yn ei hymnau cynnar. Dyna ddull gwahanol yr artist a'r cyfrinydd yn eu hadwaith yn erbyn ffeithiau. A dyna ystyr ac amcan holl efrydiau Goronwy Owen, ei ddisgyblaeth ddygn yn yr hen ramadegau, y geirlyfrau a'r llawysgrifau beirdd. Hwy oedd defnyddiau plas ei ddychymyg, y plas y cododd ef ei furiau rhyngddo'i hun a'r byd taeog. Creu noddfa yw bwriad ei glasuraeth ef, noddfa artist mewn oes ddidrefn, lloches ei unigedd balch.

Craffwn ar y canlyniadau. Dyma ddau fardd, Goronwy Owen a Phantycelyn, yn cychwyn tua'r un amser yn y ddeunawfed ganrif, a chan wynebu ar yr unrhyw amgylchiadau a'r unrhyw broblem mewn llenyddiaeth. Eu hymdeimlad ag unigrwydd yng nghanol oes ddidrefn yw man cychwyn y ddau. Ymafaelodd y ddau yn y broblem a'i thorri bob un yn ei ddull ei hun: Goronwy drwy naddu iddo'i hun lwybr yn ôl i'r byd clasurol; Pantycelyn drwy dderbyn ffeithiau ei fywyd a'u troi'n sail damcaniaeth a method newydd mewn barddoniaeth, sef Rhamantiaeth.

Yr oedd y ddau hyn yn rhan o etifeddiaeth Cymru y bedwaredd ganrif ar bymtheg. Ond triniwyd y ddau mewn dulliau tra gwahanol. Nid fel bardd y derbyniwyd Pantycelyn, eithr yn Ddiwygiwr, yn un gyda Howel Harris a Daniel Rowland a sefydlodd gymdeithas newydd yng Nghymru a rhoi i'r wlad fywyd crefyddol newydd. Cymerwyd ei emynau, aethant yn rhan o fywyd y genedl, yn rhan—sylwer—o fywyd ymarferol y genedl. Nid barddoniaeth mohonynt mwy, ond offerynnau ymarferol bywyd crefyddol, "moddion gras" fel y gelwid. Collwyd drwy hynny y rhan fwyaf o ddigon o'u hystyr a'u gwerth. Yn anad dim, collwyd ystyr holl fywyd Pantycelyn. Ni ddeallodd neb y pethau y ceisiodd y llyfr hwn eu hegluro. A gadael heibio'r mater llenyddol pur, ni welwyd gwerth moesol y cynnydd ysbryd ym mywyd Pantycelyn. Bu ganddo effaith ar waith emynwyr ar ei ôl, ond nid effeithiodd ef ddim ar grynswth llenyddiaeth, na dim ar ddamcaniaethau llenyddol nac ar feirniadaeth. Nid oes i Bantycelyn ran uniongyrchol o gwbl yn natblygiad llenyddol y ganrif ddiwethaf.[1]

[1] Byddai'n dda pe cofiai rhai o elynion llenyddiaeth ifanc heddiw hynny, a pheidio mwyach â'n cynghori ni i "gofio Pantycelyn yr un pryd."

Yn hytrach i Oronwy Owen y perthyn hynny. Ef drwy ei farddoniaeth a'i lythyrau a sylfaenodd lenyddiaeth Gymraeg y ganrif ar ei ôl.[1] Efelychu ei grefft ef a dwyn ei uchelgais farddonol i ben oedd gorchwyl dewis y ganrif. Ond unwaith yn rhagor, ni ddeallwyd na bywyd na gwaith Goronwy Owen yn iawn. Ceisiwyd codi plas barddoniaeth tebyg i'w blas ef, ond nid â'r un cerrig na'r un cynion. Nid astudiwyd yr henfeirdd fel y gwnaethai ef, na'r gramadegau na'r geirfaoedd. Nid oedd gan neb ysgolheigiaeth hafal i'r eiddo ef na'i afael ar yr hen awduron. Peth truan oedd y dynwared, peth anghlasurol i'r eithaf. Ond gwaeth lawer na hynny: nid oedd ar neb yr angen a fuasai arno ef am farddoniaeth. Nid aeth neb drwy ei brofiad ef, nac ymdeimlo â'i unigedd na'i anobaith. Nid edrychai neb yn ôl i'r cyfnodau clasurol na cheisio treiddio i'w cyfrinach. Ni wybuwyd angen hynny. Credid mai gwlad o dywyllwch oedd Cymru hyd at y Diwygiad Methodistaidd. Ac eto ceisid defnyddio celfyddyd y tywyllwch, sef cerdd dafod, peth y gwelsom iddo dyfu o hanfod y tywyllwch. A thrwy ymroi i amcanion barddonol cyfnod y tywyllwch, anwybyddu'n llwyr brif nodweddion hyd yn oed y byd modern ei hun. Anwybyddu Rhamant-

[1] Gweler: *Y Llenor*, cyf. IV (1925), tud. 30–39, "Yr Eisteddfod a Beirniadaeth Lenyddol."

iaeth; a gwaeth na hynny, anwybyddu gwyddoniaeth, ac felly llwyr fethu gan lenyddiaeth etifeddu golud ei chyfnod ei hun, a throi'n blwyfol a dibwys. Beth oedd effaith hynny? Nid oedd un cysylltiad hanfodol, un cysylltiad trwyadl mewn personoliaeth, rhwng bywyd y ganrif a barddoniaeth y ganrif. Felly, hobi oedd barddoniaeth. Nid peth a wnâi fyw yn bosibl megis y buasai i Oronwy Owen. Nid dull o feddiannu bywyd megis y bu i Bantycelyn. Ond dull o ddifyrru oriau segur bywyd. A'r unig fodd y gellid ei gyfiawnhau oedd drwy roddi iddo swyddogaeth ymarferol, sef ei droi'n gyfrwng moeswersi a chynghorion crefyddol. Trwy hynny rhoddwyd i farddoniaeth esgus dros ei bod, a cheisiwyd ei gwneud yn beth rhesymol. Ni lwyddid ei gwneud yn angenrheidiol.

Onid yw'n eglur mai un o brif achosion tlodi barddoniaeth y ganrif ddiwethaf oedd cefnu ohoni ar Bantycelyn? Canys cymwynas Williams i'r byd modern, yn neilltuol i Gymru fodern, oedd rhoi *raison d'être* i farddoniaeth, rhoi iddi swyddogaeth mewn byd didrefn, byd o unigolion, byd heb unoliaeth cymdeithas na chredo nac athroniaeth, a byd y cymerth gwyddoniaeth ynddi y flaenoriaeth a fuasai gynt yn rhan rheswm.[1] Condemniodd Goronwy Owen y byd newydd. Derbyniodd Williams ef ynghyd â'i holl unigoliaeth, a chael ynddo sylfaen ddisigl i farddoniaeth o fath newydd. Heb farddoniaeth ni ellid meddiannu'r byd hwn. Yr oedd barddoniaeth yn anhepgor.

A ddylid dadlau gan hynny mai Rhamantiaeth yw'r syniad terfynol am natur llenyddiaeth yn y byd modern? Ni chredaf hynny o gwbl, a thybiaf fod hanes gwaith Pantycelyn yn tystio yn erbyn hynny. Gwelsom, yn arbennig yn emynau *Ffarwel Weledig* a *Gloria in Excelsis*, mai tuedd ei fywyd oedd tyfu allan o'i unigoliaeth gynnar a thrwy ddarganfod gwerth yn y byd gwrthrychol awgrymu o leiaf bosibilrwydd athrawiaeth gymdeithasol newydd. O'r cychwyn y peth a ddiogelodd ramantiaeth Williams oedd fod Duw yn fater ei brofiad a'i ganu, ac mai cyfrinydd oedd. Credaf fod rhamantiaeth yn llai ei pherygl i fardd Cristnogol oblegid ei chymysgu hi o reidrwydd ag elfennau moesol. Perygl y bardd rhamantus yw ymŵyro dros ddrych ei feddwl ei hun a chyfrif holl dueddiadau'i natur yn gydwerth, rhoi mynegiant i'w brofiadau heb geisio effeithio arnynt na newid ei gymeriad ei hun. Cristnogaeth

[1] Dangosir y gwahaniaeth yn darawiadol ym mhennod gyntaf llyfr Dr. Whitehead: *Science and the Modern World* (1926).

Williams, ei syniad moesol am Dduw, a'i gwaredodd oddiwrth hynny. Magu personoliaeth yw hanes ei fywyd, rhoi trefn arno'i hun. Pan gofiom iddo ddatblygu o ŵyrdroad rhywiol a nefrosis llanc i gytgord ac iechyd santeiddrwydd, i gyflawnder bywyd normal a chrwn, fe ddeallwn faint buddugoliaeth ei yrfa. Darllener cofiannau'r beirdd rhamantus yn Ewrop, ac fe welir mor eithriadol yw gyrfa Pantycelyn. Nid oes ond hanes Goethe yn hafal i'w hanes ef, a bardd oedd Goethe hefyd a dyfodd drwy ramantiaeth i wastadrwydd a chytgord.[1]

Dechrau'n fardd rhamantus a wnaeth Pantycelyn, datblygu ei ramantiaeth a'i mynegi'n llawn, yna ei meistroli a thyfu i weledigaeth fwy. A'r peth a'i cadwodd rhag aros yn derfynol mewn rhamantiaeth oedd ymholiad. Goddef profiadau, eu trysori a'u mynegi yn eu cyflwr cyntaf niwlog, ceisio awgrymu mewn geiriau ryfeddod tywyll a dieithr ei weledigaeth, dyna duedd aml fardd rhamantus. Nid dyna fethod Williams. Rhoes ef i'r deall ran hanfodol yn ffurfio'i bersonoliaeth. Nid oes brofiad nad ymdrŷ ef i'w chwilio a'i ddeffinio. Ni all dderbyn anneffiniad yn gyflwr uchaf meddwl. Cawsom ddegau o

[1] Gweler ysgrif bwysig R. Berthelot yn y *Revue de Metaphysique et de Morale*, Ionawr, 1927: *La Sagesse de Goethe et la civilisation de l'Europe moderne.*

enghreifftiau o hynny, a'r enghraifft fawr yw hanes caru Theomemphus a Philomela. Anneffiniad oedd lloches y serch rhamantus hwnnw. Trwy ddeffiniad gellir meistroli anarchiaeth y nwydau a dwyn cytgord i'r cymeriad. Deffinio yw lleoli a chreu perthynas mewn cyfundrefn, a dyna hanfod cytgord mewn miwsig. Troes Williams ddeffinio yn ddull meddiannu profiad a ffurfio personoliaeth gyfan.

Bid sicr fe welsom mai gwrthyfel yn erbyn clasuraeth y ddeunawfed ganrif oedd rhan fawr o waith Pantycelyn. Erbyn heddiw, er mwyn dangos mor bell oddiwrth gyflawnder yr ysbryd clasurol oedd meddwl y ganrif honno, fe'i gelwir gan feirniaid yn lled-glasuraeth neu'n ffug-glasuraeth. Nid oedd ei threfn hi, ei synnwyr da a'i chytgordiad, yn effaith meistrolaeth eang ar gynnwrf profiadau, ond yn hytrach yn gynnyrch crebachu profiad a gwadu bodolaeth rhannau pwysig o gyflawnder bywyd. Oherwydd hynny yr oedd yn farwaidd a sych, a rhaid oedd dyfod llif y mudiad rhamantus i dorri'r argaeau. Ni wnaeth neb hynny'n llwyrach na Phantycelyn. Ond wedi ei wneud, nid ymwadodd ef â threfn na synnwyr da na rheswm. Ni phleidleisiodd ef fel rhai beirdd rhamantus dros fywyd greddfol neu gyngreddfol heb na rhesymu na dadansoddi i beryglu unoliaeth yr ecstasi cyntaf.

Yn hytrach ei athrawiaeth ef yw na feddiennir cyngreddf o gwbl onis delir o flaen bar rheswm a'i chwilio a'i leoli. Ebr Wordsworth:

> "One impulse from a vernal wood
> May teach you more of man,
> Of moral evil and of good,
> Than all the sages can."

Eithaf gwir ar un amod, ac eglurodd Wordsworth hefyd yr amod hwnnw:

> "Poetry is emotion *recollected* in tranquility."[1]

Ystyr 'recollected' yn fanwl yw casglu at ei gilydd, ail-greu trwy ddadansoddi a threfnu. Felly y mae dysgeidiaeth Wordsworth yn ei chyfanrwydd yn gytun ag athrawiaeth Williams. Cafodd Abasis a Theomemphus yr unrhyw gymhelliad, a gellir honni mai '*impulse from a vernal wood*' (o safbwynt dynol) oedd troedigaeth Theomemphus. Ni feddiannodd Abasis y cymhelliad. Nid aeth yn rhan o'i bersonoliaeth. Fe'i meddiannodd Theomemphus, a'i feddiannu sut? Trwy fynd i ysgol ddialecteg y Tad Alethius ac

[1] Gwelaf fod yr Athro Abercrombie yn ei gyfrol olaf, *Romanticism*, yn gwadu mai bardd rhamantus oedd Wordsworth, ac yn ei roi ym mysg y beirdd clasurol. Credaf ei fod yn gwbl iawn.

ail-greu'r gyngreddf, ei deffinio a'i lleoli a'i deall.

Dyna arweiniad Pantycelyn i ninnau heddiw. Ni ellir mwyach fynd yn ôl at ddamcaniaeth lenyddol yr Oesoedd Canol a sylfaenu'n gwaith ar hynny. Ni ellir ychwaith yn ein hoes ni obeithio am gymdeithas unedig yn sylfaen celfyddyd gytbwys a chymdeithasol. Ni all barddoniaeth ein "diddanu" mwyach yn union fel y gwnaethai yn y cyfnod clasurol. Ond erys drychfeddwl y beirdd clasurol yn ddrychfeddwl i ninnau. Rhaid i ninnau ymdrechu am drefn a chyfanrwydd a synthesis mewn bywyd. Tuedd y meddwl rhamantus yw gwneud yr unigolyn a'i brofiad eithriadol yn unig awdurdod mewn bywyd ac yn unig sylfaen bywyd. Na wadwn o gwbl yr elfen gref o wirionedd sydd yn y syniad. Ei fai yw ei fod yn anghyflawn. Fe dybia fod 'unigolyn' yn bod ac y gall ef ei adnabod a'i feddiannu ei hunan. Ond yma y mae'n wiw dychwelyd at *Ddrws y Society Profiad*. Yn niwedd ei yrfa y sgrifennodd Williams y llyfr hwn. Teg yw gweld ynddo ei feddwl addfetaf. Dysgeidiaeth bendant y llyfr yw na all dyn ar ei ben ei hun fyth mo'i adnabod ei hun. Rhaid iddo wrth gymdeithas, wrth fethod cymdeithasol a chymorth o'r tu allan er mwyn ei ddarganfod ei hun yn iawn. Rhaid wrth 'stiward y seiat'. Cymharwn y syniad hwn â dysgeidiaeth yr emynau diweddaraf ac fe welwn nad yw unigoliaeth Williams, yr elfen yn ei waith y rhoddwyd cymaint pwys arni ym mhennod gyntaf y llyfr hwn, ond rhan o'i feddwl addfetaf. Gan hynny, nid ym mhrofiad cyfrin yr unigolyn y mae awdurdod, sef yw hynny goleuni a disgyblaeth. Nid ychwaith y tu allan iddo, mewn cymdeithas neu eglwys neu ddatguddiad gwrthrychol. Ond yn hytrach: *yn y ddau ynghyd*. Felly, rhydd yr argyhoeddiad mewnol werth moesol i'r datguddiad gwrthrychol; a'r gymdeithas hithau a'r byd gwrthrychol yn sicrhau realiti'r profiad personol, yn ei achub rhag ymgolli mewn dychmygion pathologaidd, mewnblyg. Am hynny, nid peth gwrthwyneb i ramantiaeth yw clasuraeth, ond peth sy'n ei gynnwys mewn cyfuniad llawnach a dyfnach. Gwir gyfrinach mawredd Pantycelyn yw iddo ef drwy ei oes ymgyrraedd tuag at y llawnder hwn: tyfu o'i ramantiaeth gynnar i letach amgyffred o ystyr bywyd a byd a chymdeithas. Coron i'w hennill yw clasuraeth yn y byd modern, a rhaid ei hennill o newydd yn gyson. Gofyn hynny inni symud mewn dau fyd a'u hadnabod yn un. Gofyn inni gydnabod sylwedd y byd gwrthrychol y tu allan inni a'i hawl arnom, a'r un pryd arfolli'r profiad mewnol a'n chwilio'n hunain fwyfwy. Dyna rythm y bywyd clasurol, sy'n galetach disgyblaeth na balchter rhamantiaeth. Y mae'n gamp foesol. I greu llenyddiaeth ragorach, meddai Goethe, y gyfrinach yw perffeithio'r enaid.

*Awst* 1925–*Ebrill* 1927

# MYNEGAI

## I—CYMERIADAU YNG NGWEITHIAU WILLIAMS



## II—CYFFREDINOL

n—*nodyn ar waelod y tudalen*

## MYNEGAI

# MYNEGAI